商务印书馆文库

财政学与中国财政
——理论与现实

下 册

马寅初 著

商务印书馆
2006年·北京

第七章　厘金与营业税

一、厘金之起源与种类

吾国之有厘金也，始于洪杨之役，始作俑者为江苏布政司雷以諴。尔时因饷无所出，窘迫万状，遂征收厘金于扬州附近之仙女庙。原拟乱事平后，即行裁去。不料此项税捐，岁有的款，其有利于国家财政可知。故乱事既定，而厘仍征收，年复一年，遂成一种牢不可破之税制。其后各省相继仿行，以应一地一区之急需；而中央政府亦以收入甚巨，对于各省，任其随意抽收，不加限制，亦不颁布统一之法则以为标准。所有科税准则之订定，以及科税物品之选择，均受各省指挥，以故错综复杂，莫可究诘。即名称一端，已足显其复杂。厘金、统捐、认捐、包捐、产销捐、落地捐、饷捐、出海捐等，皆可谓之厘金。

厘者百分之一，厘金者，即值百抽一之税也。但各省任意更改，以致税率极不一致，有自 1.5％至 10％之差别。统捐者，乃一次征足之捐也。货物经过第一卡局时，即将应缴之税一次完纳，以后经过别处卡局时，只受检查，不再纳税，以视遇卡完纳之厘金，较为有益，不可谓非一改革税制之先声。首倡统捐者为江西，后通行于赣、鄂、浙、粤、蜀、新疆、陕、甘各省。但省与省异，绝不一致，故其效有限。

产销捐者,即于出产地与销售地征收两次之捐也。厘金须遇卡征收,次数不定;统捐一次征足;产销税则须分两次征收,是居于厘金与统捐之间也。采用者为江苏南部各地。

出品者,或转运者,不甘受局卡之抽查检验,亦不甘冒卡吏之留难勒索,情愿将每年应纳之税额预先交足,是为认捐。如认捐者,与出品或转运无涉,而向征收处订是项认捐之条件,则为包捐。尔时征收之盐税与酒捐,多以包捐方式征收之。

落地捐者,就运入内地之商品,于其已到达目的地时征收之。但此项商品,并不载入海关所给之内地运照,故洋货进口运入内地,除子口半税外,尚可征收落地捐也。

饷捐者,即充军饷之一种厘金也;山海捐者,即敛自山海出品之捐也。

据以上所述,可知税制之紊乱,与夫名称之繁多。若统捐与产销捐,固定为改革旧制之第一步;至认捐与包捐,虽省却种种征收费用,于国家固有裨益,但害多利少,不值一改,因为认者包者之剥削乡民,恃势横行,时有所闻,其害实多。

二、厘金之不可不裁

税制纷歧,税则不一,且时时变更,无从捉摸。商人经商,必先计算成本之大小,而后始可计算盈余之厚薄。若昧于各地征收制度,则其负担之轻重莫可预计,于是视经商为畏途,裹足不前。吾国商业之萎靡不振者,职是之故。况中央政府无统一法令之颁布,各省长官无督察税吏之方法,税则定率,一任官吏之随意更改,搜刮剥削,无所不为。商人以血本攸关,宁甘任其鱼肉?言念及此,曷胜浩叹！不特此也,征收之时期及手续,极不简明,税制亦不划一；此查彼验,繁琐不堪；留难需索,时有所闻；需索所得,悉归中饱。

历来厘卡视为肥缺,谋任局长者,无一不抱腰缠万金满载而归之目的。全国卡局约有735处,每卡侵蚀之款,平均以5万元(三十年前之银币)计算,则735处侵吞之款,不下3,675万元,与政府于1919年所得之3,900万元之厘金收入相埒,厘金之不可不裁,更属显而易见。此就经济财政而言,厘金不可不裁之理由也。

尔时之厘金,不公不确,对于小贩,多所剥削；而富商巨贾,转易偷漏。此就道德而言,厘金不可不裁之理由也。

且厘金之害,普及中外,不独华商受其累,即洋商亦恶之。逊清咸丰八年,乃有子口半税之条约,及三联单之规定。洋商缴子口半税后,将货物运入内地,不再重征。故同一货物,洋商运之则免厘,华商运之则不得免,于是挂洋旗者日益多。然洋商仍以为太繁。盖洋商虽持有三联单,沿途仍须查看,稽延停顿,损失甚大,故洋商亦愿加税以废厘。故于逊清光绪二十八年中英马凯条约之内,载明中国允将厘卡概予裁撤,英国允将进口税增至值百抽12.5,出口土货税不得逾值百抽7.5,以抵裁撤厘金子口半税及洋货各项税捐云云。中美、中日续约,均照中英条约订定。此就条约而言,厘金不可不裁之理由也。

裁厘加税,已成为举国一致之主张,但裁厘是裁厘,加税是加税,两者关系虽密,不得混为一谈。尔时厘金为各省军阀之大宗收入,其惟一之优点,即岁收确实,数目甚巨,以之充养兵之费最为妥当。尔时有预料倘中央将厘金裁去,各省军阀必起而反抗者。各国商约纵有以增加之关税抵补厘金之规定,亦不能使各省军阀满意。盖抽厘之权,操自军阀,而征收关税之权则操自外人,非但不能予取予求,且将屈服于外人或中央支配权之下,军阀势力,不免因此而被削,岂不自贻伊戚?此裁厘之不能与加税视同一事之理由也。故补偿裁厘之损失,必须另觅途径,或另辟税源,于是有营业税之创设。

三、以营业税替代厘金

考厘金之病,在乎关卡林立,重床叠几,一物之税,一征再征,成本多少,不可知也;盈亏几何,不可知也;甚至所运货物,何时达到,亦不可知,则商人之痛苦,可以想见矣。关卡胥吏,擅作威福,包庇中饱,留难苛索,显而易见之害犹小,隐而难知之弊极大。故厘金不裁,工商业无振兴之望。经中外上下数十年之呼号指摘,厘金之裁撤,卒于二十年元旦实行矣。然国地两税,顿形减少,而政务之进行,又未便间断。抵补之谋,实不容缓。故中央自筹抵补(举办统税特税)。民国十七年,财政部召集苏、浙、闽、皖、赣五省裁厘会议之后,才决定把厘金改成特种消费税。二十年四月政府又下令停办特种消费税,文内说:"难保不沿袭积弊,成为变相之厘金,有违初愿,应即立时宣布免予举办,用示政府体恤商民有加无已之至意。"自此之后,政府就改办卷烟等五种统税,以为中央裁厘的弥补。这五种统税办有成效,统税范围,遂逐步推广,至10余种之多,到最后就演变为现行的货物税,而货物税种类又加添不少。中央自筹抵补之余,亦不能不顾到各省之困难,故许各省征收营业税以济不足。可知营业税有历史上之背景,依理应划归省办也。

或以为裁厘之后,立增新税,迹近换汤;又见营业税之范围极广，转疑害多于利。此固习旧厌新之心理使然，而昧于新税之特点也。夫国家财用，取自人民，故取之之道与取之之数，必无所苟而后可。使取之而当，则人民从容以供，毫无负担之苦；政府取用于上，亦少匮竭之虞。使取之而不当，则不独举国嗟怨，而政府税源亦日就涸竭。我国自清末乃至今兹，上下交困，取非其道，其要因也。至于一国财富，止有此数；人民负担，亦只有此能力，繁征而厚敛之，民困国何能富？故今世赋税方法，必求便民；不特便民，且求益民；其必使民业民德，随国家财政以俱进。全国负担，各得其平，国民牺牲，举无轻重。然而原则之用，每受时间空间之限制，故一法之立，求其较善，而不能求其尽善；求其少害，而不能求其无害。厘金之应革除，正坐其害多于利，而营业税继之崛起，亦因其利多于害耳。

近闻这已经死去的厘金，就以"绥靖临时费"名义，最近在河北复活。这在财政史上是开倒车，在当前民生上说来，更令人痛心。厘金是中国财政史上有名的秕政，流毒民间，几乎近一百年，经过多少年的抗争，才于民国二十年裁撤。至今中年以下的人，对它的印象已经模糊了。不料流年风水团团转，兜了一个圈子，这已经死去的厘金，又复活了。"绥靖临时费"征收的对象，包括：1.牲畜，2.各县市大宗出产，3.应行取缔之物品等三种。其税率为从价5%至10%。起征点：牲畜项下，羊10斤以上，猪20斤以上。大宗出产品总值百万元以上，应行取缔物品总值20万元以上。征收之后，在河北省区内可以通行。税目规定的如此抽象，各县市总值百万元以上的出产，都包括在内，可谓土产物品无一不税，起征点亦等于没有。任何一切税则，凡是规定得愈抽象的，主持征税的人可能出入的地方也一定愈大。如果付诸实施，则同一物品，于中央征收货物税之外,再加地方税,致生重复课税之弊,而开国地税制紊乱之渐,其影响于整个税制,至深且巨,不可不早为之图。这种货物税之征收,实是减削经济力量最大的弊政;近代经济之发展,是由自给自足趋向于极度的分工与专精,端赖货畅其流。此税若不设法取消,整个绥靖区将成为经济上的孤岛,而中央亦为了这区区的地方临时费而自绝于一片广大的国土。

四、营业税与厘金之比较

营业税为厘金之替代者;厘金是恶税,为人人所诟病,所以裁撤。其起而代之之营业税,必其比厘金为优良,方有存在之余地。不然,厘金可裁,何独营业税而不可裁乎?夫两利相较取其重,两害相比取其轻,试以营业税与厘金作一比较以定其优劣,并定其取舍。

(一)营业税比较厘金公允——厘金有漏税,有不漏税者。巨商大贾,勾结官厅者,可漏税,而一般小商小贩,反不能免缴,此其不平者一。况大事业如银行、钱庄、信托公司、交易所等等,永不受厘金之牵累,而小买卖则皆被捕捉,无可幸免。

(二)厘金重重剥削漫无限制——须知抽税,应以经营完毕时为之。若在经营过程中为之,大有干涉之嫌。例如建筑事业,屋未完成而税金已纳,且纳税不止一次。漫无限制,则建筑物之最终成本,无从计算,不亦阻止建筑事业之进行耶?营业税则不然,卖出之后,事已完成;完成之后再纳税。未卖出之前,事不完成,不必纳税。

(三)营业税不及小贩卖——厘金不论贫富大小,遇卡则税,遇关则抽;营业税则不然。依初办时之税率,凡资本在若干元以下者,一律免税。最重要者,即厘金不论贫富之别,与资本之大小,均须纳税,而营业税则多取诸能力之大者,少取诸能力之小者,不取诸能力之弱者。

(四)不以营利为目的之事业可以免税——例如生产合作社、消费合作社等,均不以赚钱为目的,可以不纳税。厘金则否。

(五)厘金于正税之外,尚有附加之剥削;营业税则无之。

此外营业税尚有三个优点,足以使之成为最适当之省税。(一)收入充足。营业税课税之范围为一切交易行为,普遍广大,倘努力推行,收入未有不充足的,故合乎税收充足之原则。(二)富有弹性。营业税之税率极低微,更能随时增加,纳税人不觉其苦,故富有伸缩与持久之能力,更合乎租税中弹性的原则。我们看到第一次大战后,欧洲各国施行交易税时,收入数字占总收入的百分比之大,就可知不是理论上之空谈。(三)税基广大。营业税的纳税人为消费者,消费是不论男女老幼贫富贵贱,不可避免的生活条件,故可算是租税制度中一个极普遍的租税,合乎广大的原则。

话又要说回来,弹性太大,亦有问题。诚如前财政部长孔祥熙氏所云:"原法(指二十年六月十三日公布施行之营业税法)颇失于繁复,致各省市实际施行,益增分歧。税率分级过多,轻重悬殊;行业分类过繁,适用亦乏明确标准;专营与兼营之间,尤多争议;商人逃漏,员吏滋弊,于以养生;征收方法,亦未洽商情,是以推行多年,成绩未著。"故为免除流弊起见,把弹性规定改为硬性规定,亦未可知。

五、旧营业税法所定课征之标准

课征之标准原有(甲)营业总收入额,(乙)营业资本额,及(丙)营业纯收益额三种;但就各省市实际征课情形而言,则均采用营业总收入额与营业资本额二项标准,而于营业纯收益额一项标准,多未采用。盖营业上之纯收益额,计算繁难,于地方政府,不切实用,故此项标准,在事实上,徒成具文。

六、何以纯收益在地方上不适为课征营业税之标准

在县市地方,一般营利事业,都用旧式会计,但吾国现行之旧式会计,对纯收益之计算,极不正确,以致财产之状况与营业之成绩,均无法正确表示,因此纯收益不适为课征营业税之标准。兹将旧式会计之缺点,举其荦荦大者几端于后:

(一)吾国旧式会计记账之方法,全系视现金之收付;凡收入现金记收入,付出现金记付出,以致其无现金交易,在会计处理之时,须作转账分录者,若非虚设为现金收付,势必将其全部省略,以致现金之记载不实,或转账之不完全。因仅记现金收付之结果,遂疏忽其他记录,如应收应付,预收预付,皆付阙如,在账簿上仅作现金收付之记载。此其缺点一。

(二)会计之处理有对人与对物之分。凡人欠欠人等为对人账;凡属于事物而不属人名之资产负债及损益等系对物账,吾国旧式会计因偏重现金之故,重视对人账。探索其理,系因对人账之债权债务的变现性较快也。因重视对人账,遂疏忽对物账之记载,或载而不详,致对物损益计算,均未能正确。账上所载之资产价值与资产实值无法相符,故财产之估价,无法求其正确。此其缺点二。

(三)我国旧式会计对会计凭证视为废物。在会计事项之中,多不具备凭证,即有凭证,亦不将其分类编号,装订成册,而任其紊

乱散失,以致日后欲核对其账目是否实在,数字是否正确,均无法查明。纵凭证存在,一时反复找寻,费时费力,诚非科学管理之道。此其缺点三。

(四)吾国旧式会计,在平日对财产之记载,虽欠周密详尽,但在年终对财产之盘点尚加以估计,可以求出盈余。对损益之计算,则大不相同。平时既不加记载,在年终亦不加整理,以求出其确数,以致过去营业成绩无从知悉。此其缺点四。

(五)吾国旧式会计对固定资产折旧之摊提与坏账之准备,均无合理方法加以计算,往往全凭主持人一人之意志而定。普通在获利甚多之年,则多提折旧与呆账;在获利微薄之年,则少提折旧,即使每年之获利趋于相同。结果资产之实值与实际情形不能相符,因此对营利事业年终之财政状况,与一年之营业成绩,无法正确。此其缺点五。

(六)吾国旧式会计对财产无正确之记录,故在年终,财产之估价,舍估计法,即无法可施。估计法之缺点,系全凭估计人员(大都即主持人员)之意志而定,不免有所偏见与自私,估计实难正确。如存货一项,在亏绌之年,多计存货价值;在获利甚丰之年,少计存货价值;使目光短浅之投机家,均有股息可得,以达政策决算之目的,即制造秘密亏绌或秘密盈余也。此其缺点六。

旧式会计之缺点如此之多,不仅使会计之真谛全失,而营业税之税基(如以纯收益为课税之标准),亦无法正确。况县市地方会计人才,亦甚缺少,更使纯收益一项标准,无法采用,故此项标准,徒成具文,现行之营业税法,系采外部标识课税法,虽各种营业各有其不同之环境,所化之成本与所受之牺牲,互有差别,利益之厚薄,亦复不同。若以同一税率课征,殊欠公平。惟因采用标识法,

359

因标的明显具体,稽征容易,且可避免征收人员之主观偏见。粗略地说,有某项设备之标识,必有某项收益;收益之多寡,与设备之多寡,恒相一致。在人民纳税习惯未养成,在都市中少数刁顽商人,恒造假账以图偷税,在偏僻县城,若干商店故意不备账簿,冀图逃避一部分税款之状况下,采取确实而明显的外部标识,以为课税标准,不仅可使税收确定,且亦合理易行。

七、三十一年之修正营业税法
把纯收益一项标准删除

不仅纯收益一项标准,无法采用,在事实上徒成具文;即能采用亦不应当,因为营业税之征课,不得以纯收益为计算之标准也。此理甚明。营业就是交易,当然应以交易额(总收入)为标准。所谓纯收益就是"所得"与"利得",则营业上之纯收益税,实际就是所得税与利得税,不亦与所得税或过分利得税陷于复税之缺陷乎?因此三十一年七月二日明令修正公布之营业税法所定课征标准,只有营业总收入额与营业资本额两种。惟以资本额为课征标准者,税负较轻;以总收入额为课征标准者,税负较重。商人避重就轻,易生争议,员吏滋弊,于以丛生。故三十一年之修正营业税法特于第三条明文规定:"营业税以营业总收入额为课征标准,金融业及其他不能以营业总收入额计算之营业,得以营业资本额为课征之标准。可知营业资本额课征标准之适用范围,较为狭隘。金融业之营业收入额为数甚巨,若以此为课征标准,势必亏累倒闭。此外如理发业、缝纫业、修理钟表业等,无卖货行为,故只能按照营业资本额课税。其余概以营业总收入额为标准而课征之。故营业总收入额为课征营业税之主要标准。

依三十一年修正营业税法第十一条之规定,凡纳税商人之营业账簿,应于开始使用前,送由征收机关登记,并加盖戳记。推究其管制商业账簿之用意,当以营业税之征课,原以营业收入额为主要标准。惟恐营业商人,为图逃避课税,难免伪造账册,故特规定商业账簿,应先送由征收机关登记盖印后,始得使用,否则即以"伪账""假账"论处。

八、三十六年之营业税法恢复纯收益额取消资本额为课税标准

依三十六年五月一日公布之营业税法,把以营业资本额为征课标准者,改为以纯收益额为征课标准,与所得税、利得税同一课税标准,不免令人有复税之感。不过营业税之以纯收益额为征税标准,与所得税之以纯收益额为征课标准者,性质与范围均有不同。盖"营业"一词必包含下列两个因素:(一)必为营利生产事业,其他自给生产或不以营利为目的者,如自用之米、麦、高粱、大豆、竹、木、柴、炭……等不在此限;(二)必为兼用劳力与资本两者而经营之营业。由此可知营业课税之对象,必须具备人物二种因素。至于所得税,则课征之对象,完全不同。如储蓄、借、贷、动产(如存款)、不动产租赁,皆系所得税课征之对象,非营业税所能侵蚀。即会计师、音乐师、律师、教师、医师等自由职业,纯以劳力换取收益者(如教师),或仍须利用设备一类资本物而利益发生之主要因素为劳力或智力者(如律师、医师、会计师),其收益为所得税之课征对象,非营业税之课征对象,因为自由职业者之收入为一种

勤劳所得，并未含有运用资本性质，自不在营业税课征范围之内。若律师、会计师，于本身业务外，附设信托部、代理部、或地产部等，代理买卖地产，或经租产屋，从中收取佣金者，仍应比照其他代理业同样征课营业税。医师诊所兼售药品，其兼售药品部分，亦应课营业税。此外如基于社会福利事业之鼓励和扶助者，如依法经营业务之合作社、慈善事业，皆不以营利为目的，当然免征营业税。其他经营米、谷、杂粮、及菜蔬、家禽等之肩挑负贩，以及收入额，或一定收益额以下之营业，依营业税法第二条之规定，亦免征营业税。

设厂出品，亦是一种营业，若已缴纳出厂税，可以免征营业税。已缴纳出产税之出产人亦同。农业亦是一种营业，须利用劳力与资本两种因素，惟因：（一）土地已经缴纳极重之税；（二）农民收益甚少而生活又甚苦；（三）对象散漫，征收费大；（四）农业生产正待奖励等种种原因，农业品不再课营业税。故营业税法首条规定："凡以营利为目的之事业，均应依本法征收营业税，但农业不在此限。"但以农民名义经营大批贩卖农产品者，当然不在优待之列，仍应课税。

营业税之课征，不但须看"营业"一词，是否具备上述两个条件，事实上是以营业收入额为标准；只在不能以收入额计算时，始以收益额为依据。换言之，以收入额课征为原则，以收益额课征为例外。如买卖业，包括一切专以贩卖农产品或工业制品之各种营业，以所销货品之价额为计算营业税之标准；制造业，包括制造或加工改造物品出售之各种工业，以所销制造品之价额为计算标准；此外如运送业，以票价、运费、或手续费等为标准；包作业，以承包价额为标准；印刷业，以印刷费为标准；娱乐业，以入场券票价为标准。以上各业皆以营业收入额为标准。抽税理由,是以上各业之营利行为,实已享受国家之公共劳务,否则其营业难以持久。但营利事业之中,亦有不能以收入额为标准者,如典当业,所当入之衣服器皿,非他所有者,不能视为买卖,所以只能以收益额(利息)为计算营业税之标准。此外如堆栈业、仓库业,所堆存之物品,牙行业代客买卖之物品,皆非自己所有物,只能以收益额如栈租与佣金,为计算之依据。由此可知营业税虽有时不免以收益额为课征标准,但实际上,其性质及范围,比较所利得税,迥不相同,在吾人视之,并不以为有令人起复税之感。

九、县市地方政府之营业牌照税

于营业税与特种营业税之外,尚有营业牌照税,划归县市地方财政之内。过去对于特定营业,与应行取缔的营业征税,采取列举名称,及"其他经财政部核定应行取缔之营业"方式。修正营业牌照税法是笼统的说:"各种商业均征收营业牌照税,但不得以其他任何名目增收附加税捐。"如此规定,把传统的营业牌照税性质变更了,竟成为单纯的商业行为税,失掉取缔性质。税基既广,于县市地方财政不无小补。但成效如何,要看商业登记手续是否做得很周到,营业税查征是否能够配合起来,不然漏税必多。

新旧营业牌照税法均规定按资本额及营业种类,划分等级课税,这与最早征收营业牌照税时不得超过全年营业总收入若干的原则不符。近年以来,地方政府屡次要求按营业额课税,目的不仅在增加税收,且使税负比较合理。在地方政府,以为资本大小有时不能与营业多寡成正比例。如牙行一类之营业,资本有限,收益却很大,依其介绍买卖总额征税,比较合理。同时应划归省有之营业税亦采用营业总收入额为课征之标准,则营业牌照税可以与营业税取得联系,可以减少许多检查手续,并且比较符合公平原则。

但话又要说回来,县市地方政府所有者为营业牌照税,不是营业税。前者是含有取缔性质的,为营业税之补助税。故只能以资本额为征税之标准。后者是一种商业行为税,故以交易总收入额为征税之标准。两者性质不同,故标准亦异。此不可不辨也。

十、特种营业税

三十年第三次财政会议之后,省级财政取消,营业税交由中央主管征收机关统一征收。三十五年第四次财政会议恢复省级财政,又把营业税划归省有,于理甚合。乃三十六年夏复将营业税划分,经国民政府于三十六年五月一日公布"营业税法"及"特种营业税法"二种。旧税法为《营业税法》一种,修正后分为《营业税法》及《特种营业税法》二种。此后银行业、信托业、保险业、交易所暨交易所内所发生之营利事业,进口商营利事业,国际性省际性之交通事业,其他有竞争性之国营事业,及中央政府与人民合办之营利事业,均须纳特种营业税,不另按营业税法之规定完纳营业税。其他各业则均纳营业税。此项区别,是将地方性之营业,由地方政府课以营业税;其有全国性、省际性、或国际性之营业,则由中央课以特种营业税。

窃考营业税所以划分之用意,不外乎划分税源。窃以为营业之课税,应属诸地方。盖中央税源本较地方税源为广,如地方税源不足,势必影响地方行政与建设。且营业有地方性,如营业牌照税，即专归地方课征，并不划分，乃独于营业税强作硬性之划分，殊未见其合理，似应从速更正，全由地方统一征收。

此种划分之不合理，可以于进口商部分见之。关于进口商部分，界限划分不一，特分发调查表格，以确定报缴单位，规定专营进口货之进口商，不问其方式若何，应一律报缴特种营业税；其进口商兼营非进口业务者，以其销售进口货额占全部收入60%者，视为专营，殊属牵强。此种划分，既不自然，不如交由地方统一征收之为愈也。

特种营业税法第七条第三款及营业税法第六条，均有对于制造业按规定税率减半课征之规定。营业税法施行细则第四条并规定制造业系指有关国防民生之制造业，用意至善。查财政部会同经济部所订定之制造业清单，计开有关国防者，有焦煤厂、石油厂等十项；有关民生者，有面粉厂、棉麻纺织厂等十二项，但食品制造业并未列入，不知何故。

十一、新旧营业税法之比较

新旧法征税之范围，仍为"以营利为目的之事业"，而不包括农业，是原则上并未更动。旧税法第六条有"各级政府所办左列营利事业免征营业税"之规定，修正后已予删除，使官僚资本与民营工商业同样缴纳营业税，则特殊阶级在税法上已不复存在，使公营民营可在平等立场上相互竞争，良法美意，值得赞颂。

旧营业税法第十二条规定："原有牙税当税应予改征特种营业税，其税法另定之。前项特种营业税法未颁行前，仍暂照原有办法征收之。"新法内已无此项规定，则亦与普通营业同样课税矣。

课税标准及税率——旧营业税法按"营业总收入额""征收其1%至3%",或按"资本额""征收其2%至4%"。但营业税法施行细则第十四条则有"就其营业资本额征收4%"及"其他各业一律就其营业总收入额征收1.5%"之规定,前后不无冲突。修正后改为"以营业收入额为课征标准者,征收1.5%","以营业收益额为课征标准者,征收4%,"则新税法中课税标准已有更改,而税率更将原有之弹性规定,改为强制规定,与旧施行细则之规定相似。此项更改,使各县市不能按当地商业情况及财政情形酌予调整,而予以强制规定,是否适宜,诚可考虑;惟因是县市参议会可以少一争论之目标矣。

课税标准之改订,诚属明智之举,因为"营业总收入额"与"营业资本额",未必相衬,负担公平,颇滋疑问。兹改为"收入额"与"收益额",就公平合理之立场言,似进步多矣。但以纯收益额为课征之标准,又与所得税利得税似相冲突,但一经仔细研讨,冲突之嫌顿释。盖我国现行之营业税,大半依据营业收入额而课征,其不能依收入额课征者,始用收益额。况营业纯收益额在地方上,不适为课征之标准。

十二、营业税之查估办法与简化征收

在过去上海市征收营业税,系实行查估办法,由财政局印就各种应填写之表册,发交各商号及同业公会,由商号及同业公会分别填具后送交财政局,而财政局即凭此表,核定各商店应收之营业税,手续非常简单。不过此办法之实行,必须商号诚实填写,同业公会秉公核查,及稽查人员之廉洁守法。据财政局中人说,此法办理一年以来,发觉各商号虚报营业额者甚多,同业公会亦多漏洞,且久悬不报。财局为严格查核,派出大批稽查人员往各商号查核,复因少数稽查人员之操行,未能廉洁守法,遂使查估办法陷于瘫痪。商号营业税虽照样征收,但漏税甚多,且往往延至秋季始能收到春季之营业税,致使税收贬值,财政渐陷亏空。现在亦拟援所得税之例,订一简化征收之办法,即将各商号营业基金作基数,再乘以物价倍数。只要基数一经订定,即可一劳永逸,按月或隔数月将倍数调整一次。此项基数,拟由财政局邀请市参议会、市商会、社会局、各同业公会、及有关厂商,代表拟定,先拟定基数,再商讨倍数。财政部将基数公布后,即将倍数按月公告。依理,商号见了倍数之后,就可乘以基数,即知本月份应缴营业税若干。此种简化办法,如能付诸实施,可得下列几种利益:(一)裕库,(二)便民,(三)除弊。因商号不致漏报税款,所以可裕库;因财政局减少麻烦,所以可便民;因稽查人员之不法行为可以减除,所以可除弊。

十三、普通营业税之三大缺点

(一)普通营业税除少数例外,以大部分货物的交易或劳务的提供为课税的目的物,以其总收入为课税之标准,且往往以同一税率征课之。夫营业税多为间接税,而日常必需品,弹性极小。换言之,税率高,货价必涨,货价涨,买者未必减少,因日常用品为人民所必需者也。故所征之税,将由物价转移于消费者,结果使收入微薄者负过重之税。况贫人的血汗所得,几完全消耗于日常用品。反之,富者之所得,多用以购买奢侈品,而奢侈品之需要弹性极大。换言之,售价跌,买者就多,售价涨,买者就少。所以奢侈品的课税,多不易转嫁于消费者,或由商人自己负担,此普通营业税之一大缺点。且人民对于必需品之消费量,未必依其财富增加之比例而增加者。富家对于油盐米面之消费量,未必几倍于贫户。以此之故,所谓一般交易税,不合于经济原则,故英美等国之消费税,只限于烟酒茶等奢侈品,此外各种生活必需品,几乎一律免税。此其一。

(二)普通营业税以营业总收入为课税之标准,不但不适用累进税率,反适用累退税率。譬如首饰业之总收入甚少(因其资本周转之次数甚少而其利甚大),猪肉铺之总收入较多(因其资本周转之次数甚多),而其利甚薄。若以总收入为标准,则首饰业之负担轻,而肉铺之负担反重,适成累退税率。此其二。

(三)以营业总收入为标准之场合,大小公司之间,不无轻重之弊。盖一大公司常集无数工业于一公司之内(如中华书局),其资本周转之次数少,少则负担之税亦少。至若规模极小之制造厂,有关系之工业,类多独立经营,不相统属,故其周转次数较大公司为多。譬如大规模之造币厂,自办银条,自制元宝,自制银元,手续虽繁,出入仅有一次。若由小规模之厂分而为之,则办银条者为甲,转卖与乙,而乙又转卖炉房熔铸元宝。(在上海造币厂未成立以前,银条由洋商银行输入,交与炉房,熔成元宝,再以元宝送请造币厂铸成银元。)又由炉房转卖于造币厂,最后由造币厂将银元出售于市场,计共周转4次,课税4次,而大规模之造币厂只税1次。多则税重。同是一税,竟因营业大小而异其负担,其结果非至小公司尽被摧毁不止。此其三。

美国经济学者赛里格曼在他的交易所论中,对一般交易税(即普通营业税),曾加以极严酷之批判,称之为一种不适当,不公平的税课,直系一种反民主主义之租税。英人斯丹普(Stamp)氏亦于"租税原理"一书中,提及交易税之种种缺点,并谓此税之缺点,已从施行之结果中获得证明。他认为仅于危急之时,方可勉强采用,且于采用之时应同时采用累进率之直接税以抵消此税之累退率。换言之,以交易税与累进直接税同时施行,未始不可补救交易税之缺陷也。

十四、新税源之开辟

为解决当前之财政问题,时贤曾提出许多宝贵之意见。他们大多数承认目前财政问题的核心,一面固在节流,一面亦在开源;举国反对之内战,即应停止,不必要的骈枝机关应裁撤,冗员也应淘汰。凡此种种皆是节流的主要方式。但开源亦是一样的重要。如何改善政府的收入,使预算趋于平衡;如何消灭赤字财政,使通货不致再继续膨胀,物价不致再继续上升;他们就提出了一个解决的方案,就是增加由富裕阶级负担的赋税。故国民党二中全会根据这个方案通过"经济复员紧急措施案",开辟三种新税源,以增国库收入(详后)。在理论上,这种开辟新税源的主张,是有很坚强根据的。多少忠勇战士在战场上牺牲了头颅,至少流了不少鲜血;广大的群众颠沛流离,遭遇了家破人亡的惨祸;后方的富裕阶级,尤其是战争中的暴发户,在"有钱出钱"的口号下,能忍心害理,不多负担一些赋税吗?时贤中有主张对未征调入伍之富家子弟课以免役税,在理论上是无可非议的。抗战以来,征调入伍之壮丁,逾一千二三百万人,死伤者超过半数,而后方战时暴利者坐享安乐,天下事之不平,莫过于此。战后应对于一般在服兵役年龄内之男子而未征调入伍者,依其财产与所得之多寡,分别课以累进制之免役税,以作死伤士兵之抚恤费及前线归来壮丁之养老金。

三十五年三月国民党二中全会通过"经济复员紧急措施案",拟开辟三种新税源,以增国库收入:1.征收交易所税及交易税;2.一般财产税;3.特种过分利得税。以上三种,特种过分利得税已经开办(详所得税一章),一般财产税,迄未举办。关于征收交易所税与交易税,其办法如下:

(一)先在重要都市恢复交易所,于年终结账时,按其盈利征收交易所税。

(二)各种交易所之每笔交易,均征收其交易税。

这两种税收,性质完全不同。交易所税,是于年终结账时,按其利益之多寡而征课,其性质与营业税相类似。至于交易所中的交易税,则是就每笔交易而征课,不论其有无盈余,其性质近于流通税。十六年十月国府颁布交易所税条例,对交易所征收交易所税,以经纪人的佣金为课税标准。沪上各交易所以税率过重,纷纷反对,要求减免,故未彻底实行。十七年三月修正原定条例,改以交易所营业盈余为课税标准,采温和的累进税率。

至于交易税,约分一般交易税与特别交易税两种,交易所中之交易税,是特别交易税之一种。一般交易税(即普通营业税)是就一切货物或劳务之交易以同一税率征课之。但有若干交易以口头约定或用电话约定者,如今日上海之金钞买卖,皆不易侦悉,故极不公允。于是改就特定场所之特定交易者,如交易所之经纪人,按其经手买卖之证券或物品,而课以税,是为特别交易税。在若干国家,对于交易所之期货买卖,即就其先后价格之差额而课以税。此种差额,有视为不劳利得者,往往课以重税,以补所得税之不及。

以上交易税之开征是一种开源的方式,因为此税是向来没有的。但"开源"二字的解释,在若干学者的心理上,亦不完全如此,并非是向来没有赋税负担而现在方着手开征的,就是"开源"。他们固承认开源节流,是理财的原则,但"开源"务必在不增加人民负担条件下,设法培养地方税源,而"节流"务必在不妨碍国家行政设施上,严格搏节浪费开支。尤其积极者,莫如以政府之力量,促进生产而加强人民之纳税能力。换言之,就是努力发展经济,所以各级政府财政之如何改进,须视国家经济与地方经济发展的程度而定。

依照这个解释,要举办新税,必须待至经济发展之后,令人有俟河之清,何年何月之感。以上所举的三种新说,吾人想不出不能举办的任何理由。譬如交易所内的交易税,何以不能举办?吾人以为在今日而举办交易税,可以补一般交易税(即普通营业税)之不平,利多害少,请申其说。

十五、以交易所之交易税补普通营业税之缺点

一般交易税(普通营业税)有三个大缺点,可以用交易所之交易税补充之。其理由如下:

(一)一般交易税(普通营业税)以大部分货物的交易或劳务的提供为课税之目的物,不问其为日常必需品或奢侈品,一律课以同一之税率,所以产生了种种不平。交易所之交易税仅就交易所经纪人经手买卖之物品课税,故前述之第一种之流弊可免。

(二)一般交易税(普通营业税)对于资本周转次数少而获利甚大之营业,有良好的影响,但不利于周转次数多而获利甚少之营

业。交易所之交易税,没有这种现象。它是一种特别交易税,目的在取缔盛行之投机风气,故对于每笔交易的数目,超过某一限度以上时,格外加重其税率。各国办法,大致如此,即上述第二种之流弊,亦可以免除。

(三)一般交易税(普通营业税)对于横的或纵的分业经营有恶劣的影响。每一种制造,自原料生产,以至于制成品出售,其间每一过程的交易,均课以同一之税率,过程愈多,课税愈多,故大公司占便宜而小公司吃大亏。交易所的物品交易,均系大量买卖。小企业生产者多不参加。故前述第三种流弊,亦不致发生。况今日吾国物价之飞涨,原因虽极复杂,大都由于大户囤积居奇所致,而囤积居奇的交易,几乎全是大量交易。零售交易,可谓绝无仅有。开征交易所的交易税,不啻对于投机性的大量交易加一负担,而不课及零售交易。

十六、普通营业税(一般交易税)何以有存在之必要

在各国租税制度上占最重要地位者,当推所得税。但自第一次大战以来,其能与所得税并驾齐驱,同时提供巨额收入者,则为间接税中之交易税。我国之营业税,大抵以营业总收入为课税之标准,似与欧洲之交易税性质相同。在民主政治之下,人民对政府纳税,当以纳税人能力之大小为准绳。在伦理上言,最为公平,在财政上言,税收最为丰富,且富有弹性,故颇为一般学者所推崇。反之,营业税(即交易税)我们已经说过,是以营业为课税之对象,以总收入额为课税之标准,形成一种累退税,即大所得者少纳税,

小所得者多纳税。在理论上讲,普通营业税不是一种良税,故颇受各国学者之反对与抨击,称之为恶税。但二十余年来,此税竟一跃而与所得税齐眉,岂非怪事?推厥原因,第一次大战之后,不论战胜国与战败国,莫不陷于困境。财政之亟须整理,救济费之支出,抚恤金之增加等等,日见膨胀,预算上之赤字,日益扩大,节流既不可能,只得乞灵于开源,舍此苦无别法。盖大战之后,社会元气大伤,若将直接税中之所得税遗产税之累进税率提高,亦非人民之能力所能负荷,其由此获得之增加税收,必不能应国家之需要。故自第一次大战结束之后,欧洲各国多采用一般交易税,尤其在德法两国,此税殆成为重要税源之一。推厥原因,则德法两国之大所得者,较英美为少。故英美可以赖所得税之收入以资弥补,德法则不能不另觅财源以为所得税之替代,不如英美只需课以高度累进的所得税,即能解决财政上之困难。在德法若不顾国情,贸然力步英美之后尘,对大所得者课以重税,不仅税收无增加之把握,即于资本之蓄积,亦不免妨碍殊多。有人估计,若英美之所得税制度,移殖于德法,则其税收决不能超过英国所得税收入六分之一。因此之故,德国首先施行交易税,而在现在各国租税制度中,当以德国交易税之课税范围为最广。且德国为最早采用交易税之国家,所得结果,不仅能适用战后物价之腾贵而获巨额之税收,且在税务行政上,手续亦极简便,征收费用亦极轻微。至于收入,仅次于所得税而列第二位。故德国之交易税,实为交易税中之典型形态。直至今日,除英日等国外,世界各国,几普遍地仿行。

我国之营业税,行之未久,成绩亦颇有可观,名为营业税,实际就是交易税。我国大所得者,比德法更少;虽在抗战期中,有不少发国难财者,但大多数人民则在饥饿线上挣扎。若专靠所得税以谋巨额收入，恐所得结果，未必能胜于德法，故采用有普遍性之营业税，以达所得税之所不能及。此即一般交易税（普通营业税）在中国有存在之必要也。抗战后我国通货趋于膨胀，物价随膨胀而上升；普通营业税既以各种交易之交易额为标准，则所征之税，亦必随膨胀而比例地增加，此为自然之结果，不必经过开辟新税或提高税率之立法程序，且不致引起纳税人之反抗。

第八章 所得税

一、所得税起于战时

据美国财政学大家赛里格曼(Seligman)之说,所得税最初发生之形态为战时税,所以补充战时财政之不足。嗣后为充实临时经费起见,遂以之作为临时岁入之税源,顺着经济社会发展之路,逐渐扩充以奠定其基础。此说征诸各国租税史,是无疑义的。故所得税的开征,莫不由于战时所受的刺激,即其日后的发展,亦莫不与战时的需要有相当的关联。虽各国所得税,亦受其本国历史之影响,但其能促成此税迅速发展者,实得力于战争之鞭策。迨战争结束,复员开始,在在需款,无论胜方败方,均以筹款为当务之急。英国先行分类所得税,以各种所得为其客体,分五类课征之。至路易乔治时代,加征综合所得税,名为附加所得税,仅以2,000镑以上之大所得税者为其客体。虽名为附加,实则是综合所得税之性质。此种措施,合乎有钱出钱的公平原则。在一方面看,乘敌人侵略的危机,利用人民爱国心理,来推行这种新税制,自然比较容易。但在另一方面看,在人民道德水准低落,政府行政力量不完整的时候,来推行所得税,亦有种种阻力。我国所得税,于民国二十五年七月开始筹备,翌年开征,不过半年,就面临着空前未有的大战,陷区达十数省,税源枯竭,军需浩繁,有加无已。不仅所得税从此产生,即战时利得税、遗产税、财产租赁出卖所得税,非战争孰能致之。但其推行的困难,自在想象中。

不特此也。我国平时财政,未见稳固,主要税收以关、盐、统为大宗。抗战发生,沿江沿海沦为战区,此三种税收,不免落于敌人手中,早在预料之中。故于积极备战之时,创办所得税,以期乘此改革税制,奠定平时财政基础,意义深远。

我国之所得税可分:(一)分类所得税;(二)特别过分利得税(在战时叫做非常时期过分利得税);(三)综合所得税三类。兹分别论述于次:

二、我国之分类所得税

(一) 所得税暂行条例下之分类所得税

我国之所得税,仿行英制。二十五年七月二十一日公布之《所得税暂行条例》,及同年八月二十一日公布之施行细则采分类所得税制,分为三类征收。

第一类为营利事业所得,复析为三项:(甲)公司、商号、行栈、工厂或个人资本在 2,000 元以上营利事业之所得;(乙)官商合办营利事业之所得;(丙)属于一时营利事业之所得。

第二类为薪给报酬所得,亦可析为三项:(甲)公务人员之薪酬所得;(乙)自由职业者之薪酬所得;(丙)从事其他各业者之薪酬所得。凡俸给、岁费、奖金、退职金、养老金、及其他由职务上所得之一切报酬与给与,均在本类课税范围之内。

第三类为证券存款所得,即证券存款所生之利息所得,凡公债、公司债、股票、及存款之所得,皆属之。

就英法日等国所得税之分类推论,所得大体可以分为下列四类:1.财产所得,即不动产如房屋、船舶、机器等之租赁所得;2.资本所得,即债券、股票、存款等之利息股利之所得;3.事业所得,大体分类,列举农、渔、林、商、工、电气、瓦斯、交通、运输等事业。我国商业登记法所列举之商业,悉视为适合税法所称之事业所得。至于自由职业者之所得,英法日各国悉列入事业所得,而中国则列入勤劳所得,依理,自由职业者并非受雇于人之劳力者;计算其所得时,必须扣除必要费用,与普通之营利事业同。且课征之时,不能适用源泉课税法,因此视为事业所得是极合理的;4.勤劳所得,按英法日之立法例,勤劳所得之范围为雇员。我国所得税暂行条例之分类,与他们大致相同,不过在我国暂行条例中,财产所得并未列入,故分类只有三种。直至三十五年公布新所得税法时,始将财产所得列入,作为第四类,称为财产租赁所得。

所得税之税率,第一类甲乙两项,为以所得合资本实额百分率计算之全额累进税率,凡所得合资本实额 5% 以下免税,其在 5% 至 10% 者,课税 30‰,由是按利润率之递增而累进,至利润率达 35% 以上者,概课税 100‰,故最高累进税率仅为 10% 而已。第一类丙项之税率,其所得能按资本额计算者,所课税率与甲乙两项同。若不能按资本额计算者,则依所得额之多寡而课以全额累进税率。凡所得额不及百元者免税;其百元以上未满千元者,课税 30‰。由是税率按所得额之递增而增高,至所得在 5,000 元以上者,每增千元,递加课税 10‰,最高税率以 200‰ 为限。凡所得在 18,000 元以上者,一律课税 200‰。

第二类薪给报酬所得税率,为超额累进税率,自每月平均所得 30 元起征,最低为每 10 元课税 5 分,至每 10 元课税 2 元为最高税率。

第三类所得税税率采比例制,不论所得多寡,一律课税50‰。

此项税制,自二十五年开征至三十一年年底,大致均无变动。三十二年一月二十八日国府公布财产租赁出卖所得税法,所得税之课税范围因而扩展。同年二月十七日国府公布所得税法,将所得税暂行条例取消;所得税之课税税率亦经提高,而所得税制至是有重大的修正。

(二) 三十二年所得税法之重大修正

三十二年之所得税,比较暂行条例,有三个重大修正:即1.起税点之提高,目的在减轻小所得者之税负;2.中级所得者之负担虽不减轻,亦不增加,一切仍旧;3.施用于大所得者之累进率,比前提高,以增其负担。经此一番调整,所得税之税率,较前合理公平多矣。例如照暂行条例之规定,资本在2,000元以下之营利免税,凡资本在2,000元以上者,即须按所得合资本额5%课税。所得税法一面将资本额自2,000元提高至3,000元,同时将税率自5%,改为10%。因此依暂行条例之规定,凡资本额2,000元之营业,年终结账,得净利100元,适合资本额5%,依法即须纳税,则第一类之起税点适为100元。依三十二年所得税法之规定,凡资本额在3,000元以下者免征;其在3,000元者,须于年终结出300元之净利,方合资本额10%而纳税。故在所得税法下,第一类之起税点为300元,比较暂行条例增加2倍,因此小所得者之负担减轻不少。

第一类税率自所得合资本额10%课税4%起,至所得合资本额25%未满30%者,课税10%为止,各级税率,除起税点提高外,与暂行条例完全相同。因此中层所得税率,维持旧率,毫无变动,即中层所得者的税负,并不加重。在暂行条例下,利润率达25%以上者概课税10%,但在三十二年所得税法下,所得合资本额30%以上仍继续累进,每增10%,税率增加2%,至所得合资本额70%以上者,一律课税20%。故第一类之最高率为20%,比暂行条例增加1倍,使大所得者的负担稍重。

此外尚有若干细微的修正,如三十二年所得税法第二条个人免税所得额由30元提高至100元,第八条申报期限由3个月改为1个月,第十八十九两条罚锾金额由20元增至500元,其余多与二十五年暂行条例相同。条文总数也是二十二条。惟三十二年七月九日公布的所得税法施行细则,确比二十五年八月二十二日公布的所得税暂行条例施行细则为详尽完备。

(三) 三十五年四月十六日公布的修正所得税法

(甲) 谁是纳税义务人

三十五年之修正所得税法(简称新法)比较三十二年之所得税法(简称旧法),更加进步,不仅课税范围扩大,而条文亦比较周密。第一条规定纳税义务人之范围:"凡在中华民国领域内发生之所得,及中华民国人民在国内有住所而在国外有所得者,均依本法纳所得税。"此条是从旧法施行细则中移过来的,正式作为新法第一条,明白采用属人主义兼属地主义。凡居住国境以内之人民,不论其为本国人抑外国人,亦不论其所得发生于国内抑国外,除外交官在职务上之所得,采互惠免税外,其余均以课税为原则。现代各国所得税制演进之趋势,已渐由分类而综合,而其课税之对象,亦渐由对物而对人。

（乙）税率

以营利事业之税率论，新法较旧法为高。旧法起征点原为所得合资本额10%，新法提高为5%，税率亦各有增加。暂行条例最高税率为10%，旧所得税法增为20%，新所得税法则增为30%。惟为鼓励制造工业起见，对于制造业所得，可依各项规定减征10%。不过在通货继续膨胀之情形下，制造物品，远不如囤积物品之有利，减征10%，究竟有多大鼓励，实是一个疑问。

（丙）比例税率全额累进税率超额累进税率

一般税率，可分为三种：1. 比例税率；2. 全额累进税率；3. 超额累进税率。比例税率，系不问课税客体之数量，一律以同一税率计算征课之。累进税率，则按课税客体之数量，分别以不同之税率计算课税。如100元之内按1%课税，200元以内按2%课税是也。客体数量愈多，税率愈高。全额累进税率，系课税客体超过某一级时，以最高一级之税率适用于全额。超额累进，则仅以较高税率适用于超过部分，未超过某级之部分，仍适用低一级之税率。例如薪给自1元至百元为第一级，按1%征收所得税；自101元至200元为第二级，按2%征税；自201元至300元为第三级，按3%征税。如按1%抽比例税，则100元的薪金纳税1元，200元纳税2元，300元纳税3元，显属不平。如抽全额累进税，则薪给100元，按1%，征收1元，薪给200元，按2%，征收4元，薪给300元，按3%，征收9元。如抽超额累进税，300元的薪给，可分为三级，第一级的100元纳税1元，第二级的100元纳税2元，第三级的100元纳税3元，共纳6元，比较全额累进，少纳3元。三制比较，以比例制为最不公平，最不合理，以超额累进为最近乎理想。我国之所得税法，三者兼采。以分类所得税论，第一类公司组织之营利事业所得,采全额累进制,最低为4%,最高为30%,共分九级。第一类无限公司组织及独资合伙等之营利事业所得,亦采全额累进,税率由4%至最高30%,共分十一级。惟前者以所得合资本之百分比为适用税率之依据,后者则纯以所得额为标准。后者所课税率较前者为重,似乎政府有借此奖励股份有限公司组织的用意。第二类薪给报酬所得,采超额累进税率,共分十级。第三类证券存款利息所得,采用10%的比例税率。第四类财产租赁所得,采超额累进制,最低为3%,最高为25%,共分十二级。第五类一时所得,采全额累进制,由最低6%至最高30%,共分九级。综合所得税,亦采超额累进,由最低5%至最高50%,共分十二级。

我们已说过,中国之所得税,三者兼采,最令人不满者,分类所得税与过分利得税,均采累进制,此在他国立法例中所未常见。据著者所知,各国所得税制,于分类所得税,与单纯之法人税,大概一律采用比例税率,如对法人须课过分利得税,对自然人或个人须课综合所得税时,则均用累进税率。我国所得税与过分利得税,开办不在同一时期。于制定所得税条例时,未曾有征收过分利得税之念头。所得税暂行条例既采累进税率在先,而举办过分利得税,又非采累进税率不可,因而有双重累进之嫌。

不特此也,我国分类与综合二税,亦均采累进税率,且分级过多,不免有扞格难行之处,探究其理,大抵于举办分类所得税之时,若采比例税率,则所得税之精神,不易表现,而对于纳税义务人,尤其小所得者,颇欠公允,因而分类所得税不应累进而累进。至于综合所得税,能否推行顺利,尚不敢必,故分类所得税之累进制,不能取消,遂有双重累进之弊。

(丁）法人所得税与个人所得税分开

近代各国所得税制，除英国外，大概一律采取法人所得税与个人所得税分离的办法，其优点在使税制具有弹性，并使征课标准易于合理，因为个人所得之种类，不一而足，应将个人所有所得一一查明，得一总额，而后可以征课综合所得税，其税率之高下，可视政府需要之缓急而决定。故综合所得税，最富于弹性；反之，法人所得税，另成一类，其所得与资本亦有一定之标准。法人之所得，除征课分类所得税之外，还可按所得合资本额之百分比，征收过分利得税。所以分离之后，有两个纳税的单位，一为自然人，一为法人，因纳税单位不同，所以征课的方法亦异。

我国二十五年之暂行条例，与三十二年之旧所得税法，于法人所得与个人所得均不予分离。凡营利事业所得，不论其为法人或自然人，一律依其所得与资本实额间之比率定税率之高下，已失公平，因为自然人之合伙企业，与独资企业投资少而出力多者，其所得与资本额间之比率，必然增大，税额很高，吃亏太大，故法人与自然人理应分开，不能并入一类。但法律有时间性，适于彼时者，未必能适于此时。彼时立法之意，以为如此规定，于情于理，未有可议之处。在政府，以为以所得合资本实额之比率定税率之高下，非无根据。按经营营利事业者，均含有将本求利之心，本少利大者负税能力大，本大利少者负税能力弱。就所得与资本之比率而课税，实可免除资本大小不同而纯益相似，课以同样税率，显有不平之弊，并可符合负担能力之说。在政府以为立法用意，精致严密，所得与资本之关系，既甚密切，因而狡猾之人民，便利用之而思逃税矣。逃税之法，在大企业为重估资产，在小企业则尽量减少其资本额在 2,000 元以下（依法凡不满 2,000 元资本之企业免课）。因之财政部便规定对于厂矿之机器设备,限以原价计值,不准以市价重估(见二十六年五月三十一日财政部公布资产估价折旧准备方法一至五项)。即在合并清算时,其原财产之增值亦须课以所得税(见一类须知草案第十六条规定)。前者为防止伪增资产之法,后者为征课自然增值之所得。

但财产以原值估价,在平时则可,在战时与战后之近几年,则发生问题矣。在抗战中,尤其在胜利后之几年中,物价不断上涨,通货继续下跌,原有资产用通货表示实不知增加几百万倍。同时个人企业如合伙组织,独资经营,原不恃资本之大小,而多靠劳力劳心者,其利害又不与公司法人相同,于是工商界大声疾呼,而求资产价值之调整与税负之轻减矣。

三十五年之新所得税法,始把个人所得与公司分离,此往昔所未为也。新法对公司组织,合伙组织,独资经营,皆经分别列类,是其可以令人满意之处,因为个人所经营之营利事业,初不必问其所得与资本实额间之比例为何如,竟可依其所得绝对额之高下,而定其税率,盖个人事业,原不必有多大资本,全视个人之信誉、才干、与努力,以为生利之因素;即使有资本,亦不必与所得成一定比率也。

(四)所得税之征收方法

所得税之征收方法有三:1.源泉课税法,2.申报查定法,3.估计法。凡所得有支付机关,能利用课源法以征收者,均尽量列入课税之范围。英国为所得税之发祥地,其所以能由创始而发皇光大者,论者每谓得力于课源法。此法征收简便,虽其缺点在未能尽量综合各种所得,依累进税率以征课,而其优点亦不少,尤在初创所得税之过程中,似更有采用之价值。英国所得税之奠基与发展,固得力于课源法,而数年来我国所得税之略有成就,得此法之协助,亦属不鲜。课税之所得,如不能用课源法,而须改用申报法以征收者,则选择纳税义务人之知识较高、能奉行政令、或有簿册记载、可以钩稽者,定为课税范围。若自由职业者之智识水准,较一般人民为高,深知所得税之优良,自能奉行,于征收不致有所困难。至于营利事业,则以资本在3,000元以上者,方予征税。其用意厥为资本在3,000元以上之营业,大致均设置账簿,钩稽征课,尚属便利。综此二义,足见现行所得税课税范围之规定,以征收简便,推行顺利为原则,揆以图难于易,作始于简之义,固未可厚非也。

我国之分类所得税,采用源泉课税法,而综合所得税则用申报查定法,但必须先有完备的税务行政机构,优良的纳税习惯,而后方可网罗纳税义务人的一切所得。以今日之所利得税情形而论,漏税与逃税,成为普遍的风气,于是非有赖于税吏之苛扰的调查不可(详见"整个所得税制不合理"一节)。结果必至于使国民对于租税,有一种厌恶的心理。英国施行所得税所以得力于源泉法者,谅亦由于英国国民性厌恶政府查账所致。

三、过分利得税

(一) 过分利得税之意义及课征利得税之理由

抗战军兴,物资供需失调,营利事业因缘际会,动获暴利。此种暴利产生的原因,对于经营者的劳务,虽未可一概抹煞,但多半实由于战事而生。故严格言之,此种利得,非近于意外,即近于非法,称之谓过分利得,确是名符其实。过分利得(Excess profits)亦称"过分盈余",其与"盈余"不同之点,不过在数目之大小,而这个数目是否过分,则视国家的税法如何规定以为断。英、法、德各国的过分利得税,都以战前若干年内的平均盈利率或利得率为标准。所谓利得率,就是以利得合资本额的百分率(Rate of profits),高于平均利得率的利得,即为"过分利得"。美国的过分利得税,则以8厘利得率为标准。

二十八年开办非常时期过分利得税,与所得税同时并征。依税法之规定,以利得合资本额20%为营利事业之标准利润,如有超出此标准利润者,其超过部分即为过分利得。如此其利得不及20%标准者,即无过分利得可言,应予免税。可知所得税、利得税二税,同为战时产物,俗称所利得税,即二税之联合简称。三十六年一月一日另明文公布特种过分利得税法,将非常时期过分利得税法废止。

所得税、利得税为我国直接税之主干,而直接税体系中于所利得税之外,尚有遗产税。惟遗产税开办较迟,推动亦难,如今尚无显著的成绩表现,故在税收上不占重要地位。至于所得税,则情形大不同了。自创办以来,已有飞跃的发展。须知民十北京政府曾有决心下令开征,结果与预期的收入相差太远,七八百万的预算只收到10,000余元,就不得不把它无形停办。现在情形不同,其税基逐步推广,稽征极为普遍。所得税之优点,大概不外:1.适用能力主义,所以负担公平,2.课征普及,3.税源丰富,4.具有弹性,5.不易转嫁。有此几种优点,故为世所推重,而财政学者无不誉之为良税。

二税皆根据能力主义,采累进税制,而累进制分全额累进制与超额累进制二种,皆以纯益额为课税标准。营利事业所得税税率,用全额累进制,利得税税率,用超额累进制。惟全额累进制,当累进换级时,常生不公平之现象,超额累进制则无此弊。我国遗产税与综合所得税,即采超额累进税。

所利得税是所得税与利得税之联合简称,其所以联合者,以其征课之手续相同故也。二税皆以所得为标准,以账簿为依据。其课征手续,依税法规定,不外乎申报、调查、审核、审查、缴纳几个程序,而调查与审核,皆须依据簿据,故查账为征课所利得税必不可少之步骤。关于申报、调查、审核之手续,所得税法与特种过分利得税法,均有同样之规定,其不同之点,仅限于税率,故所利得税之课征,可以同时办理。不过战后暴利消灭,可能发生一很大的营业萧条时期,所利得税的主要收入项目,营利事业所得,必大受影响。所以此类有希望的税课,只能希望其能在战后成为我国税制的骨干,事实上恐仍须让间接税中的前辈如关、盐、统占首要地位。

(二)非常时期过分利得税条例

(甲)课税范围

从暴利产生的原因上着想,从伦理方面说来,从充实战时国力上打算,或从战时财政上观察,对过分利得者课以一部分利得税,当然也是情理中事,决不为过当,且合赋税原则,的确不失为战时财政上一种良好的税源,所以政府筹议开办过分利得税,于二十七年十月由国府颁布非常时期过分利得税条例十七条,嗣以各地商民陈述意见,将原条例加以修正。课税范围较所得税为狭,仅包括两类:第一类为营利事业过分利得,凡公司、商号、行栈、工厂、或个人资本在2,000元以上之营利事业,官商合办之营利事业,及一时之营利事业,其利得额超过资本额20%者,凡买卖与本业务无关的物品、证券、或金银货币,而其利得不在本业务收入项下计算者,即作为一时营利事业之所得。第二类为财产租赁过分利得,即财产租赁之利得超过其财产价额15%者,其财产价额以二十六年七月七日之市价为准,如无当日之市价者,由当地所得税征收机关、地方主管机关、及地方公正人士组织评价委员会评定之。但上述第一项课税范围中,凡由战区迁入内地的工厂,及因战事而受重大损失的营业,经查明属实,暂可免税(第十四条)。

(乙)税率

非常时期过分利得税条例第四及第五两条,把税率分为营利事业之利得税率与财产租赁之利得税率两种。兹分别列表于后:

(子)营利事业之利得税率

税级	利得合资本额	税率
1	超过20%—25%	10%
2	超过25%—30%	15%
3	超过30%—40%	20%
4	超过40%—50%	30%
5	超过50%—60%	40%
6	超过60%以上	50%

(丑)财产租赁之利得税率

税级	利得合财产价值	税率
1	超过15%—20%	10%
2	超过20%—30%	15%
3	超过30%—40%	20%
4	超过40%—50%	30%
5	超过50%—60%	40%
6	超过60%以上	50%

（丙）营利事业过分利得税之计算法——举例

依条例规定，过分利得税每半年征收一次，但亦得依各业性质，按月或一次征收。征收事务由所得税征收机关兼办。兹假定某某公司资本额为 100 万元，公积金有 24 万元，三十年度全年纯益为 24 万元，已入账之财产折旧为 8 万元，其计算步骤如下：

（1）依所得税计算方法，公司得以公积金三分之一并入资本额计算，但过分利得税条例第三条不准将公积金并入资本额计算，故此 24 万元三分之一的 8 万元，应除外不计，该公司之资本额仍为 100 万元。

（2）依照所得税计算方法，公司得于计算纯益时，将财产折旧减除，但过分利得税条例第三条不准减除，故纯益额 24 万元，须加上财产折旧 8 万元，计共利得额为 32 万元。

从（一）（二）两项可知某公司之利得额合资本额为 32%，其应纳之税额照下列方法计算之：

(1) 免税部分

合资本额 20%

$1,000,000 × 20% = $200,000（免税利得额）

(2) 第一级应纳之税

合资本额超过(20%—25%)

$1,000,000 × 5% = $50,000（第一级利得额）

$50,000 × 10% = $5,000（第一级纳税额）

(3) 第二级应纳之税

合资本额超过(25%—30%)

$1,000,000 × 5% = $50,000（第二级利得额）

$50,000 × 15% = $7,500（第二级纳税额）

(4) 第三级应纳之税

全年利得额为 32 万元

$320,000-200,000(免税利得额)-$50,000(第一级利得额)-$50,000(第二级利得额)=

$20,000(第三级利得额)

20,000×20%=$4,000(第三级纳税额)

(5) 合计税额

$5,000(第一级纳税额)+$7,500(第二级纳税额)+$4,000(第三级纳税额)=$16,500

(丁) 财产租赁过分利得税之计算法——举例

假定某甲有机器一部,租与他人使用,价值照市价估计为 60 万元,每年租金收入,除去一切必要开支,计净收入为 15 万元,其应纳之税额,照下列方法计算之:

(1) 免税部分

合财产价值 15%

$600,000×15%=$90,000(免税利得额)

(2) 第一级应纳之税

财产价额超过 15%—20%

$600,000×5%=$30,000(第一级利得额)

$30,000×10%=$3,000(第一级纳税额)

(3) 第二级应纳之税

财产价额超过 20%—30%,但全年净收入为

$150,000

$150,000-$90,000(免税利得额)-$30,000(第一级利得额)=$30,000

$30,000×15%=$4,500(第二级税额)

合计税额$3,000(第一级纳税额)+$4,500(第二级纳税额)=$7,500

(三)非常时期过分利得税法

三十二年二月十七日国府公布所得税法,同时复公布非常时期过分利得税法,其原有之非常时期过分利得税暂行条例,与所得税暂行条例同时废止。新颁之过分利得税法,因财产租赁已另征财产租赁所得税,其最高税率且达80%,已无再征过分利得税之必要,故新税法之课税范围,仅有营利事业过分利得税一种。

非常时期过分利得税法,将累进级数与税率,重行修订如下:

税级	利得额合资本额	税率
1	超过20%—25%	10%
2	超过25%—30%	15%
3	超过30%—35%	20%
4	超过35%—40%	25%
5	超过40%—45%	30%
6	超过45%—50%	35%
7	超过50%—55%	40%
8	超过55%—60%	45%
9	超过60%—100%	50%
10	超过100%—200%	55%
11	超过200%以上	60%

以过分利得税法之税率与过分利得税条例之税率比较,最低税率是相同,均为10%;最高税率,条例定为50%,法定为60%。条例之级数只有六级,法则提高至十一级,采用极温和的累进制。

利得额有按营业年度计算者,有不按营业年度计算者。前者由纳税义务人于结算日起1个月内,向主管征收机关报告其利得额;后者于决算或取得之日起十五日内报告之。主管征收机关接到报告后,应即调查并分别决定其应纳税额,通知纳税义务人缴纳之。纳税义务人纳税后,对于税额有不服时,得请求主管征收机关复查决定之。依复查之决定,应退税者,主管征收机关应即退还之。

纳税义务人逾限定期间,不为利得额之报告时,主管征收机关得径行调查,并决定其应纳税额,限令缴纳。纳税义务人对于此项决定,不得请求复查。纳税义务人不于限定期间缴清税款时,除令其缴纳外,并得科以所欠税额2倍以下罚锾。此项罚锾由法院以裁定行之。

隐匿不报,或为虚伪之报告者,得科以应纳税额2倍以上5倍以下罚锾。其情节重大者,得并科6个月以下有期徒刑或拘役。

自过分利得税施行之后,我国收益税系统之税制,已得了一个大进步。依所得税暂行条例之规定,采分类所得税制。所得课税仅限于营利事业所得、薪给报酬所得、与证券存款所得三类,财产所得不在课征之列。过分利得税竟推及于财产所得,是其课税范围,已较所得税为大,此乃一进步。过分利得税征课之另一对象,为营利事业之超过所得,故营利事业,于原有累进税率之外,又须另征一种过税。

过分利得税仅限于以上两类,其他各类则无超过税,亦不增加其原来之税率。其所以如此者,或因际此非常时期,得暴利者,必为营利事业与房屋租赁业二种事业,其他如薪水阶级,证券持有者及银行存户,原均无利可得,当然不能征收过分利得税。但过分利得税之旧条例中,原有关于财产租赁利得之条文,新法则尽删之。盖关于财产租赁,已颁单行法矣。至三十五年四月,以抗战既经胜利,未便再视为非常时期,但物价仍未能稳定,商人获过分利得如故,故一方把非常时期过分利得税自三十六年一月一日起命令废止,同时又另颁大同小异之特种过分利得税法以代之。惟后者之征课范围比较前者为狭,起征标准亦较高,税负亦随之减轻。但一般买卖业、制造业之营利事业,其应课所得税之最高税率,仍须达所利得额 90%,而其间因特种过分利得税法对于课征对象,改采列举办法,以致戏院、舞场、娱乐性质等之营利事业反因漏列,而可享免税之优待,其不合公平原则,无可讳言。

（四）对工矿业与商业课以同一之过分利得税

现行之过分利得税,是课之于工矿业的过分利得与商业的过分利得,但对各业所用税率,不分轻重,此在平时固极合理,在战时则同一税率,往往产生不同之结果。原因甚多:1.战时物价不断上涨,工不如商,因工业利润远在商业之下,致社会游资咸趋于商业投机。工矿业因原料涨价,工人争资,而出品又迟缓,不仅获利较薄,而营运资金亦不易借得;加以所得税课以同一税率,更不易支持,尤不易发展。工矿生产为军需民用所系,理应力助其发展,以加强战时与平时之经济,似不应与商业同等看待,课以同税率之利得税。2.在过去因对工业商业课以同一税率之利得税,故不易提高税率。政府曾有提高过分利得税之议,因恐提高之后,增加工矿业之困难,不敢轻易实行,故税收上大受影响。大部分工矿业已陷入窘境,政府不能不加以体恤也。若税率不一,则可分别课征,增税自易实现。故为税收计,为促进工矿生产计,工业之税率,似应比商业之税率为低,以示差别,使社会资金流入工矿事业,则物资自然充足,物价亦易压平。3.就税务行政言,工矿业亦处于比较不利之地位。盖工矿业多系现代组织,易以出品计算利得,故所得税较易征收。商业组织散漫,易于逃税,所以政府对于商业不敢提高税率,以免引起更多之偷漏,有时税率提高,税收反减少也。

(五)所得合资本额百分比为课税之标准乎?

我们在上面已经说过,股份有限公司组织之营利事业,以所得合资本之百分比为适用税率之依据,独资经营与合伙等事业,纯以所得额为标准,探求其理,则非法人之商业组织,即未依公司法在政府登记之公司行号,如合伙事业,独资营业等,皆无固定资本,因其资本额可由店主自由增减,极不固定,甚至朝晚间亦有变动。店主往往身兼数种资格,既是资本家,亦是经理人,甚至亦是土地所有者。对外有时或以商号出面,但在多数场合,一场事情,均由店主个人向外自行接洽。至年终结账,如赚有盈余,一部分固须归功于资本之运用;另一部分实有赖于店主个人之信誉、才干、策划、与努力,四者系非法人商业组织之无形资产,其真正的资本总额,实以有形资产与无形资产构成之。按暂行条例之规定,只以其一部分之有形资本作为计算税率之标准,似欠公允。如欲将店主所投入之个人信誉、才干、策划、与努力等各种资产并入资本之内,则无形资产之估价,亦属非常抽象,争执必多。故为避免估价之困难,一面求其税率之公允,只得放弃所得合资本额的百分比为计算之标准,单以年终纯所得为计税之标准,比较公允。若与股份有限公司一样,只以有形资本为折合税率之标准,则因无形资本不并入资本总额以内,资本总额必减低,所得合资本时的百分比必提高,而所得累进税率必因之而提高，纳税人非常吃亏。

以上仅就法人组织与法人组织计税标准之不同而言也。但同类之商业组织，亦可有同样之情形发生。例如第一类之股份有限公司所得之税率，系以所得合资本额之百分比为标准，假定两个股份公司，年终结出之净盈利相同，其资本小者所纳之税较资本大者为大。然股份有限公司组织之营利事业，其所得系劳资合作之结果，资本之厚薄与所得之多寡，固有密切关系，但经营者之智愚勤惰，与上下职员之同心合力，对于事业之进展，亦有不少关联，是资本大者与资本小者或可获得同样的所得。依税法之规定，这两个股份有限公司，资本小者课税反较重，资本大者课税反较轻，不免有重课勤劳所得，轻课资本所得之嫌，且因此足以阻抑小公司之发展。所以所得合资本额之百分比，不宜作为折合税率之标准，应以所得额为课税标准替代之。

（六）所得合资本额百分比与资产重估问题

抗战军兴，税收短绌，发钞增多，币值跌落，加以物资匮乏，供需失调，因而物价继长增高，无有止境。在此情形下，工业界在战前或抗战初年所购置之机械生财，其账面价值悉按原价记载，则在物价高涨几百万倍之今日，其资产负债表所表示之资产价值，不但过低，抑且使其所表示之数字，毫无意义。在流动资本多固定资本少之商业，尚不受到大影响，因为今日之商业可以流动资本迅速周转之便利，随时增资，以保持其资本额与盈余额之比率，使其税负较固定资本之工业轻微若干倍。但在固定资本多流动资本少之工业，却面临着一个极严重的问题。如果一家工业制造厂，依账面上所记载之原价作为资本额，而利得很大，其利得合资本额的百分比一定很大，故所课之利得税亦极重。资本大，利润不变，则资本与利润之比率小，税额低；反之，资本小，利润不变，则资本与利润之比率大，税额高。资本不变，纸币利润膨胀，则税额非常大。如政府对于工业与商业不予以差别待遇，不管固定资本与流动资本的比例如何，亦不管生产情形的好坏，一律课以同样的税，则对于工业的打击，无异对于商业的补贴，莫怪今日之从事于生产事业者，类皆一蹶不振，而囤积居奇者，到处皆是也。

这种情形，演变至今，遂引起固定资产重估的问题。如准其重估而增值，资本额增加，利得与资本额之百分比减低，所课之所得税或许不变，而利得税大减，对于工业不失为奖励维护之道。但重估增值，有无标准？即有标准，有无限制？以物价指数为重估之标准乎？抑另定标准乎？凡此皆与企业界有切身利害关系，尤宜彻底了解，并进而求解决之道。

在今日的情形下，资产的重估，不应成问题，下列数端，是其最重要的理由：

（甲）就纳税负担言，战前物价较低，产业所需之资本较少；战后物价腾贵，营利所得，水涨船高，所得合资本额的百分比，随亦提高。依今日之所利得税法，税负加重；反之，战后新设之企业，因已受通货膨胀之影响，所投资本，亦形膨胀，故获利虽厚，而所得合资本额百分比，不致甚高，因而税负较轻。职是之故，在战前或战争初期创立之工业，为平衡税负起见，要求重估资产，以提高其资本额。此项要求，在原则上，非常合理。此其一。

（乙）就公司理财言，通货膨胀，物价高涨，殊觉原有之流动资金，不敷周转，不得不设法补充，而补充之道，不外乎借债与招股二途。如招新股，则旧股必要求重估资产，按原投之数以为分配，而后再招新股,方称公允。此其二。

(丙)就生产成本言,战前固定资产,如机器、房屋等,成本较低,计算折旧亦较低。但战后物价上涨,固定资产之重置成本,随亦提高。如仍照成本原额,计算折旧,则产品成本过低,不敷再生产成本,势必影响生产。惟有重估资产,提高折旧,加计成本,始能弥补。此其三。

(丁)就统计言,统计之作用,在表示真实之状况,以备企业家控制生产之手段。但物价变动不已,就原有之数目字,已不能查悉实际真相,统计之作用完全消失。又如某公司在战时购置机器一部原价10万元,现在同样之机器的市价为百亿元。如以此原价10万元与公司收入之出品售价百亿元相加,计共百亿十万元,试问这种数目字有何意义?欲使统计核实,惟有重估机器,此外别无他法也。此其四。

以上为重估资产之四个理由,光明正大,无人可加以非议。但主张限制增值者,仍坚持限制以防止逃税。他们强调资产增值,系财产自然增值,富有纳税能力,自应按其能力课以所利得税。且此增值,移作资本,则资本额加大,翌年利得与资本额之比例减少,甚或少于20%(20%为利得税之免税点),借以根本逃避过分利得税的负担。欲防止逃税,非以重税来限制增值不可。

吾人的主张,资产重估,是天经地义的,不能加以阻止;欲防止逃税,未始不可用有效的方法以为防止之工具。有主张以资本税与所利得税同时并征者。如是利得税因资本额提高而逃避,资本税则因资本额增高而捉住,且必落网,无法逃脱。日本之超过税(即过分利得税),在日本亦称为临时利得税,依利得合资本额百分比之大小,定累进赋课之标准。然与超过税同时征课者,尚有资本税。由是法人所得之超过税,与资本额之大小有关,但既以累进率与资本税同时征课,则法人所陈报之资本额如过大,其应纳之超过税为数必小,所纳之资本税必大;反之,设其所陈报之资本额过小,其应纳之超过税为数必大,而所纳之资本税,可以较小,如此调剂,纳税人逃税之可能减少,在税务行政上,可谓妥善。

过分利得税之税率,既与资本额有密切关系,则资本额如何决定,亦应有一个明白的规定。我国旧所得税法规,规定"营利事业"之公积,得以其三分之一加入资本实额计算,过分利得税条例则不许公积加入资本,是公积之究竟应否列入资本实额,二税规定不同,理论上亦成为问题。但问题之症结,不在于公积之是否可以加入资本,乃在于利得税与资本税是否可以同时并征。如果可以同时并征,即以全部公积并入资本,于税收亦不致有任何严重影响。但亦有人以为在今日的情形下,所利得税的课征,不甚顺利。有所谓"简化稽征"问题的纠纷,至今未曾获得一个圆满的解决。况综合所得税的开征,徒有具文,迄无实际表现,盖有若干难关,不易打开,因而置之高阁。若于所利得税,综合所得税之上,再加上一个资本税,更不足以语于今日之中国(资本税迄未开征),不如从营业税方面着想。营业税原有三个课税的标准,一为总收入额,二为资本额,三为纯益额。遇有重估增资的场合,其事业之营业税,可以按资本额征收,以防重估增资之流弊。

(七) 资产重估以物价指数为折合之标准乎?

但资产重估手续綦繁,通常以固定资产为主,然流动资产间亦有重估之必要。譬如某企业公司之资产中,列有外币,而外币又有美金、港币、马克数种。此项资产,历年添购,故外币折合国币之汇率,极不一致。美金港币尚有官价与市价可资遵循,不过今日之市价,约在官价之上五六倍,而黑市美金价格,比市价更大,而用处最广。依官价折合乎?依市价折合乎?抑依黑市价格折合乎?至于马克,则自中德绝交,早无官价,亦无市价,难觅一个适当的标准。但马克与美元,尚有一定比率,只得依这个比率而定折合之标准。今日各种制造业中,不免有若干材料,原自德国来者,因购置之期限不同,有用过5年、10年、15年不等者,则折旧之率不一致。故流动资产之重估价值,亦不可忽视,且有实行之必要,总以翔实稳健为第一义。

资产重估问题,于各种工业制造厂,最有关系,故重估价值,通常以固定资产为主,而固定资产,种类繁多,价值互异,必先将固定资产分门别类,然后分类估价,以免笼统之弊。盖估价在原则上,当以市价为准,而市价随物而异。各地各物之市价,差异甚巨,殊难一致,决不能统扯估计,虽统扯手续简便,其不正确,无待烦言。因此重估资产,决不能以物价指数为标准。例如某企业之运输设备,可以按实存车辆,参照市价,并视几成新,折算估价。其使用现状,多则七八成新,少则一二成新,并不一致。又如无线电设备,如其中有一部分为最近购入者,当依原价为准,不再重估,以免虚增价值。其余当按市价,并视使用状态,分别估价。无论如何,决不能以物价指数为标准,统扯估值。今日之物价,固在继续膨胀之中,但终有停涨之一天,亦有跌落之一天。如以物价指数为标准,一旦物价下跌,不仅资产估价不确,且将影响企业之基础。故资产重估增值,惟有遵守会计学上之稳健主义,可以市价为原则,而不尽以市价为准,所有有关各种因素,均须详加考虑,有时并须征询技术人员之意见,至少与各部门技术人员交换意见,集思广益,以免闭门造车,出难合辙之流弊。

财政评论社为求判明所利得税查征问题的症结所在,曾向上海银行业同业公会主席李馥荪氏征询意见。后该社收到李氏的书面意见,刊于第十七卷第二期的财政评论,大致谓"各种所得价值,始终极不稳定,因此税法虽经过数度之修正,并有"调整条例"之补充,而税率一项,依然有不公平与不适合实际之现象。例如营利事业甲项所得税,因资本额之调整计算,仅系以平均物价指数之半为准,无异将原定税率,提高一倍,实使工商业有不堪负荷之苦。在此现状中将调查事项及征课事项加以简化,不但切合时宜,抑亦合乎情理"云云。绅绎他的意见,就是为什么于计算所利得税的时候,不把平均物价指数的全部为准呢?为什么只以半数为准呢?足见他对于资产重估问题,尚未得有一个清晰的观念。余对于所利得税之查征问题,亦主用简化稽征的办法。当此税政税人都未纳入正轨的时候,挨户查账,流弊滋多,且费用浩大,殊不值得。但重估资产,要以平均物价指数为准,颇有问题,而政府于计算所利得税的时候,以平均物价指数之半为准,更不合理,徒取其手续简易之一端而已。

(八) 所利得税与查账制度

所得税、利得税之征收,课源部分采用扣缴办法,政府可以按月收税入库外,其大部分系采直接由纳税义务人自动申报办法。在纳税义务人方面,申报所得,必需填具所得额报告表,附具损益计算书、资产负债表、及财产目录等件,报告于主管征收机关,并提出其他足以证明所得额之账簿文据,听候查核,手续极为繁复。战时及战后之最近几年,各地商业畸形繁荣,各县商号合于课税标准者,多至万千,少至数百,而查账人员,名额有限,挨户查账,是不可能。加以整个所得税制度之不合理(参以"整个所得税制度不合理"一节),于是发生逃税问题,即纳税义务人不欲据实报告其财产之价值或营利之数字,企图减少个人应纳之税额。在政府方面,其征税唯一的目的,就是核实征收,两者意见适成反比。二者既立于对立的地位,欲使商号账目全部公开,查账是为必需之程序。但人手不敷,只能抽查;被查者税负较重,未被查者报告不实,于是便发生全体纳税人之税负公平问题。在政府,一面为增加税收,一面为平衡税负,更有不得不严厉查账之苦衷。不过查账办法愈严密,逃税方式亦愈精巧,针锋相对,技巧相等,大概查账工作仅能施于"造账"技术不甚高明之商人,不能发挥理想之效果。

或曰:纳税义务人不肯对政府尽应尽之义务,逃税是无可宽恕的恶劣行为,商人之所得报告,非经查账,不足取信于人。话虽不错,但往往一个工厂商店年终的存货,比年初为少,但账面上的数字却要大上几十倍,在税法上,这是"过分利得",但实际上这是"虚盈实税",于是不得不想种种办法来造假账。查账人员只要在账上找到什么漏洞,就要罚他补缴若干倍,甚至十几倍,这是明的公事,但因为罚款无一定的标准,当然就难免讲斤头说情之弊。故查账在原则上本为一种比较合理公平的制度,但事实上不但不能收预期之效果,反招致莫大之流弊,不仅无以增加国库之收入,反平添一重中间剥削阶层,而纳税人的负担,愈益不平了。

政府一方面不承认法币之贬值(所以把账面上之虚盈作过分利得),一面又不便明白承认查账的弊害,只得另筹一种替代的方法,既可防弊,又可以便民,而所谓"简化稽征",遂应运而生矣。

第九章 所得税(一续)

三、过分利得税(续)

(九)简化稽征

(甲)什么叫做简化稽征?

征收所得税,大部分由纳税义务人自动申报,但送审之账簿大都不全不实,使国库蒙受极大的损失。财政部虽有账簿盖印之办法,仍不生何种效力。为维持税收起见,乃有简化稽征之实施,不问账簿记账是否属实,一律按照过去三年间之实际情形,由商会自行摊定税额征收之。各地商会亦纷纷反对查账核税制度,亦主张分摊的简化稽征办法替代。在政府,以为假账既多,人手又不敷,若一一个别解决,事实上亦难以办到。以有限之人力,查核无数之簿册,在商民或有滋扰之烦,在主管机关或有应接不暇之感。与其增加征收费用,延长查征期间,不如规定一标准,先交商人公开自行评定,然后核定照缴。故简化稽征之动机,仍在增加税收,避免商人逃税,杜绝税吏舞弊,不失所利得税负担公平之全部精神。

但"简化稽征"这个名字,引起了很多的议论,以为简化稽征的目的在废除查账,恢复从前的"包税"制度。亦有认为是一种"变相的摊派"。以上海一地论,自市商会以至各业公会,甚至市参议会,亦莫不认"简化稽征"为"废除查账"之代名词。但据财政部之解释,简化云者,即简化稽征之手续,"尽量扫除'公文世界'之陋习,尽量减少查账之烦,毋庸逐案查账,"只要发明并"利用一种简单而确实的方式,去补救查账的流弊,去代替查账的作用,以求得查账的效果,"并非绝对不去查账。所谓简单而确实的方式,大都指基数而言。无论何种营业,莫不有其每月的营业额,或每月的利润额。这个数额,可以作为计税之根据,但仍须经过"普查"或"抽查"的手续,俾能核实。三十三年的简化稽征,多少仍系以过去三个年度实际查征数额为根据,再参酌物价情形议定者,或利用物价指数的编制而为调整之根据者。此种根据,并不一律,亦不能一律,应随各业之性质而异,或从趸售物价,或从零售物价,使各业之指数,各从其经售之物价以为依据。亦有不必参酌物价指数者,如电影业、戏剧业,自有实际的凭证。

据政府方面人士的意见,三十三年之简化稽征,无非将应收税款预算额,照过去三年实际查征情形,比例摊配征收之,其目的在维持税收预算数额。但三十五年四月十二日明令颁布"第一类营利事业所得税暨非常时期过分利得税简化稽征办法"十三条,其内容已较三十三年的办法大不相同,因为三十三年的办法,以过去三个年度实际查征数额为根据,对商号之负担能力,尚能顾及;而三十五年之简化稽征,根本无可靠统计数字作根据,完全凭商人自由申报之数字,抽查5%至20%,即作为摊派之根据,其不可靠与不公平之情形,概可想见。且有甚者,"简化后所利得税摊派税额之权,操之在各地商会及各业同业公会,直接税征收机关并无多大权利。因此在评议摊派之时,主其事者,难免不有私心在,即商会摊派各行业应纳税收总额时,何行业有人力争者,则其同业所摊派之总额较少;反之,则较多。又某行业摊派之后,再分摊于各会员时,在同业公会占有力量者,其摊额必较少;反之,任人增派。"[①] 足见三十五年的办法,已离开所得额营业额之标准而为变相摊派之税制矣。所谓"仍按所得额依法计税者,此所得额已非真正之所得额,乃系评议之标准所得额。以此标准所得额之总额,将预算税收数字比例分摊之,并不追求各商号之正确所得额,非摊派而何。"[②]

但三十五年之"简化稽征"办法,完全失败,因为这个办法,在抗战胜利后,即应用于上海的三十五年度所利得税。当时各工厂公司商号申报的盈余总额,仅有150余亿,而税局预定的最低目标,却要二、三百亿。经市商会的屡次折冲,最后决定一律照各单位的申报盈利额(不是应纳数额)加缴50%。这样一来,若干照实填报的厂商,大吃其亏,而虚报或漏报者则逍遥法外,毫无其事。商民既愤愤不平,当局亦未满所欲。鉴于三十五年简化稽征之失败,财政当局对三十六年度所利得税,乃决定摒弃简化稽征,采用按户申报查征的办法。

上海应纳所利得税的营利事业单位,据说约共有50,000个。他们对于查账的恐惧是必然的。基本的矛盾是整个所得税制度的不合理,因为不合理,所以有"虚盈实税"的矛盾。这个矛盾不消除,一般工商业为了要生存,就要造假账,有假账就有漏洞。这便造成了查账人员的机会。因此所有弊病,始终没有彻底解决过。

(乙)上海工商界反对查账赞成简化稽征的理由

上海工商界以为查账手续过繁,且在目前通货膨胀虚盈实亏情形下,查账核税有不胜负担之苦,因此不能说没有人在设法逃

---

① 宋同福氏著:《论所利得税简化稽征与查账制度问题》,载财政评论第十七卷第二期。

② 同上。

避。一旦有人逃避成功,那末公平和普遍就谈不上了。且收税和稽征人员难保没有借端滋扰之事,此与普遍与公平的精神亦属冲突。若就稽征的技术来讲,要稽征人员挨家逐户,审查账目,事实上恐不可能。即使无逃避滋扰等情,效率实未必能如理想。因此有人主张所利得税以业别为单位,自向所属同业公会申报,由会聘请会计师负责稽查,然后汇集报缴。事既简便,负责有人,逃税似可减少,滋扰可以避免,而分工合作又可事半功倍,与公平普遍之精神尚称符合。据上海市商会会长徐寄顾先生之意见,在今日社会风气败坏,政治并未走上正轨的情形下,此种主张,认为尚有参考采取之价值。

另有一位工商界领袖认为在目前通货这样不断地膨胀之下,正当的工商事业,根本上已并无所得,任何工商事业所努力挣扎的,无非为维持再生产的能力,也就是如何保持原来所投的资本和既得利益的价值。……即使要税,也应当把币值低落的指数计算在内,政府既规定工资按照生活指数发给,这就无异自己承认币值低落的倍数,那末为什么计算所利得税的时候,不把同样的方式来应用呢?他说:"所利得税可以征,可以查账,但必须把币值低落的因素放在计算之中,否则在政府是杀鸡取蛋,在人民是雪上加霜。假若这样办不到,而又必须要征,那末这实在是资本税,索性大家摊捐一些算了,美其名曰简化稽征,免得政府多耗经费,老百姓平添麻烦。"工资按照生活指数发给,而资本实额之计算,则"按照登记年份之资本额,比照各税区收税年前第二年度全年平均物价指数之半调整计算之。"但这个调整办法,依三十五年之修正所得税法,只适用于股份有限公司、股份两合公司、及有限公司三种营利事业。

此外尚有人以为直接税自开办以来,虽然税收数字年有增加,但征收费用也大得惊人。这就是说,直接税,虽然是进步的税制,但以中国环境来讲,贸然的实行,反而成为最不经济的税制。纳税义务人的负担是增加了,而国库并不见得受到如何的补益,因为单就租税收入方面上看,直接税还是占不了重要的地位。据一位名会计师的说法,所得税征收费用之庞大,有若干地区竟始终超过各该区所收之全部税款。其余各地亦均占相当巨大之成数。此种情形,如能养成人民纳税习惯,建立良好风气,则净得税收虽属减少,或尚值得。无奈推行结果,造成国民道德之普遍降落,政府威信之日趋衰退,无形损失之严重,殊难确计。无怪目前比较激烈之人士,已有暂时停办直接税之主张,言之能勿令人感叹。他的意见,亦以为推行十年以上之所得税,是得不偿失的。[①]

　　以上是一位名会计师的言论。此外还有一位学者,亦谓在资本贫乏的国家,重税所得,在经济学原则上是不利的。中国今日应鼓励储蓄,至物价稳定之后,尤应试办强迫储蓄。故无论所得系劳力收入的薪给,或劳资合作的赢利,或资本收入的利息,过分重税,都有摧残储蓄的消极作用;同时对于国家的税收,事实上所补有限。与其于税收上着眼,杀鸡求卵,无宁从行政上着眼,以培养此新税的根基。迨产业发达以后,推广此税,轻而易举。届时重税巨大收入,能自由伸缩,引用如意。故今日办理所得税,对于申报、审查、复核等都不必一一求详云云。不过他以为所得税虽不必积极推行,而遗产税不妨扩大举办,因为遗产税与所得税虽同为直接

---

① 陈文麟氏著:《改订营利事业所得税征课办法与会计师查账证明》,载立信月刊第六卷第十一期。

税,但意义完全不同,对于经济上的影响,亦迥乎其趣。遗产税系一社会政策之工具,税收尚属其次;在中国社会传统习俗之下,重税遗产,不但无经济上之大不良影响,如所得税,且有平均贫富及教育上之种种价值。

但又有若干学者,主张积极推进所得税,将税制之不良,归因于赋税制度之不合理,谓旧有各种赋税,由于举办的时期各有先后,对于税制组织的完整和协调,事前既未能作通盘的筹划,自然难免有重复疏漏的地方;且各种赋税的主辅关系,亦颇有违背租税原则的地方。战前中央政府的收入,以关、盐、统三种消费税为大宗;在战时,赋税之重心移置于田赋征实,斯二者皆不能与新时代的要求相配合。税制的改革,当循直接税尤其所得税为主,消费税为辅的途径。虽因复员甫行开始,不能立即忽视消费税之重要地位,但我们决不能坐待客观条件的到来,对于所得税,不肯积极推进云云。①

观于上述,可知所利得税于胜利后,虽经修订,但事实上仍属窒碍难行。因此主管征收机关于三十六年征课三十五年度所利得税时,最初坚主采取严格查账办法。但试行结果,流弊百出,怨声载道,而实际税收,仍未达预期之目标远甚。良以明知其不可为而强为之,其失败非偶然也。

英美会计师之能负责代办纳税,而同时亦深得征收机关之信任,完全因各该纳税义务人之账目本身,既属真实可靠,而会计师亦信用卓著也。中国之会计师,不愿证明账目,代办纳税事宜,因事实上既不能依照当事人之意见作虚伪之证明,同时亦不能违反

---

① 邹宗伊氏著:《财政改革的重点》,载财政评论第十四卷第一期。

当事人之意志强令其从实报缴，根本上无法代劳也。倘税法可以得适当的修订，征课办法亦已十分合理，则纳税义务人事实上亦毋须作虚伪之申报，而会计师同业从此亦可代负一部分工作责任。如是征收人员与征收费用可以大量减少，税收可以不断增加，而征收机关与纳税义务人间之磨擦，亦得无形中避免多多。

（丙）简化稽征之要点

三十五年四月十二日明令颁布"第一类营利事业所得税暨非常时期过分利得税简化稽征办法"十三条，按其内容，已离开真正所得额之计算，与摊派相接近矣。兹将其要点录下，以资参考：

（子）各纳税义务人应于每年结算后1个月内，依法申报其所得额于当地直接税主管征收机关。各商业同业公会应于每年度开始1个月内，将所属会员名册报告于当地直接税主管征收机关。

（丑）直接税主管征收机关根据纳税义务人所得额报告表，照下列办法决定计税标准纯益案：1. 根据各业纳税义务人所得额报告表抽查各该业账据簿册完备确实之商号5%至10%，决定各该业标准销货毛利益、费用率、及资本毛利率、费用率，以推算各该业销货标准纯益率、及资本标准纯益率。2. 凡无账据或账据不全，不足以资抽查之行业，得比照上年度已核定之数额，参酌当年实际营业状况暨物价变动情形，推算其标准销货纯益率及资本标准纯益率；其在抗战胜利后收复之地区，尚无上年度核定之数额者，其标准纯益率得就各该业当年实际营业状况，参酌性质相近之行业比照核定之。3. 前项标准纯益率，得就制造商与销售商之资本额及营业状况，酌分等级。

（寅）直接税主管征收机关决定各业标准纯益率后，即连同计算依据文件，送请审查委员会审定之。审委会于接到后，应于十日内召开会议决定之。开会时直接税主管征收机关暨当地商会及同业公会,得派员出席陈述意见,并备咨询。

(卯)直接税主管征收机关事先应就各业所得额报告表,计算其销货纯益率及资本纯益率。凡各该业纳税义务人申报所得额,其纯益率合于第二点所定之标准者,从其申报所得额依法计税;其不合标准者,依照前定之标准计算其所得额,依法计税,不再施行查账。已经查账之商号,按其所查结果,依法计税。其经查有隐匿或虚伪报告之情事者,除依法处罚外,并径行决定其所得额及应纳税额。其逾期不报者,即依照各该业标准纯益率,计算所得额,依法计税。

(辰)在抗战胜利后收复之地区,直接税主管征收机关得先按照第二点所规定之各种标准纯益率,并依第四点规定,分别计算各业各商之所得额,再将各业所得额相加,求得全市或全县之所得总额。依据此项所得总额,并参酌各该市县税收预算数额,计算各业各商应纳税额,造具清册,连同计算依据,送请审查委员会于2个月内审定之。

(巳)直接税主管征收机关依前述规定决定税额后,应即填发纳税通知书,送达纳税义务人,限期缴纳之。纳税义务人如有不服时,得于限期内缴纳税款,提具有关账簿文据,申请复查,按复查结果计税。但逾期不报或依上述第五点之规定计税者,不得申请复查。

(午)一时营利事业及歇业商号,应随时申报直接税主管征收机关随时调查决定税率。

(丁)所利得税简化稽征的解释及批评

以上所述之简化稽征要点,在读者看起来,似乎不甚明了。兹就此作一个详尽的解释,并加以批评。抗战胜利之后,上海市各业缴纳所利得税已有二次,都采用了简化稽征的方式。第一次为民国三十五年度所利得税,系依据三十四年度各业所申报纯益额,再加50%,作为应纳税额。就是将预算数额由上海市各业分配,所以各业再加50%以合预算之数。究其实乃为一包税制度,显有不公之处,反对之声四起,不得不予放弃。第二次稽征三十六年度所利得税,本拟采取全额查账制,依法课税,后经商会及同业公会普遍反对,复因办理不善,致查账弊病,层出不穷,遂纷纷请求简化,方改为《查账标准计税制》。所谓《查账标准计税制》,系先由各业申报三十五年度所得额,然后每业抽查账簿5%至10%作为样本,查核其账册而后定出各种标准,如资本周转率、销货纯益率等,经核定后,然后再邀请市商会暨各该业负责人,共同研讨决定,作为各业计税标准。此项各业标准计税法,系采用分类销货纯益率,就是根据已查账各户销货数和纯益数字之比,得出其平均比率。然后视各商号自报销货额,以之与根据标准资本周转率换算所得之销货额相比较,于二者取其大者,据以计算课税所得额,再将计算所得之课税所得额与各商号原报之纯益额相比较,于二者取其大者,再按税法规定之税率以纯益额乘税率,即得应纳税额。至于利得税的计算,则以上项所取之纯益额与资本比率,照税法规定分级税率,计算应纳税额,或根据公式计算利得税额。

何以要定出标准资本周转率?据税局中人说,一业中资本相同,而所报营业额大小悬殊者很多。为使税负公平起见,必须采用标准资本周转率,以推算各商应有之营业额(即销费额)。同时为从宽计,将查定之标准资本周转率折半计算,即一商店计税时,先以该业标准资本周转率之半数,乘该业之资本,得出其应有之营业额。以之与该业所报之营业额相比较,二者取其大者。如所报之营业额低于根据标准资本周转率换算所得之营业额,则以后者为准;不然,即以所报之营业额为准,因此等于提高一部分商店所报之营业额。

从上面这两种简化法看来,三十五年度施行之第一法,迹近包税制,就是政府需要的税收,可依各该业纯益数比例摊派,来适合他的预算。至论本法的优点,第一比较更为简化,第二可免税务员的中饱,使税收可获实惠。其缺点亦有,那末所得税为能力税,应就所得范围内课征,方为合理。现因凑合预算,致所征税额超出各商收益额,这显然是有违赋税原理的。又如狡黠者捏造假账,以多报少;诚实者和盘托出,据实报告,今不问原因,一律按申报额课税,这也是很不公允的。

三十六年度采用之第二法,即查账标准计税制,当然要比第一法为合理而科学些。然而也因人为的不臧,以及税制本身有欠健全,发生下面的若干流弊:所核定的标准,系抽查若干商家的账册,加以平均而查定的。值兹假账普遍之际,该少数商家,倘均系假账,则此项标准成为假账之标准矣。况同业间营业政策、方针、地位、范围,各有不同,并且资本有大小,利润有厚薄,经营有得失,开支有高低,均能左右获利之多寡。在这种种不相同的情况下,究竟依据哪几家来做标准?这的确是值得研究的一个问题。依照现在抽签决定的办法,漫无标准,颇有不准确的成分在内。查账员本人是否可靠?他的技术如何?假账舞弊能否全部发现?均是疑问。倘能全部窥出,值兹贪污声中,谁能保证查账员决不贪污渎职。如有贪污,此项标准,尚可认为标准乎?即无贪污,必有幸运成功,如果抽查到的几家,都是销货和纯益的比率很高的,那末这比率应用到营业利润很薄的商店里去,又怎么能负担呢?反之,查到几家的营业利润很差的,那末营业较好的,又未免太幸运了。第二本法抽查时,虽把各业账册送交税局,以防发生流弊,但是纳贿之事,还是层见叠出。三十六年报上揭发的,可为明证。这样一来,标准税率的准确性,更成问题了,至少更使人增加怀疑了。第三税务人员对于各业账据簿册,在心理上,早已存有偏见和怀疑态度,以为所有账据,都不免参有假账在内。这果然是过去一部分工商业,捏造账据,自取其咎,但事实上亦不能因此而概其余。在身为查账员的,务须要站在客观立场,来公正检查,以昭大信;否则若于费用支出和资产估价方面,不惜吹毛求疵,甚至越出税法以外,这都不是查账员应有的态度。例如存货一项的估计价值,依照税法规定,得以该年度初盘存价格与一年间进货价格之加权平均价格为原价,作为估价标准。但是审查员方面,则须以最后一次进价为估价标准。前后二法的估计,虽然不一定相差过巨,但在存货早进,价格最低,存量最丰的情况下,设于年终再购入一部分,那末数字方面可能会发生很大的差额。又如三十五年所缴三十四年所利得税超过纯益之部分,于三十五年列入开支项下,也被剔除。这在政府课税方策,既不合理,而硬要使商人俯首就范,实在很令人费解。再如合理而必要的交际费用,可以列入开支项下的,也要全部剔除,不予认可。但三十七年四月一日公布之修正所得税法第二十八条,已将交际应酬费用正式列入条文,准作开支,但仍有最高限度之规定。总之,无处不挑剔,无事可通融。因此如果没有其他作用的话,这一业所定的标准比率,是可能很高的。据说三十六年各商业接到的缴款通知书,都在去年申报纯益额的数倍,或数十倍以上,这比第一次简化稽征的倍数,尤属庞大惊人,尤不切合实情。

至于本年度采用的资本周转率,更觉不合情理,因为资本周转率,就是拿资本总额除营业总额所得的数字。"照三十六年税局查定的各业资本周转率内,有机器、棉纺织工业的248次,绸缎业的148次为最多。"① 照此解释,即该业资本在1天至3天内即可变成商品,立刻售出一次。依情理推测,自属决不可能,盖因此项营业额内包括物价涨价,币值跌落之因素在内。更以各业资本之计算方法,在股份有限公司、有限公司等,申报时均经调整计算,而合伙独资,则依原投资额计算。此项原投资年份之参差,又影响资本之大小。于是以计算方法不统一之资本数额为根据,除前后币值不统一之营业额,而求其资本周转率,其结果自难合理,宜乎各业之不胜负担也。

再查已查定公布之各业资本收益率(即资本与收益之比率),均在115%以上,即各业均应纳最高税率之所得税,并加纳过分利得税,亦即各商店不独不应有亏本情事,即所得额不满资本额115%之情事,亦未存在。证以商号因亏折倒闭情事之不断发生,则此项资本收益率之不合情理,更属显然。

查账标准计税制,虽有上面种种缺点,但如果在人事制度、抽查原则、和计算标准各方面,能改良一下,尚不失为一个切合实情的过渡办法。例如抽查时,必须注意每一业的分区分等,因为同业范围有大小,营业利润有厚薄,所处地位有热闹、有荒僻,所以标准税率也必须要分成好几等,并且还要得到当地商会及同业代表的同意,然后予以审定。其次税务人员的待遇,必须予以合理的调

---

① 甘允寿著:《论所利得税简化稽征》,立信月刊第六卷第九期,三十六年九月十五日。

整,使无内顾之忧,那末贪污事件,自然可以减少,以至根绝。再如审定费用及查估资本价值时,要体念商人虚盈实税的苦痛,在合理范围内,应给予融通便利,不必硬性依据税法规定,处处挑剔。决定各种标准比率,务须审慎从事,以合情、合理、合法为主,务使商人不觉麻烦,乐意查账,并使查账所得之各项比率能合情、合理、合法。如果照这样做去,相信这个权宜税制,在通货膨胀,物价不稳过程中,一定可以推行无阻,而为工商界所一致拥护。

(十) 三十七年度营利事业所利得税稽征办法

依照三十七年二月二日行政院公布之三十七年度营利事业所得税稽征办法,主管征收机关,于年度开始后估定纳税义务人暂缴税额,自二月十五日起一个月内,填发缴款书,送达纳税义务人,令其自送达日起一个月内缴纳之。暂缴税额依下列之规定估计之:

(甲)参照三十七年度与三十六年度岁入预算及营利事业所利得税预算比较增加之倍数,暨三十六年度与三十五年度物价总指数比较增加之倍数为标准,将三十六年度核定各纳税义务人应纳营利事业所得税与利得税之总数,暂照6倍计算缴纳。

(乙)凡在三十六年新设立或三十五年终了前设立,而尚未纳税之营利事业,暂按其申请登记之资本实额12.6%计算缴纳。

主管征收机关接到纳税义务人所得额之申报后,应即就本办法所指定之各种营利事业进行查账。非本办法所指定之各种营利事业,得依标准计税制,调查所得额。迨应纳税额核定后,如高于暂缴税额,则应按其差额,填发缴款书,送达纳税义务人,于十日内缴纳之;如少于暂纳税额,则应按其溢缴之数,退还纳税人,并按照中央银行给付银钱行庄存款准备金之利率,计算退款利息,一并退给之。

以上所述各业,先按三十六年度核定所利得税总额之6倍暂行缴纳,如有出入,多退少补之办法,颇有可以讨论之处。兹归纳纳税义务人方面之意见于次:

(甲)年度不同,营业的结果未必相同——国内经济情形尚未安定,各业之营业情形亦属变化莫测,如银楼业之停止饰金买卖,进出口业之外汇不易购得,致营业一落千丈,故三十六年工商各业之营利,绝不如政府所想象。上年能获利者,本年或遭亏折;反之,上年获利不多者,本年或获利倍蓰。若一律按上年度核定应纳税额先缴六倍之办法,决不能普遍适用。盖工商企业之获利与否,全视业务之性质、经营者之能力、当时之环境、以及其他各种因素而转移,决不千篇一律,均有利益之可得者,否则人民将群趋于商业一途矣。

(乙)正式应纳税额,恐比较暂缴税额,有减无增——我们知道现行的会计方法,在计算利润时,都是从售价减去成本而得的。但在物价继涨的情形下,这种计算方法,是最不可靠的,譬如有一家行号,其平时的利润是10%,假如物价已上涨了3倍,照账面计算,则利润变为300%,似乎这家行号得了过分利润,但实际上并没有赚钱。倘其他物价上涨3倍以上,不仅不能赚钱,反而损蚀资本了。闻三十七年之修正所得税法,已放宽所得计算的尺度,被袪除账面一部分的虚盈资产,并准许报支一部分的损失与开支,则将来根据各该营利事业真实营业结果所核定之正式应纳税额,理应不致甚多,比较暂缴税额恐有减无增,因此 先缴办法不啻政府向各营利事业以低利借债。况利率如此之低,而法币跌价又如此之速,溢缴之税又不知何日退还,则暂缴税额,无异于捐献。

（丙）三十六年度核定所利得税总额不足为标准——上年度依标准计税制，每业抽查5％以上之同业，订立标准纯益率，即使某一纳税义务人实际盈余不达同业之统一标准，甚或事实上发生亏损者，亦须责令一律按同业标准估计其纯益额，以计算应纳税额，则这个应纳税额，是否可以认为正确，不辨而知，稍有智识者决不会推定其为公平合理。于此不公平不合理的税基之上，又筑起六层的高楼，其欠坚固结实，更可知矣。又前年度依简化稽征的办法，按各该营利事业自行申报之纯益额征税150％。狡黠取巧者所申报之纯益额原不正确，征税150％，不能认为过苛；但忠实守法者，所报甚确，吃了大亏。纳税义务人得了这个经验以后，其在上年度自行申报之销货额及所得额等，势必益欠确实，则今年度要以上年度核定之应纳税额为标准，照6倍估计暂缴税额，其欠公允合理，更不待言矣。

（丁）过去迟纳所利得税之责任并不全在纳税义务人——过去延迟纳税固使国库损失不赀，但其责任不完全在于纳税义务人之有意拖延；主管征收机关核定税额之过于迂缓，亦为主因之一。最近有若干人士声称，其三十六年度账目早经决算竣事，如税局需要申报以及查核账目，立即可以照办，似不必先行估定暂缴税额，责令其缴纳，而后再以迂缓的方式（即依标准计税制抽查的方式），逐一查定其应纳税额，再行退税。况如此办理，不但手续繁重，而且增加纳税义务人之厌恶心理。

（戊）资金不易筹措——际此物价如脱缰野马，企业所需资金，与日俱增，若再抽去巨额税款，使流动资金突然减少，势必求助于高利贷，则间接将影响企业之生存。

（十一）本年仍定为过渡时期

以上所述之先行估定暂缴税额的办法，已遭纳税义税人之反对，故有人提议仍假定本年度为过渡时期，仿照战时后方重庆等城市所采用之简化稽征办法，先将所得税之总预算额比例分配与各地主管征收机关，然后再由各该征收机关会同当地商会，根据过去年度各业纳税比例，并参酌上年度各业实际营业情形，召集各业同业公会代表，用公开评议之方式，将预算额分派与各同业公会；最后会同各该同业公会召集各同业，亦用公开评议之方式分摊，决定各该会员应负担之税额，交由征收机关核发纳税通知书，限期缴纳，比较易行。如此办理，不再逐一查账，免去不少事实上之烦恼；且经过同业公会公开之评议，绝对不正确之事实，虽不能免，定可减少。从下年度起，一方将税率依法续按指数作合理之调整，一方早日宣布，必须遵照办法，严格查账，则所得税制度或能早日重入正轨。

（十二）整个所利得税制度之不合理

国家的租税制度，因须着重于国库收入，亦须注意于生产力之培养。今日之直接税，不仅不足以语培养，且有杀鸡取蛋之嫌。以工矿企业言，他的资产以固定资产为主。苟按原价登账，以之计算资本总额，则其资本额远较实有资本额为低。对这种固定资产，常有折旧准备项目之设置，每年按折旧率提存折旧准备金，以免添置新设备时发生资金缺乏之虞。抗战以来，物价高涨，原有财产之价值，增高甚巨。水涨船高，故提存折旧准备数额亦应随之俱增，始能生效。但依财政部公布之折旧率计算说明五至六项，折旧准备只限照资产原价提存,不准照时价提足。此种办法,对法工矿企业发生两种不良的影响:1. 折旧准备,在会计上,作为成本项目之一,若照物价指数5,000倍计算,则照原价提存,只当时价五千分之一,其余应提而不准提之五千分之四千九百九十九,悉从成本中移作纯益,以增加股东之红利与政府之税收。2. 依法可提存之折旧准备,既仅及应提之数五千分之一,一旦原有机件残毁不堪再用,势非另筹4,999倍之现金不可;不然,新机无法添置,全部生产,必归停顿。但欲筹集4,999倍之现金,谈何容易。所以今日之工矿企业,莫不感到资金之枯竭。

就以上两点而观,税制之不合理,显而易见,但其不合理的程度,尚不止于此。各工矿厂,以市场需用甚大,非维持原有之生产量,不足以供社会之需要,于是有增资与合并之方法。增资之途,不外乎借贷与增股二法。欲向银行贷款(工贷),亦受资本信用之限制。资产既不能重估,资本额限于原价,欲以小额之原有资本额,借巨额之工贷,事实上殊难做到。若舍工贷而增股,则新旧股东之间,必设法求其权利平衡。旧股东每一股权所代表之资产价值,适当其票额之5,000倍,则新旧股票决不能等量齐观,而要求新股东以5,000倍之现金购取等于旧股之股权,亦不易邀新股东接受。唯一解决的办法,只有将原有资产重新估价,则又发生资产增值的问题。虽这种增值,等于虚盈,然财政部坚持资本额以资产原价为准,对于这种虚值,视为自然增值,仍须课以所利得税;换言之,不但应照章缴纳所得税,且须依过分利得税法之规定,缴纳利得税,而利得税以利得额超过资本额20%者为起征点,最高税率达60%。此税须以现金缴纳,反要将固定资产变卖现金,以缴纳税课。若与他公司合并,则创立年限各各不同,不能令成立在先者以资本原额迁就后者,自己仅享五千分之一的股权,又不便令成立在三年之后者,照三年前之时价,估计其资产以迁就前者。如欲实行合并,又非双方重估资产不可。实则不但在战时与战后之最近几年,即在平时,两个公司合并,亦常出以重新估值之一途。重估之结果,又复与增资相同。如是不增资与合并,则资金枯竭,所有资产如房屋、机器,逐渐残毁,无法添新以补旧,生产逐步低落,终于难以为继。欲图补救,非不断增资,即须相互合并,以图力量之增强。无论增资与合并,重估资产之手续,决不能省,而重估之结果,复见虚盈,复课实税,徒为国库增收入,不为生产奠基础,摧残生产事业之工具,莫有善于此者也。凡此种种,皆由于整个所得税制度之不合理所致。

(十三) 合作社与公营事业之免税问题

合作社与公营事业之免税问题,曾引起热烈的讨论。尤其是合作社的免税享受,颇为一般学者所诟病,因为往往假借合作社的名义而实系商店性质者,所在皆有。若不予以取缔,整个合作社基础动摇,而国库税收亦受影响。旧所得税法中有"不以营利为目的之法人,免征所得税"一项,三十五年之新税法已将此项取消,代以新的免税规定如下:

(甲) 第一类甲项之所得,合资本实额未满5%者;

(乙) 第一类乙项之所得,未满15万元者;

(丙) 教育、文化、公益慈善事业营业之所得,全部用于本事业者;

(丁) 依合作社法组织,并依法经营业务,而经所在地主管机关登记设立之合作社,其营业之所得,合资本实额未超过20%者。

从可知新所得税法之免税规定，比较旧法，更为严格。其中关系最重要者，当为第四项。这对于许多名为合作社实系商店者予以一大打击。因为合作社是不以营利为目的之法人，依暂行条例与旧法，可以免纳所得税。不料社会上之不良分子，乘虚而入，假借合作社名义，逃避所得税；有时已经依法登记之合作社，或与非社员交易，攫取利润，或私运货品，借以赚钱，殊足影响整个合作事业的基础，故有若干学者主张对合作社课税。

查合作社所以享受免税之权利者，因为合作社的组织，并非以营利为目的，乃以直接谋社员相互间的经济利益，间接增进社会福利为目的。他的经营方法，虽与普通商店无异，但考其实际，则大相悬殊。普通商店所得的利润，是由于剥削消费者或生产者而来；合作社所获得的盈余，完全是社员自己参加业务的结果，买者与卖者，运者与销者，是同一人。所以合作社分给社员的盈余，是社员参加了业务，预先多付的代价，后来按交易额分别偿还之数，并非真是盈余，因而对合作社，不应课以所得税。况由社中出去的物品，统为该社内部的消费，犹如酒肴出庖，以供合家老幼的饮食。所以不但无所得税，即营业税亦应免征。就米商而言，米商所应缴之营业税，乃抽在卖米的上面。至于米商及其家人所消费之米，并无营业税可言。

不过合作社与非社员交易，是否营利事业性质，应视其交易之性质如何而确定。如是营利事业，应纳营业税；其由此项营利事业获得之所得，应课以所得税。二十九年四月九日，经济部会同财政部以渝赋农字第6729号及57232号咨知各省政府通饬遵照，从此合作社免征营业税问题，获得妥善解决。我们以为合作社免征所得税问题，亦可同时解决。解决之原则如下：

（甲）信用合作社,可吸收非社员之存款,转贷予社员,而不得将非社员之资金转贷予非社员。

（乙）供给合作社,可向非社员购入生产品,或置办各种设备,供给社员公共或各个之需要,而不得供给非社员。

（丙）生产合作社出售之物品,应以社员自力与共同生产之物品或制造品为限,而不得经售非社员之物品或制造品。

（丁）运销合作社,可承受社员之委托,代销产品,暨征集或收买非社员之产品,从事转售社员。

（戊）消费合作社可向非社员之公司、行号、厂家,购入生活用品售予社员,而不得将购入物品转售予非社员。

（己）公用合作社之设备,应以供应社员之需要为限,而不得供与非社员使用。

（庚）保险合作社之要保人,确系限于社员,并不得对非社员办理保险。

上述七种业务,因其性质互异,经营方法亦各不相同,其应否免税之标准,仅以是否涉于营利行为为断。例如生产运销之合作社,进货限于社员,售货不限于社员,而经营消费供给业务之合作社,进货不限于社员,售货则限于社员,其性质完全相反。故合作社与非社员交易,是否涉及营利行为,应视其性质如何而定,颇难一概而论。假令有违反上项原则,自应照章纳税,以资牵制。

除合作社免税问题之外,尚有公营事业免税问题发生。旧所得税法第二条免税规定中,有"不以营利为目的之法人所得"一款。这样,各级政府所办公营事业均可依法免税,无形中给民营事业一个打击。政府对于公营事业,不应有所歧视,理应一视同仁,故民营事业须缴所得税,公营事业亦不能免缴,使二者立于平等的地位。三十五年之新所得税法,已将此项免税条文取消。今后营利事业,不论公营民营,均须缴纳所得税。

第十章 所得税(二续)

四、分类所得税与综合所得税

(一) 分类所得税之目的在收入,综合所得税之目的在公平

考各国现行之所得税制度种类有三:1.分类所得税制,2.综合所得税制,3.分类综合所得税并行制。征诸目前我国修正所得税法之内容,可见我国现行所得税制度,实系采取分类综合所得税并行制,殆已无疑。闻采用并课制,有二个理由:1.我国国民所得中大所得者为数不多,站在财政收入的立场言,采用并课制,可以增裕税收。2.我国推行综合所得税的客观条件,还不十分完备,利用分类所得税的课源资料,足为综合所得税课征的考据。这是三十五年修正所得税法的特色。但综合所得税虽在法律上已有规定,迄未实施。

综合所得税,系合并个人全年各种所得之总额的课税。一切所得,或由勤劳而来,或由财产而来,皆包括在内。因此被课范围,非常普遍,故又称一般所得税(General income tax)。欧美各国均行之有年,惟我国至今日,始行举办。若仅课分类所得税,负担未尽公平。例如张三李四二人家庭负担相同,张三投资于五处,每处100万元,各得股息10万,计共50万元;李四投资于一处100万

元,年得股息10万元。张三之税负能力,5倍于李四,依理课于张三之所得税税率,应较高;课于李四之所得税税率,应较低。但张三之五项所得,分别课税,并非综合课税,因而二人之税率相同,违反能力负担之原则,且有使大资本化整为零之趋势,并有妨碍大规模事业发展之缺点。查我国政府历来采放任主义,对于人民财产,向不办理登记,更不派员调查,因此民间得以自由隐匿其财产,更易隐匿其所得。隐匿之法,不外利用化户别号,以达其化整为零之目的。故欲办理综合所得税,必先办到1人1名,1名1户,以为先决条件。分类综合并征,则于分类所得税之外,复课以综合所得税,即按全部所得,以累进税率计算税额。收入多者,税率较高;收入少者,税率较低,自能稍得事理之平。自理论上言之,分类所得税,以收入为目的,故税基普遍,使各种所得尽网罗在内,且免税点亦可降低。综合所得税,以负担公平为目的,侧重大所得者重课之原则,故应用超额累进税率,而其免税点亦当提高。但一至战时,就当降低,以资应付战时之需要。

综合所得税,既以负担公平为目的,固当采用累进制;而分类所得税,既以普遍与收入为目的,自当采用比例制。英美二国普遍所得税均采用之。美国普通所得税之税率,1918年系6%,1936年系4%。英国对于普通所得税每年定一标准税率,1918年每镑为6先令,1937年每镑为4先令9便士。惟法国之分类所得税税率,随所得种类之不同而异,但其各种个别所得税,仍为比例税率。如土地所得税与家屋所得税为16%,薪给所得税为10%,农业所得税为12%。凡此皆足以证明各国分类所得税皆用比例税率,而我国分类与综合皆用累进税率,双重累进,而分级亦过于繁琐,徒增征课之困难耳。

一个国家的租税制度,不论中外古今,大抵皆以间接税的课征开始,逐步移转于直接税。此证诸我国近年来税制之发展,自可信以为真。我国的租税制度,已由以间接税为中心的租税制度逐渐过渡到以直接税为中心的租税制度。不过直接税创办伊始,虽不无成绩表现,然前途尚多荆棘,大有待于国民之努力。直接税以遗产税与所得税为骨干。遗产税,因囿于社会习惯,自开办以来,无多大进展。所得税之进展虽速,然停滞于分类所得税。综合所得税因立法技术不甚高明,迄未开征。但查各国所得税的趋势,无不从分类所得税渐进于综合所得税,从对物税进而为对人税,必须于分类所得税之上,设一综合所得税。综合云云,系合并个人全年各种所得之总额而课之以税之意。三十五年之修正所得税第三条有:"个人所得除依照前条征课分类所得税外,其所得总额超过60万元者,应加征综合所得税"之规定。所以综合所得税者,系对个人全部净所得加以征课之税,英文谓之 General income tax,以区别于分类所得税(Classified income tax)。就是除征课分类所得税外,再对其所得总额超过60万元以上之净所得按级课以综合所得税,其目的在平均国民负担,遏止资本累积,并平衡财富分配。

(二) 各国之分类所得税与综合所得税

近代各主要国家之所得税制度,有以分类所得税为基础,英法两国属之;亦有采用综合所得税,而对于课税所得加以分类,以表示其征课范围者,德国属之。兹分别述其大概:

(甲) 英国所得税分所得为五类:A类为由于土地、房屋等所有而生之所得,通常依租金课税,属于租赁所得之性质。B类为由于土地占有而生之所得,属于农业所得之性质。C类为利息、红利、年金等所得。D类为工商营业、自由职业、外国证券利息及其他所得。E类为公务员、教员、或工商职工之薪给报酬所得。

(乙)法国所得税分所得为七类：第一类为家屋所有所得。第二类为土地所有所得。此二者均以租赁价格为课税标准，而其所谓家屋，系包括房屋、工厂、基地、附属土地之器具、及附属围绕于建筑物之庭园道路。又所谓土地，系指未课家屋所有所得税之土地，及农业用之建筑物。是此两者实包括一切不动产之租赁所得。第三类为农业所得。第四类为薪给所得。第五类为非商业所得。第六类为商业所得。第七类为资本利息所得。

(丙)德国之所得税，虽纯系综合制度，但在税法中亦规定有所得分类之标准，计分八类：一为农业、森林、园艺、及其他土地经营之所得；二为营业所得；三为其他自由职业之所得；四为不独立劳工工资之所得；五为资本财产之所得；六为出租不动产及一切权利之所得；七为其他周期发生之所得；八为其他一时发生之所得。

(三)中国之分类所得税与综合所得税

我国之所得税仿行英制，开征之初，本分三类，第一类为营利事业之所得，第二类为薪给报酬之所得，第三类为证券存款利息之所得，范围綦狭。旋于三十二年一月公布财产租赁及财产出卖两种所得税，三十五年修正所得税法改订，合并调整，又将所得重分为五类：

  第一类营利事业所得，
  第二类薪给报酬所得，
  第三类证券存款所得，
  第四类财产租赁所得，

第五类一时所得。

由此可知在分类所得之中，财产出卖所得并未列入，但施行细则第七八条规定，计算综合所得税时，复将财产出卖所得一并列入，前后两歧，殊属矛盾。第五类之一时所得，原附于第一类营利事业所得之内，现已从第一类中剔出，另立一类。我国的五类，与英国的五类，形式上相类似，但内容不尽相同。英国的第二类，系属于农地之所得，在我国的分类之中，农地所得，不包括在内。

在实行综合所得税之国家，系综合个人各类所得，计算课税，与我国现行税制相较，仅就在列举课税范围以内之所得，方行征课，自有范围广狭之殊。况我国所得税分类，比较各国所得税分类之情形，亦未网罗各项所得。农业所得税迄未举办，盖我国以农立国，佃农生活迄未见优裕；且本耕者有其田之国策，对于自耕农，犹须加以奖励，安敢轻于一试？但除农业所得以外，亦有可资为扩充征课范围者。英国所得税之 A 类，法国所得税之第一类与第二类，均系对不动产之租赁所得而征课；德国所得税之第六类，更将一切权利之租赁所得，加入征课之列。故我国所得税法修正后，将财产租赁所得，列入课税范围，以资扩充。

欲改进所得税，自当由分类所得税制，进而至于综合所得税制。查近世各国所行的所得课税制度，主要者不外分类制与综合制。分类制系就纳税人的各种所得，分别征课；综合制系将纳税人的各种所得，加以归并，然后扣去必要费用及免税额，就净总所得额征课。分类制的优点，是征课手续的简便，但有一缺点，即不能充分表现纳税人的纳税能力与纳税额的关系，只能适当地采用累进税率的分级征课的方法。英法二国可为此制之代表。综合制的长处，在能适合纳税人的纳税能力。从租税能力说观察之，政府向人民征课税捐,当测验纳税人之负税能力。税之良窳,当决定于此一原则,换言之,即当以公平原则为批判的根据,因此综合制为多数学者所推崇。但此制之缺点,即分类制之优点,计算手续与征课手续异常繁复。德国可为此制之代表,不过德国虽采综合所得税,其税法仍分所得为八类。

我国现行之所得税,向采分类制。我国社会情形特殊,对于各人之各种所得,不易综合钩稽。即分类所得,亦未包括一切在内;虽新所得税法把综合所得税包括在内,但实施起来,不无扞格。任何新的建立,事实上总有若干困难发生,尤其是新租税的推行,阻碍更多。在我国人民知识水准,道德观念,纳税习惯,均较欧美为逊,故综合制之推行,尚有待于吾人加倍的努力。此时应先从扩充分类所得税着手,使各种所得尽量纳入课税范围之内。能如此,则各人之各种所得,在征收机关已分别有所稽考,然后改采综合制度,综合其各种所得而征课之,实施起来,自不致有所困难。

(四)财产租赁出卖所得税

我们在别处已经说过,在中国举办新税,不易成功。若把旧税逐步推广,收效宏而费力少。今日中央把所得税范围推展至财产租赁与出卖之所得,就是这个用意。且欲推展,不难寻觅推展之理由。主张征课财产租赁出卖所得税者,提出下列之种种理由,异常动听,特述之于下:

(甲)外国所得课税制度,分为分类所得税制,与综合所得税制两种;前者以英法为代表,后者以德国为代表。但英国先行分类所得税,以各种所得为客体,分类征课之。至路易乔治时代,加征综合所得税,以2,000镑以上之大所得者为客体,综合征课之。综观英、法、德三国所得税,无论为分类制,抑综合制,其对于财产租赁所得,莫不列入课税范围。英国列入第一类(英国分所得为五类,第一类为由于土地或房屋等所有而生的所得,通常依租金课税,谓之地主财产税,其性质与租赁所得相同)。法国列入第一第二两类(法国所得税分所得为七类,第一类为家屋所有所得,以家屋、工厂、庭园、基地、及附属于土地的器具等为课税标的;第二类为土地所有所得,以未课家屋所有所得税的土地及农业用的建筑物为课税标的)。德国列入第六类(德国的所得税,虽采综合制,其税法亦分所得为八类,第六类为出租不动产及一切权利所得)。我国旧所得税法,采分类制,将所得列为三类:第一类为营利事业所得,第二类为薪给报酬所得,第三类为证券存款所得。财产租赁所得,未列入课税范围。一时营利所得,虽已列入第一类营利事业所得,但财产出卖所得,亦是一时之所得,未见列入,诚为一大罅漏。此其一。

(乙)生产的要素有四:即资本、劳力、企业、与土地是也。各要素所得的报酬为利息、工资、利润、与地租。所得税法所规定之第三类所得税(证券存款所得)即对利息所课之税;第二类(薪给报酬所得)即对工资所课之税;第一类(营利事业所得)即对利润所课之税;独对地租一类,尚未课税,不得不谓为一大缺陷。

我国税制向以间接税为重心,自所得税制创办后,直接税之地位逐渐增进,故创办所得税为改革税制之权舆。就经济学分配论之研究,国民所得之源泉,为地租、工资、利息、与利润四项。我国三十一年以前所行之所得税,分为三类:第一类为营利事业所得,系对利润课税,中复析为三项:(甲)公司、商号、行栈、工厂、或个人资本在2,000元以上营利事业之所得;(乙)官商合办营利事业之所得;(丙)属于一时营利事业之所得。故第一类之征课范围,以各营业之业别言,系普及于各业;以经营主体言,系包括私人企业及官商合办营业;以经营组织言,系网罗法人组织、合伙经营、及独资经营;以经营性质言,既征经常营业之所得,亦课一时营业之所得。举凡以营利为目的之营业,均在第一类所得税征课范围之内。

第二类为薪给报酬所得,系对工资课税(公教人员之薪给,亦系工资),亦可分为三项:(甲)公务人员之薪酬所得;(乙)自由职业者之薪酬所得;(丙)从事其他各业者之薪酬所得。其纳税义务人,普及于各界之从业人员;而所谓薪给报酬,更包括俸给、岁费、奖金、退职金、养老金、及其他由职务上所得之一切报酬与给与。是所有薪给报酬之所得,不问属于何人,不问属于何种,均在第二类所得税征课范围之内。

第三类为证券存款所得,实为证券存款所生之利息所得,系对利息课税。证券包括各级政府发行之公债、库券、证券、凭券、及股份有限公司或股份两合公司发行之股票与公司债。存款亦包括各种存款及有奖储蓄等,亦包括银钱业及非银钱业所收受之一切存款;而寿险之保险金,于保险期满领回者,亦视为存款。上列各项证券存款所生之利息所得,均应课第三类所得税。

综以上所述,可知已课税者为利润、工资、与利息三项;其未课税者,仅有地租一项,故所得税课税范围,实有扩充之必要。于是于所得税法之外,增设财产租赁所得税及财产出卖所得税二项,使国民所得之四大泉源,均包括于征课范围之中。此其二。

(丙)旧所得税法,把血汗所得的薪给报酬,与惨淡经营所得的利润,均列入课征范围之内,独于不劳而获的财产出卖所得,未能网罗在内,实为莫大遗憾。财产出卖所得,含有自然增值的性质,属于不劳而获的范畴。此其三。

（丁）抗战之后,人民迁徙,供需失调,关于房屋土地之租赁所得,固日涨月增;而以交通之不便,运输之困难,动产中如机器与机械,因进口维艰,致经营者不得不租赁他人之机器与机械以营业,而机器机械之所有者,更多出租以牟厚利,且无风险之负担。其他有财产价值之权利,亦多类似之情形。此皆同为租赁之所得,而其所得亦属与时俱进,皆应征收所得税,其理一也。此其四。

（戊）上海这一个都市,拥有400多万的人口,又是全国经济的神经中枢。人口有增无减,而房屋不敷应用,形成了极严重的房荒,增加了生活不安定的因素。可是在市场上兴风作浪的游资,却不愿投入地产,有钱的不愿多建房屋,无钱的更无力建造房屋;新的房屋,便难得出现,而房屋的严重性,永远不能减轻。推究起来,房子租赁办法的不合理,实尸其咎。许多拥有房子的业主,收入少得可怜,而二房东却可以坐享金条。顶房子要那么多的顶费,使二房东与掮客把房子视为奇货,使一般平民与公教人员无力找到适当的住所,实是一种不可饶恕的现象。对于这种顶费,理应课以极高的累进所得税。闻政府已拟定办法取缔,不过在上海这种现象,已成积习,非大费一番气力,不易彻底执行。在接收时期,许多房屋被有势力的占用了,政府早已命令交还原主,但由于事实困难,其中有不少拖延情事。此其五。

总之,租赁所得,在各国税制中,均在征课之列。增设以后,既可以弥缝现行税法之罅漏,亦可以谋课征之均衡。在纳税人方面,租赁所得,日形增涨,亦有负担之能力。故增设财产租赁所得税,有其必要也。

我国财产租赁出卖所得税法

财产租赁出卖所得税法,于三十二年一月二十八日颁布,全文二十一条,自公布日起施行。其课税范围甚广。第一条规定:"凡土地、房屋、堆栈、码头、森林、矿场、舟车、机械的租赁,或出卖所得,除免税规定者外,均须课征财产租赁出卖所得税。"第五条:"设定永佃权、地上权、每年付给租金者、及设定典权种十五年者,亦视作财产出卖而课税。"第二条规定免税之种类:1.租赁所得未超过3,000元者,2.出卖所得未超过5,000元者,3.农业用地出卖所得未超过10,000元者,4.公有财产租赁或出卖所得,(五)教育文化公益事业财产租赁或出卖所得的全部用于公益者。

课税标准——财产租赁出卖所得税的课税标准,因性质而异。租赁所得税,以租赁的纯所得,即自每年租赁总收入中,减除改良费用、必要损耗、及公课的余额,为课税标准。至减除数额,以租赁总收入的20%计算,若租赁收入系以产品计算者,则按产品出产后三个月内的平均市价,换算为货币额(第三条)。出卖所得税,以买卖价格的差额,即自现卖价格中,减去原取得价格的差额,为课税标准(第四条)。

现行之所得税法,已将过去之财产租赁出卖所得课税,改为对财产租赁所得课税,列入分类所得税之内,作为第四类。其原征财产出卖所得税甫经推行顺利,而应列入分类所得税之内者,竟取消矣。即三十五年之所得税法,把三十二年之财产出卖所得税法取消。

(五) 综合所得税中之财产出卖所得与农业所得

依三十五年明文颁布的修正所得税法,有一个特色,就是有关于综合所得税的条文插入,为旧税法所无。该法案的内容,是采用分类所得税与综合所得税并课制的。分类所得税,包含营利事业所得、薪给报酬所得、证券存款所得、财产租赁所得、及一时所得5种。综合所得,就是个人全部之所得,亦即个人全年营利事业投资所得、薪给报酬所得、证券存款所得、财产租赁所得、财产出卖所得、及一时所得等各种所得之总额。其中可以讨论者,是财产出卖所得。此项不见于分类所得税之内,乃列入于所得总额之中。对于此点,反对者大有人在。他们的理由,是财产之出卖,大多是由于债台高筑,无法生活,乃不得已而卖者所致,其差额"利益"在90%的场合,系盈虚亏实。如三年前购置产业,因币值跌落太骤,非但未有增值,甚或大受损失。既取消分类所得税,为何又并入于综合所得税?即有并入之必要,亦当以购值时之指数,与现在所增之倍数计算而减除之,方为公允。如嫌手续烦琐,亦当设一最低限额,规定财产出卖所得,在千万元或若干万元以上者,始并入计算课税,庶不致影响其生活,但最好不予并入。

查外国的立法例,对于财产出卖所得,处置的方法,不尽相同。英国不列为所得,故不课税。美国则视为所得之一种,并入课税,惟处置的方法,极为公平,故反对者甚少。因财产出卖,未必一定有所得,有时亦有所失,故法律许纳税人以得失相互冲销之权利。依美国法律之规定,保有出卖或交换之资产,在半年以上者,为长期;在半年以下者,为短期。长期所得,可以与长期损失冲销;短期所得,则与短期损失冲销。不过短期不免含有投机成分,故于计算个人所得税时,须按全部得失计算,长期则仅以50%计算。如把长短期合并,而所得仍大于损失,则所得按应课之税率课税;如损失大于所得,其损失可以作为普通开支,以1,000元为限。万一纯所得不足1,000元,相抵之后,仍有损失,得于以后5年同样所得中抵消。此法计算技术过于复杂，中国不宜采用，不如仿行英制，对于财产出卖所得，在综合所得税中，不予课税。

在通货膨胀的时候，物价未有不涨，固定资产亦无不随一般物价而上涨。所涨之价，不得谓之资产增值(Capital gain)，亦不得称之为淌来所得(Windfall gain)。例如某项资产，因数量有限，而需要渐增，致供求不相称而价值上涨。这种所涨之价，可以称之为资产增值或淌来所得。若因通货膨胀而物价上涨，固定资产亦随之而上涨。这种涨价，只能称之为"保值"，不能称之为"增值"，尤不能称之为自然增值。这种涨价，发生于不自然的通货增发，则由此不自然的增发而来之资产涨价，何得称之为自然增值？

英国之所得税制，不但不把资产"保值"，作为所得之一种，即真正之资产自然增值，亦不计算在所得之中。英国人所谓所得，系专指经常的有消费性之收入，包括利息、工资、地租、与利润等四种收入。至于一时的资产盈余，无论变卖与不变卖，并不视为所得。在另一方面，一时的资产亏折，亦不视为损失。如此处理，不仅可以避免技术上的计算困难，亦且免除财政收入上忽增忽减之弊。若夫美国，则其办法与英国绝对不同。美国人所谓所得，除以上所述之四种收入外，尚包括固定资产之盈亏；即一时的或投机性的盈亏，亦罗列在内。因此固定资产之一盈一亏，足以招致财政收入之忽上忽下，致使财政收入缺少固定性。这种处理方法，殊无采用之价值。况中国今日所谓资产增值，实系"保值"，更不能计算于纯所得之中，故英制于中国，比较适用。

又农业所得，英国列为五类之一，美国征收一般财产税，其大部分均为农地不动产收入。我国对于此点，亦当设法调整，以示公允。但新法未曾将农业所得列入分类所得税之中，良以我国土地负担,较一般为重,而各地之佃农、自耕农,又多散漫零星,征课上发生障碍,暂不课税,亦有理由;况土地部分已包括于财产租赁所得之中。至于以农地出租之小地主言,既纳军粮、田赋、暨县级公粮,复须纳公教人员食米,乡镇自卫班、护路队、养路队之食米,造林修路之民工食米,优待征属之食米,保办公处之经费。其他各种苛捐杂税,更不胜枚举,实较其他财产出租所纳之税额为重,似应将农田之租赁所得,在若干亩以下者,暂免课征。至在若干亩以上之大地主,则当视其所有亩数之多寡,而课以累进之税,不但可以充裕国家之岁收,亦可防止土地兼并之扩大。

(六)综合所得税之减免项目

但综合个人各种所得之时,对于所得之来源,如由勤劳所得,或由财产所得,或由劳资合作所得,大抵须加以差别待遇,即各国之立法例,亦莫不如此。凡关于纳税义务人之个人事情,必须分别加以考虑。二个纳税义务人的所得总额或相等,其纳税能力未必相等,因二人之负担未必尽同,家累未必一样。须知综合所得税,是一种典型的"对人税",他要表示个人纳税的能力,课税以此为对象,方能达到租税公平的目的。各国所得税,对于各种负担及勤劳所得,均有宽免之规定,期达公平原则。例如 1.家庭扶养人口之多寡,2.维持生活之最低费用,3.应付之债欠息金,4.适额寿险之保费,5.残废疾病费之减免。凡此种种,皆因人而异,似应分别加以考虑,从总额中扣去。但我国三十五年之修正所得税法,对于1.寿险,2.债欠,3.残疾,均未加以考虑,是他国所得税法中所有者,我国则无之,足见我国综合所得税之"对人税"的精义,没有彻底发挥。查保险费及疾病医药费之扣除,是为勤劳所得者之利益而为之。盖勤劳所得,不能保其永有,劳动者往往以外来之灾难或以内部之变故而失业;或以自身之残废疾病,无法继续工作,若不予以宽贷,殊欠公允。

所得的来源,就广义划分,可分为三种:1.为勤劳所得,2.劳力与资本合作所获得的营利事业所得,3.财产所得。勤劳所得,是以汗血换来的,税率较轻,起征点较高。财产所得,大概是一种不劳而获,只要财产不消灭,所得永远不会停止,非劳动者一日不工作,一日不得食者可比。因此财产所得,应课以急进的累进税。营利事业所得,是劳资合作的结果,税率之轻重,应介乎以上二者之间。为使租税公平起见,差别待遇,是所必需。就是要财产所得重课,勤劳所得轻课,但从我国的新所得税法中,看不出勤劳所得轻课的精神。不但看不出精神,而且法中所规定的,适与此精神相反。分类所得税第二类之薪给报酬所得,是勤劳所得,要课以累进税;而第三类之证券存款所得,是财产所得,反课以比例税,岂不是轻重倒置?

查英国的所得税法,规定勤劳所得可以减除六分之一,但不得超过250镑。至于家属供养及子女教育费用,亦有减免,其数目视国家需要,年有变更。德国的所得税,规定勤劳所得可以减除十分之一。日本所得税规定:1.所得额在6,000元以下者,勤劳所得减除十分之二;2.所得总额在12,000元以下,而勤劳所得以外之所得达6,000元以上时,勤劳所得减除十分之一;3.所得总额超过6,000元,而勤劳所得以外之所得不满6,000元时,则勤劳所得中,与勤劳所得以外所得合计达6,000元之部分,减除十分之二;超过6,000元之部分,减除十分之一。他国之重视勤劳所得,与我国之轻视勤劳所得,真是一个活对照。

435

美国之勤劳所得(Earned income),依下列各种不同方法减除之:

(甲)设纯所得(Net income)不及 3,000 元,则不管所得之来源如何,均以十分之一作为勤劳所得之税额,即从纯所得中减除 300 元勤劳所得之免税额。

(乙)纯所得超过 3,000 元时,则视纯所得或勤劳纯所得(Earned net income)何者为小,以小者十分之一作为勤劳所得之免税额。勤劳纯所得系个人服务所得,计算方法,即将所有劳力所得,如薪金、佣金、职业报酬等相加,减除职业上必需费用,如工具、成本、业务所房租、旅行费用、工会会费等,其结果即为勤劳纯所得。

(丙)勤劳纯所得不得超过 14,000 元。超过此数,即使是勤劳所得,亦不作为勤劳所得。纯所得如超过 3,000 元,即非勤劳所得,亦得以 3,000 元作为勤劳纯所得。

(丁)设所得来自独资营业或合伙营业,是项事业资本与劳力,均为产生所得之因素,则以 20% 资本主之纯所得,或合伙者分得部分之纯益,作为其勤劳所得,减去个人在业务上所花之必需费用,得勤劳纯所得,与纯所得相较,适用其低者。一人如从事于某种职业或事业,纯系劳力服务,资本非产生所得之因素,所有纯所得,均目为勤劳所得,但以 14,000 元为限。

(七)综合所得税课征的客体——起税点太低

综合所得税以个人全年所得总额为课征之客体,就所得总额超过 60 万元以上之所得,始行征收。所得总额,依照下列的计算求得之:

（甲）营利事业投资所得，就个人应得之股息与分摊之红利及其他利益，计算所得额。其独资者，就其全部纯益额，计算其所得额。

（乙）薪给报酬所得，其为业务技艺报酬之所得者，以其每年收入总额，减除业务所房租、业务使用人薪给报酬、业务上必要之舟车旅费，或其直接必要之费用后之余额为所得额。其为薪给报酬所得者，以其每月职务上给与之实际收入额为所得额。

（丙）证券存款所得，以每次或结算时付给之利息为所得额。

（丁）财产租赁所得，以各该期租赁收入总额，减除改良费用、必要损耗、及公课后之余额为所得额。

（戊）财产出卖所得，以其出卖价格、减除原价、及必要之佣金、与公课后之余额为所得额。

（己）一时所得，以各该期或每次之收入额，减除其原有本金、及获得收入之必要开支后之余额为所得额。

（庚）综合所得，依照以上各种所得之计算法，合并个人全年各种所得为所得总额，但得减除下列各项：

子、共同生活之家属或必需扶养之亲属，每人 10 万元；

丑、家属中有中等以上学校学生，每人 50,000 元；

寅、已纳之各类所得税及土地税。

共同生活之家属有直接所得者，其所得按五分之三并入户主内合并计算所得总额。

以上是计算综合所得之方式。现在就可以从各种的角度来加以检讨。

起税点太低

综合所得税之计算，以每年个人之总所得，除征课分类所得税并减除一切生活费用教育费用外,其净所得尚超过60万元以上者为起税点。我们在短篇评论文中已说过:60万元的总所得,只合每月50,000元,可以说并上海外滩边之乞丐,亦有此数以上之所得,亦有缴纳综合所得税之义务,岂不滑天下之大稽?英国之超过所得税,课于2,000镑以上之大所得,约合法币500亿以上(照三十七年八月底九月初行市)。美国之附加所得税,课于10,000美元以上者,约合法币900亿元。意之补助所得税,须超过3,000里拉。德国之附加所得税,须在8,000金马克以上。名称虽不同,或附加,或超过,或补助,其义则一,以视吾国所得税法所规定的60万元起征点,均相差甚巨。虽英美人之生活程度远在吾国之上,然终不能相差如此之巨。这种"举天下人而尽税之"的综合所得税,已失其所以为综合税之意义。综合所得税的原意,即所以补充分类所得税之所不及。分类所得税,以增裕收入为目的;综合所得税,以负担公平为目的,而这个目的必须把综合税放在大所得者的身上,方能达到。

衡以目前我国币值跌落的情形而论,薪俸阶级的待遇,如依照物价指数比例地调整,其综合所得,当然亦随指数上涨而提高,家属的生活费也随着上涨。但税法所规定可以扣除的家属生活费用,是固定的(每人10万元),于是通货愈膨胀,物价愈涨,缴纳综合所得税的义务人也愈普遍,非到"尽举天下人而税之"的地步不止。

(八) 综合所得税之税率及其级数

(甲) 税率、级数及计算公式

级数	所得总额超过数	就其超过额课税百分之几	计算应纳税额之公式
1	60万元至100万元者	5%	应纳税额=所得总额×0.05−30,000

2	100万元至200万元者	6%	应纳税额＝所得总额×0.06－40,000
3	200万元至400万元者	8%	应纳税额＝所得总额×0.08－80,000
4	400万元至600万元者	10%	应纳税额＝所得总额×0.10－160,000
5	600万元至800万元者	13%	应纳税额＝所得总额×0.13－340,000
6	800万元至1,000万元者	16%	应纳税额＝所得总额×0.16－580,000
7	1,000万元至1,500万元者	20%	应纳税额＝所得总额×0.20－980,000
8	1,500万元至2,000万元者	24%	应纳税额＝所得总额×0.24－1,580,000
9	2,000万元至3,000万元者	29%	应纳税额＝所得总额×0.29－2,580,000
10	3,000万元至4,000万元者	35%	应纳税额＝所得总额×0.35－4,380,000
11	4,000万元至5,000万元者	42%	应纳税额＝所得总额×0.42－7,180,000
12	5,000万元以上者	50%	应纳税额＝所得总额×0.50－11,180,000

（乙）计算综合所得税——举例

1．设某甲与友人合伙经营布庄，年终结账，分得盈利300万元。

2．渠同时亦在某银行供职，年支薪津150万元。

3．存款于本银行，得利息250万元。

4．与友人合开茧行，获一时营利所得50万元。

5．将房屋一部分出租，年得租金400万元。

6．出卖船舶，其出卖所得为100万元。

以上六项合计1,250万元。

共同生活之家属7人，其中3人有直接所得，一人年获所得250万元，一人200万元，一人150万元，应依法各以所得五分之三并入某甲全年所得内计算，计共应并入之数为360万元，两数合计为1,610万元。

依法可以扣减之项目：

1．共同生活之家属7人，每人生活费10万元，共70万元。

2. 中等以上学校就学子女 4 人,每人 5 万元,合计 20 万元。
3. 已缴之分类所得税为 290 万元。

   以上三项合计 380 万元。

   应纳税额(照第七级计算) = 所得总额 × 0.20 - 980,000

   所得总额 = \$12,500,000 + \$3,600,000 - \$3,800,000

   = \$12,300,000

   应纳税额 = \$12,300,000 × 0.20 - \$980,000 = \$1,480,000

(九) 举办综合所得税之条件未备

或曰三十五年修正所得税法之最大特色,便是综合所得税的开办。在以前的三次税法中,都只有分类所得税,未允有综合所得税。话虽没有说错,但徒有条文而不能见诸实施,岂不是比较没有条文更难看吗?其不能实施的原因,十分复杂,非一言两语所能尽述。但户口之未清查,财产之未登记,名称之未划一,皆为原因中之最显著者。若不此之图,骤然开征综合所得税,深恐不能收到实际的效果。盖户籍登记不详,调查家属,难期确实,计算亦繁。回忆三十一年公务员领家属米津贴时,其无父母子女配偶者,多以眷属 5 人报上,一时成为风气。卒以户籍未曾清查,明知为谎报,但无法斥其为谎报,只得中途作罢。今若沿用此不良之法,则家属生活费之扣除,与中等以上学校学生的教育费之减免,均无法证明其正确。若不论人数多少,一律减除若干,与今日分区规定公教人员之生活补助费相同,固可省调查计算之繁琐,复简易而便于推行,但与税法之精神,究属不合。先进国家之所得税制,对于个人情事,如家庭状况、儿女多少等等,均有详细的调查,酌予免税。我国调查未办,统计未备,而战时人口变动亦太大,调查确实不易。况我国营利事业中往往家庭用费与营业开支混在一起,这部分的费用应否剔除?及如何剔除?均值得研究,但条文中并未载明,似应补充。

此外尚须办到一人一名之财产登记;不然,人民、财产之调查,所得之估计,异常困难,此可从分类所得税第二、第三两类中查得之。第二类薪给报酬所得,采超额累进税率,共分十级;第三类证券存款利息所得,采百分之十的比例税率。是第二类之勤劳所得,反比第三类之资本所得重课,有违租税公平之原则。在学理上讲,资本所得,理应重课,用比例税率,殊欠公允。况比例税率,对于同一类的所得愈大者,实际负担愈轻;所得愈小者,实际负担愈重,似难以与整个所得税制配合。但第三类证券存款利息所得,何以采用比例税率,亦有理由在焉。立法者之意,以为采用累进税率,深恐纳税人化整为零,假立户名,以逃避累进税率之重负。欲革除此弊,非推行1人1名,1名1户之基本工作不可,更须进一步办到1人1名之财产登记;不然,殊难发挥整个所得税制之精义。

(十)以户为单位

我国社会组织,虽与欧美一样,亦肇端于夫妇,但范围大小不同。西人喜小家庭制度,吾人则爱大家庭制度。在小家庭制度下,经济各自独立,故申报亦以个人为单位,调查个人所得总额,困难较少。在我国大家庭制度下,有所得者,或不止户主一人,故调查财产与所得,不若西方小家庭制之容易。财产或为家庭中若干人所共有,若强迫每人个别申报,事实上殊难办到。因此三十五年之修正所得税法,对所得之计算,以户为单位,由户主申报,共同生活之家属有直接所得者,其所得按五分之三并入户主内合并计算。

441

此与西方夫妻同居合并申报之办法相同。且以户为单位,按户催报,亦比较便利。惜今日举办综合所得税,以户籍未曾举办,一切无所依据耳。

五、三十七年四月一日公布之修正所得税法

这个最近甫经国府公布之修正所得税法,比较旧法合理得多。兹将重要各点论列之于下:

(一)于修正所得税法公布之日,把特种过分利得税法同日废止,纳税人之负担,从此减轻不少,而稽征之手续,亦省略不少。

(二)关于分类所得税之修正

(甲)分类所得税第一类营利事业原分(甲)(乙)两项,本法不复分(甲)(乙)两项,待遇上不复有所歧视,合并为"公司、合伙、独资、及其他组织营利事业之所得"。

(乙)分类所得税第二类乙项之"薪给报酬之所得",改为"定额薪资之所得"。于是膳宿津贴等报酬依旧法都应纳税,依修正法,问题减少矣。

(丙)分类所得税第三类之证券存款所得,改称"利息所得"。

(三)关于税率之修正

(甲)第一类营利事业所得之税率,定为5%至30%全额累进税率。至其起征点暨累进税率之课税级距,均依所得额规定,于每年年度开始前经立法程序制定公布之(第五条)。所以在条文内,不复详细厘计,留待按年调整公布。

(乙)第二类(甲)项业务或技术报酬所得之税率,定为3%;第四类租赁所得之税率,定为4%;第五类一时所得之税率,定为

6%。第一、第二、第四、第五四类所得税之免税额(即起征点)及课税级距,规定于每年年度开始前,经立法程序公布。

(丙)第二类(乙)项定额薪资所得之税率为1%,另加2%至4%之超额累进税。第二类(乙)项之起征点及课税级距,暨第五类一时所得之起征点,因随时征收关系,在币值不稳定之现状下,为求公平合理,得由财政部呈经行政院核定,分别按照主计处公布之生活费指数或趸售物价指数,于四、七、十月各再调整一次(第五条)。

(丁)综合所得之税率,为5%至40%之超额累进税率,其起征额暨累进税率之课税级距,均依所得额规定,于每年年度开始前,经立法程序制定公布之。

(四) 关于税级数字之修正

关于税级数字,新法有一个很重要变更,就是税级数字,一律以所得额之大小为准,不复有资本大小之关系。此后所得税之起征额及课税级距,一律以所得额决定之。原有第一类甲项以资本与所得额百分比之计算,已经废止。我们在前章所述的"整个税制之不合理",其不合理的程度,已降低多矣。不过话又要说回来,有时小企业资本少,而赚钱比例地多些;大公司资本大,而赚钱比例地少些,若以所得与资本额的百分比为标准,比较公平。兹将百分比废弃不用,则小企业因赚钱绝对数小,决不会照很高的税率纳税;大公司因所得绝对数大,必照最高税率纳税,大公司中之小股东未免吃亏太多。但在币值极不稳定的状况之下,以所得与资本额之百分比为计算之标准,引起了无穷的争执,尤以资产重估问题为最不易解决。故在币值未稳定以前,暂时废弃百分比,亦是一个补救办法,俟币值稳定后,再行修正。

（五）关于估缴税款之办法

修正所得税法第七十四条规定："财政部为适应国库需要,得拟订估缴税款办法,呈请行政院核定,由当地主管征收机关于每年三月十五日以前估定暂缴税额,填发缴款书,送达纳税义务人,限于一个月内分期缴纳。纳税义务人对于暂缴税额,不得请求变更。"

依前项规定办法,估缴税款者,其应纳税额核定后,如与暂缴税额有增减时,非补税,即退税。其补税之义务人,应于缴款书送达后十日内缴纳之。退税之期限,以收入退还书送达后一个月为有效期间,逾期不退。

这个估缴税款问题,三十七年已经发生,暂照 6 倍计算缴纳（参照前章"三十七年度营利事业所利得税稽征办法"一节）,各界舆论,反对不遗余力。至退税之期限以一个月为有效期间,逾期不退的规定,尤不合理。今日公库支票尚不能大量流通,加以现在公库取款之不便,一个月之期限,实在过短。

（六）关于税法之合并

三十七年之修正所得税法,系将旧所得税法、施行细则、营利事业资产估价方法、以及各种解释等等,合并而成,不可谓非立法技术上之进步。

第十一章 遗产税

一、遗产税成立之理由

吾友绍兴范左青先生近著一部政治小说《鸟国春秋》，经教育部学术审议委员会评为："语重心长，志在风世，为中国现代著作界异军特出之作。"其中有一段专论遗产之为害，语简而意赅，隐隐然说明遗产税所以成立之理由。兹将原文摘录于后，以示其思想之趋向。他说："积财以遗子孙，适以害之。世之宗族争讼，兄弟乖离者，皆其祖父之有遗产、祭产害之也。子孙之不长进多腐化者，亦其祖父之有遗产，祭产害之也。尝观富家之子弟，拥先人遗产，不学不农，不工不商，而衣必选色，食必选味，所知者烟酒嫖赌，所习者斗鸡走狗，其骄奢淫佚之气，深入骨髓，不可救治。夫牛以力田，马以行远，犬以守夜，猫以捕鼠，甚至酿蜜者蜂，吐丝者蚕，彼物之微，且多为人所利赖，而人生天地负七尺躯乃甘作游民，分利而不生利，是直牛马犬猫蜂蚕之不若者矣。"读此一段，就可明白对遗产课税，实是天经地义之举，无可非议也。尝考遗产税，为直接税体系中之重要骨干，创办之议，远溯于民国四年，终以时局多故，从未实行。嗣经核定原则十项，发交立法院拟制法案。适抗战军兴，国府西迁，因此暂时搁置。现在遗产税法虽已公布，尚未切实施行，盖徒法不足以自行，凡关于征课遗产税之一切技术问题，如财产之调查，户名之划一，及户籍之登记各端，尚未积极筹划，迅速完成，而征课遗产税最感繁重之财产评价，尚有待于周备详密之施行条例，俾纳税义务人知所依据也。

二、遗产税暂行条例

抗战军兴，国府西迁，二十七年七月第一届国民参政会开会于汉口，经议决从速完成遗产税之立法程序。立法院乃制定遗产税暂行条例二十四条，于二十七年十月六日明令公布。但条例虽已公布，一时未能施行，因为财政部必须对于财产调查，户名划一，及户籍登记各端，积极筹划，以为实施之准备；且遗产税之开征，乃以遗产价值为其税基，故估价之正确与否，关系国家税收，人民担负，至深且巨。但遗产之种类繁多，评价之方法当然不能一致。一旦正确价值评定，就可作为分派与各继承或受遗赠人之标准，亦可用以核定其应纳之遗产税额。故遗产价值之评定，极为重要，但亦不容易，自应由财政部分别议定，以为日后工作之依据。

三、遗产税法

现行遗产税法，系三十五年四月十六日明令公布施行，其内容比较遗产税暂行条例来得进步。依该法第二条之规定，我国所采行的是总遗产税制，以被继承人之动产、不动产、及其他一切有财产价值之权利为课税对象，在稽征上极为便利。我国民法取财产继承制。遗产继承人除配偶外，以直系血亲属为第一顺序继承人，父母为第二顺序继承人,兄弟姊妹为第三顺序继承人,祖父母为第四顺序继承人。此种顺序,是按继承人与被继承人亲等的远近排列。我国向采大家庭主义,数代同居,故家族观念极为浓厚,子承父业,与子继父产,视为当然之事。因此继承人之顺序,以亲等近者为先,同时遗产继承人对遗产应继分的比例,亦彼此有多有少。如养子女以婚生子女之继承顺序为顺序,但其应继分只等于婚生子女二分之一。至于配偶之继承权,在民法中亦经详细规定,但其应继分,视情形而异。如其与第一顺序继承人同为继承人时,其应继分与他继承人相等(平均),与第二顺序继承人(父母)或第三顺序继承人(兄弟姊妹)同为继承时,其应继分为遗产二分之一,与第四顺序继承人同为继承时,其应继分为遗产三分之二。

四、反对遗产税者的理由

一般人对遗产税加以攻击,谓其足以影响资本之累积,此乃似是而非之论。遗产税自表面观之,虽课及财产,但并不妨害负税者经济能力增进之程度。遗产以被继承人之遗产为课征之对象,于继承人原有之经济能力,并无损害。若继承人本身有累积资本之能力,对被继承人之遗产课税,有何妨害之可言。且课税非全部没收可比,未征去之一部分,尚足以增进继承人之能力。况政府征去之部分,若能投于生产事业,则死亡者之生产力,于不知不觉中移转于社会,其生产力之大,或驾凌死亡者而上之。中等阶级,为子孙计,非稍有储蓄,不足以尽父母之责,决不致因有遗产税而将储蓄置诸脑后也。或恐遗产税征收之后,未征去之一部分,不足以维持身后子女之生活,不得不更多积储,以补其缺短之数。就继承人言,依赖心理或可因此而减少。我国之家族观念,异常浓厚,富家子弟往往惰性成,其依赖父母财产之心理,适足以削弱其自尊心。遗产税之征收,可以减低其依赖心,增进其自觉心,使之奋发有为,以求上进。但被继承人为其子女预存之教育基金,似与普通遗产性质不同,当作别论,不应课之以税。因为此种基金,并非遗产,乃一种悬而未决之支出。若须负担税课,于青年教育,不无恶劣之影响。

不过我国之遗产税,开征未久,如今尚无良好成绩之表现。推厥原委,并非由于反对者之力量雄厚,乃由于民间缴纳遗产税之习惯尚未养成,因而推行不易。况地面辽阔,税源分散,欲在广大区域发现征课单位,是一艰难工作。况财产登记,是举办遗产税应有之事,亦非短时期内所能完成,而登记之外,尚有调查与评价工作,亦是一件烦琐之事。此后自应注重宣传工作,使之普遍深入民间,以求其了解;一面增加人力财力,充实机构,严密稽征,方可使税收畅旺。

但调查端赖乎耳目,评价着重于技术,其中虽不无若干困难,然均为执行上之问题,与税制本身,尚无多大关系。所可讨论者,我国遗产税法,只采总遗产税制,系就遗产总额一次征收,不分继承人之亲疏远近,亦不计其人数之多寡。此制利弊互见,长短分明,其利在简单易行,其弊为不能依据能力主义而课税,失掉直接税之精义。依据理论,分遗产税制可以按继承人之亲疏远近,分别以不同的税率,课以分遗产税,以求符合能力原则,故采用之国家亦较多。但我国种种落后,而传统的观念,社会的习惯,均与遗产税之征课,不相调和。以目前情形言,推行总遗产税,尚觉阻碍横生,如不顾一切,贸然同时施行分遗产税制,其困难更不堪设想矣。

当遗产税法原则及暂行条例提出立法院时,该院委员对于采用二层遗产税,颇有一番辩论,兹叙述之于此。

五、总遗产税制与分遗产税制

查遗产税制有三:一为不计亲疏关系及继承人数,就遗产总额而征课之,曰总遗产税;一为就继承人承受部分之遗产,按亲疏关系而分别征课之,曰分遗产税(即继承税);一为前二者兼课,曰两层遗产税。遗产税原则及遗产税暂行条例草案,有二个很重要的原则:第一个规定遗产税就遗产总额征收之,其总额超过5万元者,就超过额另征超额遗产税。第二个规定遗产税税率采比例制,但超额遗产税税率采累进制。至于政府何以采用遗产总课制,则以总课制手续简单,征收便利,税源确实,经费节省。财政部遗产税暂行条例草案要点说明书,谓"各国之遗产税制,有课总遗产税者,有课继承税者(即分遗产税),有总遗产税与继承税并课者,其优劣如何,学者迄无定论。中央政治会议议决之原则,则采遗产总课制。立法院审查委员会对于此点,颇持异议。但就财务行政而言,总课制手续简单,征收便利,税源确实,经费节省,均远胜于继承税及并课制。盖继承税及并课制均须顾及继承人之亲疏及继承分之大小,分别按级征收,虽觉周密,究嫌繁复,在今日我国财产制度未臻完整,遗嘱制度尚未普遍之时,尤无适用之余地。本草案既属暂时性质,对于继承税之征收,不妨于总遗产税办有成效之时,再为计划,庶可无碍于新税之推行。再本草案既以简易为主,采用总课制,故参照美苏立法例,不设亲等之差别"云云。足见政府筹办遗产税之目的,在确立此税之基础。创办之始,税率宜轻,手续宜简,不涉及苛细,宜顾全现实,免除一切阻碍,希冀初步成功。此旨与著者在立法院所发表之意见相同。二十六年立法院审查遗产税暂行条例草案时,有主张于总遗产税之外,再加分遗产税者(即继承税),即财政部说明书中所谓"立法院审查委员会颇持异议"之意。

所谓总遗产税者,系对已死之人所遗之总财产加以征税,继承税者(即分遗产税),则就遗产继承人所得之各个财产额而征课之。遗产继承人有直系旁系之别,直系继承每视为当然,中国旧法,亦是如此。从前女子虽属直系,仍无继承权。国民政府本男女平等之义,对于男女一视同仁,实为社会上一大改革。旁系继承,出于意外。故继承税不但须视继承人所得财产之多寡,分别累进税率征课之,亦须视继承人之直系或旁系,分别轻重征课。征课方法,遗产税必俟遗产人死亡后开始征收,故遗产税之主因为死人,英、美法律皆称为死亡税(Deatih duty)。就法律言,人死后已不复为人,故不能为负担租税之主体,不得已遂以其所遗之财产为主体而课之以税,故又称为 Duty on estate。

继承开始后,遗产始分别给与继承人,视继承财产之多寡,及继承者之亲疏远近,分别课以继承税。财产小,直系继承者,税率最轻;财产大,旁系继承者,税率最高。其余在此二端之间者,其税率亦在此轻重之间,各有参差。故继承税技术上非常繁复。由此观之,遗产税与继承税虽有不同之处,二税原可并行不悖。总遗产税之外,必须施行继承税,方可达公平之目的。例如某人遗嘱处分财产,大儿子 10 万,二儿子 5 万元,小儿子因是一个坏蛋,不为父亲所爱,除依法可取得特留财产之一部分外,并不给予其他财产。特留财产,为我国民法参酌国民心理,社会习惯等情形而制定者。在美国无此拘束,父亲如认儿子为一个不可教的坏蛋,可以与儿子断绝关系,不承认其为子(Disown his son),完全不给财产。此法未免过于苛刻,殊不足采,故中国民法特设"特留财产",即为子女等所特留之财产。除此以外,其余财产,财产所有人可以任意处分,不受拘束。今吾人若于某甲财产课征总遗产税后,对其大儿子多征继承税,二儿子少征之,三儿子不再征收,原甚公平。

但税制之公平是一事,公平税制能否推行,又是一事。在向不重视直接税之中国而欲筹办新的直接税,似应着重于"推行"二字,不宜拘泥于"公平"二字。依一般推测,中国人口为8,000万户,按平均60年新陈代谢一次,则每年应有缴纳遗产税之死亡单位130万人,而现时成绩,竟不过其千分之一左右,相去何啻天壤,足见推行之难。况中央政治委员会制定之原则,并无继承税,财政部之草案,亦无继承税。乃该案送达立法院后,一小部分委员力主同时施行继承税。著者在场,颇持异议,双方争辩甚烈。及该案提出大会,多数委员亦以创办之始,骤办遗产税与继承税,不甚妥当,遂议决重付审查。当时无继承税问题,则遗产税条例,在沪战开始以前,早已通过矣。主张同时并征继承税者,即本于理论上之公平原则,更引美国二税同时实行颇收良好成绩为例证。殊不知中美情形不同,不可一概而论。吾人要知负担公平固为租税原则之一,但在施行租税制上着想,如何能使新税易于推行,尤觉得重要。盖新税之推行,须使人民于税制有相当之认识与习惯,则易于收效;否则窒碍丛生,流弊极大。虽理论上甚为公平之税制,事实上或招致极不公平之结果。吾国在过去,既无遗产税,更无继承税。今二者同时实行,有识者固视为公平,而一般人则将视为二种不同之税,以为同时骤办二税,必惴惴不安,其于推行上所可发生之障碍,非常重大。即拟举办继承税,亦不宜与总遗产税同时骤办。即以世界最富之美国而言,联邦遗产税,于 1916 年开始征收。共和初年之死亡税,虽偶然征收,只是一种临时或战时应急办法,且以印花税方式课征之。其时之最高税率未逾千分之五,各州只征收旁系继承税,不涉及直系亲属。此税开始于宾夕法尼亚州,时在 1826 年。至 1885 年,纽约州亦相继采行。其后各州均以此税为主要税收之一。

南北战争,军费浩大,于是联邦政府开征死亡者所遗财产之死亡税及遗嘱检验税(Probate duty)。后战事停止,此税亦告废止。1898 年美国西班牙开战,军费浩大,岁出激增,乃开征动产之继承税,以应急需。至 1902 年战停,此税即行取消。1916 年因设立道路建设基金及准备参加欧战之经费,乃通过依死亡者遗产之纯值课征遗产税。1916 年通过之遗产税法,为现行税法(1937 年)之蓝本。惟历年法案之修订,仅在税率上稍加增减而已,1916 年税法之要点,并未更动。由此观之,美国之施行遗产税,采逐步渐进主义,并非一蹴而几。且继承税归各州征收,而联邦只课征总遗产税,并非以一个政府抽二种不同之税。此继承税不宜与总遗产税骤然同时并征之理由一。

遗产总额尚可勉强调查,至各人之继承分,则须调查继承者为谁,继承之为直系或旁系,直系旁系之亲疏远近,继承分之大小。在今日财产登记制未实行,遗嘱制未普遍之时,调查万分困难。一切经费为数必巨,在政府恐是一桩赔本生意,而骚扰情形,亦恐一言难尽。此继承税不宜与总遗产税同时骤然并征之理由二。

美国虽二税并征,别有原因。美国为联邦国家,各邦有极强之自治权。美国有四十多邦,加以联邦有四十余种宪法,互有差异,故研究美国法律者,虽终身不能竟其业。平常人对法律认识不清楚,无足深怪,故每委托律师;美国律师之多,堪称世界第一,此种浪费人力之处,久为世界所诟病,迄无改善之方。各邦既有邦宪,对于遗产税有自主权,有采居所地主义者(Domicile),有采遗产税所在地主义者(Situs),要皆不外属地主义与属人主义。有若干邦虽采居所地主义,但征税极轻,或竟不征收,于是他邦之公司,往往向不征收或征税极轻之邻邦政府请求注册,以逃避本邦重税之负担。此乃美国各邦法律繁复之流弊。各邦继承税之征收既不普遍,联邦政府乃于总遗产税法中规定:倘各州已征继承税,则联邦政府之总遗产税可以退还80%。此1926年修正法案所规定。各州之未征继承税者,为保护该州之权益及充裕财政计,未有不乐于举办者,且可使公司注册,不致逃来逃去。故美国联邦政府之采遗产税,其目的固在税收,但亦在促成税法之统一。故在美国总遗产税与分遗产税,有其并行之理由。中国仅有一个中央政府,至现在止,尚不承认各省有独立制宪权。若中央同时骤然采用两种遗产税,不但窒碍难行,且太不顾全现实。此两税不宜同时骤然并征之理由三。

谚云:"徒法不能以自行",遗产税之举办,有恃乎人民纳税的义务观念,始能推行尽利,而收得效果。若专凭理想,徒使负担公平,则多扞格难行,因为遗产税易隐匿规避,逃税之机会遂多,国家税收为数亦少,而经理税收之大小官吏,竟可从中贪污舞弊,合理的新税制遂被破坏矣。总之,在此草创时期,即使仅有不完备的遗产税,也胜于根本无遗产税。我们的口号应该是:税法可以修订,制度必先成立。我们用不完备的遗产税作基础来创造日渐完备的遗产税。

六、遗产包括什么?

现行遗产税法第二条规定:"本法所采遗产,为被继承人之动产及其他一切有财产价值之权利。"可知遗产云者,乃指被继承人死亡时所遗留之全部财产。惟遗产之种类繁多,依广义别之,有1.动产,2.不动产,及3.其他财产。依广义别之,则动产包括现款、行庄活期存款、及易变现款之资产。我国民法,对于动产种类,并无规定。但依民法第六十六条之规定,不动产者,谓土地及其定着物;又不动产之出产物,尚未分离者,为该不动产之部分,则从反面观察,所称动产,系指土地及其定着物以外之有价物也。其性质大抵与会计学上所称之流动资产相仿佛,包括1.现款及行庄存款,2.各项短期债权,3.有价证券,4.工商业上之投资,与5.原料商品等。

不动产系指土地及其定着物言,具有永久性,包括1.土地,凡营造之基地,农事用之耕地,及矿山或森林采伐后之残地,均属之。因其限于地球表面之部分,故可划分为三层:地表、空间、与地身。地表固有所有权,而地上之空间与地下之地身,仍得为土地所有权之范围,则依民法七七三条之规定,凡关于建屋、植林、凿井、掘窖等事,皆得管领之;2.地上权及永佃权。地上权,系指以在他人土地上有建筑物或其他工作物或竹木为目的,而使用其土地之权而言,可知在租赁土地上建造房屋或其他建筑物,出资建筑之承租人没有所有权,仅有使用权而已。永佃权,系支付佃租永久在他人土地为耕种或牧畜之权;3.递耗资产,此项资产,系指土地空间上或地身内之森林、果园、渔场、盐池、矿山、油井等之定着物,其价值因采伐而递减;与4.建筑物。

其他财产,系指被继承人除上述二项外所遗留之一切有财产价值之权及财产,种类甚多,不胜枚举。其重要者有:1.家具及个人用品,2.寿险赔偿金,3.无形资产如专利权、商标专用权、营业权、著作权、商誉等等,与4.租赁权。

七、遗产之调查与估价

  我国人口号称4万万5千万人,此乃满清政府之调查报告,迄今将近百年,此项数字决不可靠。人口之统计,既不确实,而人民之财产登记,亦付阙如,二者缺一,已感棘手,况二者皆缺乎？是遗产税之推行,困难重重。故户口调查,刻不容缓,而财产登录,更是举办遗产税之先决条件,但非短时期内所能完成。盖死亡人之不动产,查知较易,然动产则不易查也。加以我国民间习惯,一人财产契约,存款账户,恒用堂记别号,动至数十,欲明其真相,非办到1人1名,1名1户不为功。此不仅有恃于立法者之厘订完善法规,尤其有赖乎执行者之严厉实施,庶优良之税制,终可有实现之一日。

  三十七年之修正草案,规定地政及推收税契机关办理有关遗产之产权、移转、登记、及司法机关审理有关遗产案件时,应责令当事人缴验遗产税纳税或免税证书。其不能缴验者,应先通知遗产税稽征机关依法处理云云,此为原法所未规定。

  财产之调查,固不容易,而财产之估价,更属困难,因为遗产之种类,如上所述,异常繁多,故评价之方法,亦不能一致。动产中之有价证券如公债与股票,在交易所有市价者,可以被继承人死亡日之市价为准。如同日之中,市价涨落靡定者,则最好以当日之最高最低成交价之均价为准;如价格发生剧烈变动,则可仿照所得税法之规定,以被继承人死亡前一个月间之平均价为准。但在中国不上市之股票,多至不可胜数,并无市价可以依据。在此场合,只得声请主管征收机关,交由评价委员会根据发行机关或公司之信用,

455

其收益率之大小以及其他有关之因素(如会计师、工程师、或其他专家鉴定价值之证明文件,或提出最近一次该工商业缴纳所得额报告表之资产负债表、财产目录等,以证实其股票之实际价值),逐一加以考虑而评定之。动产中之原料商品,则不仅须以被继承人死亡日之通行市价为标准,并须视其内容之损坏,与变质呆藏之程度,与夫推销之难易,叙明原因,酌减若干,以资备抵。苟此项原料无市价可资依据,可以请求各该业同业公会评定之,并出具证书,以昭信实。此仅就几种动产之评价而言也。

若夫不动产,则手续更麻烦。例如地上权之评价,有两种方法可以应用,一曰现值法,一曰倍数法。被继承人在生前仅在他人地上有任意使用及享受收益之权,并无所有权,故于评价时,须视使用权年限之长短、租金之多少、以及是否一次付清为评定之标准。如租金依契约应于每年年底支付一次,租用契约为6年期的契约,年利率3厘,租金每年1万元,已经用过2年,但6年之租金已一次付清。就以上各种因素,可以计算其现值,计算手续虽麻烦,然可得确实价值。特举例以示其计算之方法。

地上权预付租金现值表(Present Value)

每年年底付年金1元,利息3厘,共付6年;6元之现值为 $5.42						
		乘以每年租金数			10,000
		6年租金之现值		= $	54,200
年份	地上权年初数额	利率(3%)	本息合计	年底应付租金	地上权年终余额
1	$ 54,200.00	$ 1,626.00	$ 55,826.00	$ 10,000	$ 45,826.00
2	45,826.00	1,374.78	47,200.78	10,000	37,200.78
3	37,200.78	1,116.02	38,316.80	10,000	28,316.80
4	28,316.80	849.50	29,166.30	10,000	19,166.30
5	19,166.30	574.99	19,741.29	10,000	9,741.29
6	9,741.29	292.24	10,033.53	10,000	33.53

照以上的计算,至第六年终应无余额,其所以有33元5角之余额者,因年金1元,共付6年,照利率3厘计算,6元之现值应为5元4角1分7厘1(5.417115),则6万元之现值应为5万4千1百71元1角5分(54,171.15)。上表所列为54,200元,多算29元左右,故有此33元之余额。我们假定此项地上权已经用过2年,则于被继承人死亡之日,尚值3万7千2百元,即以此数作为遗产。

以上是现值法之举例。此外尚有所谓倍数法,日本采用之,依租金之倍数,加以估定。如契约10年内满期者,作为租金之2倍;30年内满期者,作为租金之3倍;50年内满期者,作为租金之5倍;100年内满期者,作为租金之7倍;100年后满期者,作为租金之12倍;依年限之长短,以1年租金之若干倍为评价之标准。法虽简易,但不准确,不足取也。

遗产税法规定遗产价值之计算,以继承开始之日为准。三十七年之修正草案与法相同,但加一但书:"但逾期怠不申报,或隐匿不报,照现价估课。"又加"遗产价值之计算,须先经估价程序,其办法另订之"之规定。

八、属地主义与属人主义兼采

遗产税与所得税为直接税之两大骨干,均是中央税,由中央直接征收。我国自厉行所得税以来,吾国向有传统习惯的单纯"对物课税"制,一变而为"对物课税"与"对人课税"并行制,合乎间接税实行在前,直接税推行在后的原则。

三十五年之遗产税法第一条之规定:"凡人于死亡时,在中华民国领域内遗有财产者,及中华民国人民在本国领域内有住所而在国外有遗产者,均应依本法征遗产税。"此条之范围极广,系从二十七年十月六日国府公布之遗产税暂行条例移转者,说明遗产税法当对何人课税,及课于何物,兼采属地主义与属人主义,其立法原意可谓普遍,且合乎租税之公平负担原则。本条前半段规定,系以财产所在地为标准,采财产所在地主义(Situs),凡遗产在中华民国领域内者,不问被继承人是否为中华民国人民,亦不问是否在中华民国领域内有住所,皆须课税。依后半段规定,系以被继承人之国籍及住所(Domicile)为标准,凡中华民国人民在本国领域内有住所者,不问其遗产是否在本国领域内,一律课税。如此,非中华民国人民(外国人)在国外之遗产,依本条之规定,不在课税之列。

有人主张将第一条后半段之"住所"二字取消,以免取巧之本国人,乘机移转住所于国外,设法逃避,[①] 立论甚是。但前直接税署长高秉坊氏谓:"当初经立法程序时,金以有住所于国内者,较易稽考,故特加此限制。良以新税初创,非经一番努力推动,其利弊不易确定,修订之处,且待诸异日。"[②] 此语言之于二十九年,以二十七年之遗产税暂行条例为讨论之对象。但三十五年之遗产税法仍未加以修订,"住所"二字依然保留,于是又招致学者通人严厉的攻评。理由异常充足,有谓:第一条课税范围兼采属地与属人主义之长,则对于国民遗留在国外的财产,理应一律征税,似毋庸更以在我国领域内有住所者为限,转滋流弊。良以我国人民侨居海外为数甚众,且类拥有巨资,果必限于在国内设有住所而后始予课

---

① 陶公文氏著:《我国遗产税制度之检讨》,载财政评论第四卷第一期特大号。
② 高秉坊氏著:《遗产税诸问题之商榷》,载财政评论第四卷第五期。

税,推演所及,同属华侨,只因在国内住所之有无,而致有征免遗产税的不平待遇,殊欠公允。况侨胞旅居国外,或则已历数代,或则幼渡重洋,对于国内本已未必均有住所之可言;即有住所者,亦可按我民法第二十四条"以废止之意思离去其住所者,即为废止其住所"之规定予以废止,邀免纳税,似此不惟国库要损失一巨大的财源,抑且反足助长人民逃税的风气。……就便利稽征而言,被继承人死亡时所遗留于国外之财产,调查课税诚有困难,究不因在国内住所之有无而生差异。质言之,即被继承人在国内设有住所,而在国外的遗产稽征,仍与在国内未设有住所者同感棘手。此种技术的内在问题,殊与采用何种课税主义无甚特别关系。① 故认为现行遗产税法,应该把第一条的课税范围改采属部主义,及属人主义中的国籍主义,放弃属人主义中的住所主义,以切合实际;所有被继承人死亡时遗留在国外的遗产,不问其在国内有无住所,一律课税。至稽征事项,即托由我国驻外使领代为办理。不然干脆地采行属地主义,将侨民遗留在国外的财产,置于课税范围之外,期求简而易行,不宜于税法上对同一具有纳税能力的人民予以不平等的待遇。三十七年财政部之修正草案,规定国民住在国外有遗产者亦须课税,惟国外遗产如已由当地政府课征遗产税取得证明者,其国外遗产免税,以免重复。

但亦有人主张采用单纯的属人主义,不兼采属地主义,因为国际关系,错综复杂,政府立法之初,应力求简易无阻,与其法严而未能普及,莫如法宽而自全威令。古圣贤有言,欲明德于天下者,先治其国,

---

① 柴建仕氏著:《论现行遗产税法》,载大公报经济周刊第四十七期(三十六年七月二十一日)。

如是国家理财之道,亦不能舍此而他求。故第一条似宜显明规定:"凡中华民国人民死亡时,其所遗有之财产,无论在国内与国外,均应依本法一并征遗产税,"似较易于推行,而保持国家法令之威严;否则,外人在中华民国领域内之遗产,令而不行,无异画蛇添足耳。①

九、赠与视同遗产

现行遗产税法第八条规定:"被继承人死亡前 5 年内分析或赠与之财产,应视为遗产之一部分,一律征税。"以前之遗产税暂行条例第十三条则定为三年,新法增加 2 年,定为 5 年,用意在防止逃税。但有人主张将此条删去,因为遗产税是直接税之一种,是对人税,并非对物税。若视同遗产,则被继承人尚未死亡,何来遗产?况于死亡之前,已依法缴纳各种所得税,如证券存款所得税,薪给报酬所得税,财产租赁所得税,若再追诉既往,而对死亡前 5 年内之分析或赠与课以遗产税,不免陷于重复,故主张取消。鄙意不敢苟同,盖所得税与遗产税之租税主体虽为同一之人,而租税客体则大不相同。所得税之客体为所得,遗产税之客体为遗产,不得视为重复,犹如对财产须缴纳财产税,与对财产租赁所得则缴纳所得税,不得谓为重复。

日本不问何种赠与,均视同遗产,一律课税。英国则以死亡人在死亡前若干年内所赠与之财产,视为遗产之一部分而课税。德法二国则另办赠与税。我国从英制。若将第八条取消,另采德制而征赠与税,亦未始不可,不过我国对于国民财产向无精确统计,

---

① 叶墨林氏著:《我国遗产税论》,载财政评论第十六卷第三期。

加以我国家族制度,财产移转未必向主管官署声请登记,调查殊不容易,尤以动产移转为更不容易查得。征收赠与税,有无困难,不敢妄断。若办理不善,徒滋苛扰,是意中事。三十七年财政部之遗产税法修正草案,已将"五年内"三字删去,则被继承人死亡前分析或赠与之财产,应视为遗产之一部分,一律征税。

十、遗产税税率

三十五年之遗产税法,规定遗产总额在100万元以上者,一律征税1%,以下采超额累进税率,直至超过1亿元以上者,就其超过额征收60%为止。三十七年财政部因鉴于该税率过重,经数度研究,决将该法重行修订,付全国经济委员会通过后,再由财政部审订完竣,复呈行政院。修正起税点,定为1亿元,遗产总额在起税点以上者,一律征收1%。其总额超过起税点2倍至4倍者,就其超过额加征2%。以后超过一定倍数时,其税率即逐级累进,直至超过起税点60倍以上者,一律就其超过额,加征25%为止。至起税点一项,则规定按物价指数,于每年一月七月各调整一次,分别由行政院核定公布。如此,则起税点不仅无硬性之弊,且富有弹性。

从上可知税率最高者为25%,比较三十五年之遗产税法最高征课60%者,减低多矣。英国之最高税率为50%,美国为70%。我国创办伊始,只得逐步推进,不能一蹴而几,减低税率,是极合理之事,可使纳税者不致群趋于逃税之一途。但税率虽减低,而罚则加重。关于处罚方法,除得处罚锾外,修正草案更有5年以下有期徒刑之规定,使逃税者得不偿失,有所戒惧。

此外修正案胜于三十五年之遗产税法者,尚有早缴减征之一点,纳税义务人在规定期限内,自动一次报缴者,准予减除应纳税额十分之二,此又为原法所无。此项规定,可以鼓励纳税人早缴税款,政府早得应用,利益不是片面的。

第十二章　复税与逃税

一、复税

近世各国,工商业发达,社会经济,益形庞杂,且各国由于国情之不同,所采用之税制亦有差异,于是在一国之内,或在国际之间,不免时有所谓复税问题发生。

(一) 关于遗产税之复税问题

海禁既开,各国互市,而国际贸易日益发展。正由于国际贸易发展之故,甲国人民往往投资于乙丙等国,人与产权分离,错综复杂之情形,因此而起。设甲国之遗产税制采用属人主义,所有死亡人之产业,不论其位于何国,均须课之以税。若乙丙等国对于遗产税之征收,采行同一之主义(属人主义),在国际上自无冲突之可言。然而实际上国际间之情形,并不如此简单。往往甲国采行属人主义,而乙丙等国则采行属地主义,则甲国死亡者之遗产,对甲乙二国均须纳税,便涉及重复税问题矣。处今之世,各国各有其自身之利害,彼此协调,殊属艰难,故所行之税制,与征收之原则,各不相同也。

我国遗产税暂行条例第一条规定:"凡人于死亡之时,在中华民国领域内遗有财产者,依条例征遗产税;中华民国人民在本国领域内有住所而在国外有遗产者,亦应征课。"三十五年四月十六日明令公布施行之遗产税法第一条亦如此规定,没有更改。其条文是以属地主义为原则,兼采属人主义。假定在华外侨遵守我国的一切税法,又假定该外侨的本国遗产税法采行属人主义,则不免发生重复税的问题,不难由二国政府交涉解决之。又如华侨在外国有遗产,而在中国有住所者,依法应征遗产税。如财产所在地国家采属地主义,亦征遗产税,即发生复税问题。有人主张以下列办法解决之:

(甲)若华侨在外遗产的所在国的税率比本国高,则其在外遗产部分应免税。

(乙)若华侨在外遗产的所在国的税率较本国低,则应补缴低于本国应纳的税额。

国际间对于遗产税复税问题,往往用下列两种解决方法之一:

(甲)扣除法——凡在国外之遗产,已为财产所在地国家征课遗产税者,得于遗产总额内扣除之。此制德国采用。三十七年之修正遗产税法已照更正,华人在国外之遗产,如已向外国政府缴纳遗产税者,得扣除之。

(乙)均课法——依死亡者与遗产隶属国家之不同,双方各自按照本国税则各征半税,学者间亦颇多主张。

1897年国际公法学会曾组织专门委员会从事研究国际间二重税问题,主席巴刻里在报告书中曾建议嗣后世界各国对于遗产税之征课,须一律采用所在地主义,惜迄未见诸实施。揆诸中国国内实情,欲调查被继承人之国内财产,已感棘手;若欲将死亡人遗留在国外之财产,亦一并加以调查课税,其困难更可想见。故主席巴刻里之建议,颇切合实际。不过中国是一个产业落后的国家,华侨之在国外者,为数至夥,而在国外所置之财产,当更可观,中国政府当然不愿把这块肥肉完全送给外国。况遗产税在初期推行阶段,税率又极低微,于华侨亦不致有负担太重之感。故前直接税署署长高秉坊氏主张采均课法,在中国既可以增辟税源,在外国复可以酬其保护,诚一举而两得也。但依照此项办法,外国人在中国之遗产,既受中国政府之保护,亦应依均课法只征半税;倘外侨之本国政府采用属人主义,课以全额之税,即发生复税问题,但其责任应由该外国负之。

(二) 关于所得税之复税问题

我国现行所得税制,法人和个人同被课税。公司营利事业所得与证券(股票)所得均被课税,不免重复。但课税主体不同,一是法人,一是个人,在表面上,不能认为重复税,因为重复税是同一的政府或同一领域内二级政府,对同一的租税主体,而课税于同一的课税客体。现在公司(法人)与股东(个人)同被课税,主体固不同,而客体亦互异,因为法人所得税,课于公司营利事业之所得;个人所得税,课于股票之所得,所以客体亦不一样。但法律不外乎人情,公司与股东,自其经济关系之密切上言之,不啻二位一体,二者同课,不免苛求。补救之道,若专税公司而不税股东,则大小股东,课以同等的税,未免不公平,且股东个人之综合所得亦无法求得。若专税股东个人而不税公司法人,则公司可减发股利所得。且现制红利不课税,所以公司尽可用红利方法分配盈余,则股利所得税全部逃去。故欲免复税,苦无两全之道。故今日亦有主张对红利课税者。

(三) 关于营业牌照税之复税问题

清末民初,原有一种牙税,是对牙帖所征之费。所谓牙帖,就是户部地方官发给牙行之许可证。所谓牙行,其性质与现今之介绍所无异,为交易两造介绍买卖。所以牙帖就是今日之所谓牌照。牙帖有费,谓之帖费;犹如牌照有税,谓之牌照税。但该时之牙帖有定额,额外不得发行,故领得牙帖者,享有特许权,无异法律所赋予的一种独占权;未取得牙帖者,不得设立牙行。当初牙税是中央收入,国府成立之后,始划归省地方所有,现在则列入县地方税源之中。当帖与牙帖含义相同。在清代,凡民间开设当典者,得部帖后方准营业,故典当亦为特许营业之一种。此外复有烟酒牌照税,烟酒是奢侈品,且足以妨碍人身之健康,故有加以取缔或管制之必要。所以烟酒牌照税含有寓禁于征之意,与今日之营业牌照税同一性质。民国三十年八月十六日行政院颁布营业牌照税征收通则,把原有之牙帖、当帖、屠宰证,一律改为营业牌照税征收之,税制始趋于一致。三十三年二月十一日,国民政府又公布营业牌照税法十二条,规定征收细则由各省依照税法另订,但目前营业牌照税法尚未实际施行,各县征税,以前项征收细则为依据。

三十三年营业牌照税法征课之对象,为迷信品业、奢侈、化妆、装饰品、古玩品业、玩具乐器业、烟酒售卖业等等,不过二三十类,在整个商业市场中,不过什一。就以上所述之迷信品业等而论,营业牌照税之目的,似乎在取缔与管制,含有限制其开设及寓禁于征之意义。惟三十五年十二月上旬中央又将营业牌照税法修正,其课税之对象,完全变更。依修正税法第二条所载:"各种商业,均征收营业牌照税,"则各种商业,均在征收牌照税之列。其征收对象,完全与营业税相同,不再限于某种特定之营业。所有取缔与管制之意义完全失掉。所以修正后之营业牌照税,可视为营业税之附加,且课税标准亦相类似,实有复税之嫌。不过其目的,纯在增加县地方之税收。至于此项复税问题如何解决,于讨论营业牌照税划归省地方收入时,再行研讨。

(四)关于营业税之复税问题

今日所行之营业税,就是营业总收入税,与总额交易税相类似,不问货物移转之原因,只问有无交易。假定每次交易均课以百分率之一次税,结果每一商品之制销,如移转次数愈多,则其重复课税愈甚。若将营业税仅课于批发与零售两个阶段,其重复次数自较营业总收入税为少。但谁为批发,谁为零售,殊难确定。若仅课零售贩卖税,是仅课于货物分配最后一个阶段之税,既无营业总收入税重复课税之弊,又胜于批发与零售两阶段之课征,岂不很好。但今日之营业税,并非只以零售为对象,不免有重复之嫌。

(五)关于通过税之复税问题

征收通过税,最易重复课税,每过一关卡,重征一次。过去之厘金即坐此病,商人受祸甚深。战时各省所办之通过税,名称虽不同,而其为形异实同之通过税,则无可否认。近闻华北又开征类似厘金之货物税矣。无论如何,凡有通过税性质之消费税,无异于厘金之复活。即或政府体恤商艰,一税之后,从其所之,除查验之外,不再重征;然各种货物既非由生产者直接供给消费者,则在交易过程中,每易一主,即运往另一地段,递售递运,仍须由不同之关卡,重复课税。至于制造品,则在其未完成之前,原料须课税,半制品亦须课税,制造品销售之后,仍须课税,此非重复课税而何?且过境征税,其弊害不仅在税收之重复,亦在征收入员借端滞留,以遂其敲诈之欲。商人急于求去,以保货物而争时价,亦多于纳贿,希求及早放行。三十年第三次全国财政会议决议废除各省货物税,由中央改办战时消费税,其主要目的,无疑的仍是在于政府之财政收入。然此项消费税改办动机,似非全以财政收入为目的,而其最要着,恐尚在废除各省原有苛杂扰民之通过税、货物税等,以避免省与省间各自为政,重复征敛之弊,另由中央统一征收一道之战时消费税,一税之后,任其所之,通行全国而无阻,以免苛杂重征。

二、逃税

(一)为什么要逃税?

漏税逃税,各国皆有,不独见于中国,惟在中国,尤其在近几千年来,闹得特别严重,其中谅必有缘故。抗战军兴,法币充斥,物价不断上涨,每年至少要高涨10余倍,往往一个工厂商店年终的存货比年初为少,但账面上的数字,却要大好几倍,在税法上这是"过分利得",但实际上却是"虚盈实税"。工商界既受通货膨胀的剥削,又要受不合理的税收抽血,当然要叫苦连天了。于是不得不想种种办法来造假账。如将存货的估价特别抑低,开支的数目故意加大,一部分的营业或营利隐匿不报等等,以逃避课税,或使所纳之税,减低至最少限度。

政府对于这种矛盾的现象,并非不知道,但这几年来就不曾有过彻底的办法。最合理的,当然是以合理的标准来调整资本额,使与所利得额有一个正确的比例,不致再有"虚盈实税"之弊。但政府为顾全面子,不愿公开承认法币贬值,同时又怕这样一来,税收没有着落,迄今未作如此的考虑。三十五年经济部拟订的"工矿运输事业调整资本办法"所定的物价指数,只有1,800倍,范围又仅限于工矿运输事业;且重估资产价值,手续繁琐复杂,非短期所可办妥,而三十六年度所利得税,又不能适用,故对当前纳税的症结,并无协助解决的功效。

逃税问题在现代租税问题中,几乎是无可避免的事实,各国皆然,不独中国如此。例如在美国,关于营利事业之所得,公司往往用提高资本额方法,使所得合资本额之百分比减少,所以常用渗水股(Water stock)之办法(即中国之所谓申股),将公司原有二股扩作三股,实质如故,而名义上平添新股一股,借以减轻纳税之负担。不过在中国逃税,却成为一个严重问题,尤以海关走私为最可怕的现象(请参照关税一章"走私之可惊"一节)。通常说起来,逃税可以分为合法的逃税与不合法的逃税二种。先言不合法的逃税(海关走私,当然是一种不合法的逃税)。

(二) 不合法的逃税

(甲) 逃税的方法

不合法的逃税,无论中外,所在多有,而以中国为尤甚。作伪蒙蔽以欺骗税务人员,是极普遍之事。各种逃税,如所利得税逃税,货物税逃税,因由于国民道德与税务人员的人格堕落所致,亦由于政治之不良,国民不愿负担任何税负。假令政府有完善的稽核办法,亦不易杜绝。目下我国公司商号之虚报、匿报、伪造账簿的情事,几成司空见惯,而所得税之逃税现象,更为普遍。

根据过去数年之征收所得税经验,第一类分类所得税之营利事业,有下列数种逃税方法:

1.商店开业不向官署申报登记;2.虚增资本;3.虚增损耗或亏损;4.减资不申报;5.虚增进货价格;6.虚减售货价格;7.以

资金经营其他业务而不入账;8.以各地发生亏损之商店作为分支店而减少其盈余;9.多报职员薪资;10.浮报其他不易查出之开支;11.虚报呆账;12.临时性之营业不入账或化整为零。

第二类分类所得税项下薪给报酬者之逃税有:1.自由职业者不申报其收入;2.收入无账可查;3.虚增营业开支。

第三类分类所得税项下之证券存款所得,亦有下列几种逃税方法:1.存款利息以借款名义开销;2.以有利息之放款,作为无利或低利放款。①

(乙) 全额累进制与逃税之关系

累进制有全额累进与超额累进之分。全额累进,易使负税能力相同之人负不同之税,因而发生逃税的流弊。以营业牌照税为例。在分列等级课税办法下,假定规定营业总收入额在5,000万元以上者为甲级,每年课税10万元,3,000万至5,000万元者为乙级,每年课税7万元。再假定某甲之总收入为49,999,000元,某乙之总收入为5,000万元,则甲乙二人之交易额相差不过1,000元,而甲只须缴纳7万元,而乙必须缴纳10万元。在营业范围之内,二人之纳税能力几相等,而所缴之税相差如此之巨,势必促乙少报交易额1,000元,以图少纳3万元之税。此项税额差数之大小,视等级之多少而定,等级愈少,差额愈大,因为每一级距之纳税额,与前一级距或后一级距相较,相差必更大也。但差额愈大,逃税之事件愈多,而国库之损失亦愈大。为补救起见,应多设等级。有人主张在二级之间设一中间级,超过此中间级数者,作下一级论,未超过者作上一级论。例如上述之5,000万与3,000万

---

① 刘支藩氏著:《现行所得税制及其查征问题》,载财政评论第十七卷第二期。

之间设一 4,000 万元之中间级,则 49,999,000 元之乙,仍须缴纳 10 万元,无法逃避矣。欲求征收公平合理,多设等级,殊属必要。

但多设等级,有时亦不适用,因为计算上发生很多困难之故。例如新所得税法所规定之综合所得税,一旦实施,则计算税额之手续,异常繁复,对个人全部净所得加以征课之税,谓之综合所得税。综合所得税之税率,采超额累进制。但于计算时,可以减除共同生活之家属或必须扶养之亲属生活费用、子弟教育费用、及已纳之各类所得税土地税,所得余额,为个人全年之净所得。又如共同生活之家属,有直接所得者,其所得按五分之三并入户主内合并计算总额。故综合所得,以年为计算单位,以全年总所得为计算基础。一旦付诸实施,计算税额之手续,必极繁复,势必影响税额之征收。况我国所得税制之特色,是分类所得税与综合所得税,均采分级课税之制。且分级多至十余级,手续之繁重,可想而知。各国分类所得税,采比例税率,多属一律征课,无分级之规定。即分等级,至多亦不过二三级,以符征收便利之旨,此与我国不同之处。

(丙)海关采用从价税与逃税之关系

从价税者,是依货价之高低而为课征。进口商呈报价格或故意将货价压低,企图少纳税款。然政府可以规定,如海关怀疑所报价值不甚正确,得按照呈报之价优先购买。如此则商人不敢低报,免被海关强制收买,遭遇损失。如此商人逃税之弊,或可稍戢。

又如政府征收荒地税,亦可照此法办理。各国大都市之中往往有不少荒地,未曾利用,因被投机家购去待价而沽。政府为解决房荒起见,要迫使地主建筑房屋,其法莫善于对荒地课以极重之税。但地主呈报地价时,不免以多投少,企图逃税。倘政府于征课地价税之外,复课以土地增值税,则逃税之弊或可减少。盖将来地价涨起,纳税必更多,地主顾到此点,不敢过于低报,以免异日缴纳巨额增价税之损失。

(三) 合法的逃税

合法的逃税,即纳税者利用立法的疏忽,或利用政府体恤商艰的好意,或由于税制之不合理而逃税。请申述之。

(甲) 由于定义之不确定而逃税

关于一部分公积金并入资本计算的问题,旧所得税法施行细则第七条第二项规定:"有公积金者得按其总额以三分之一并入资本计算",而可以并入的数目之大小,要看公积金的定义如何方得决定。"第一类营利事业所得征税须知"第六条对上述公积金的定义作如下的规定:"凡法定公积,任意公积,盈余滚存,均属之。"商人遂利用这种规定,将公积金积至巨大的数目,并将巨额的公积金并入资本额中,多至数倍,甚至数十倍不等,国帑损失,何可计算。闻此项规定,原出于实业部之要求,含有减轻工商业者的负担之意,用意甚善,殊不知反被奸商利用,为他们开了一逃税的方便之门,岂为立法者所预料!夫公积金与资本,性质殊异,究竟不能归为一类。如有体恤商艰的必要,尽可用其他方法,切忌用容易发生流弊的方法。

(乙) 由于通货跌价而逃税

以上是所得税领域内第一个合法的逃税方式。其第二个逃税方式,是利用通货的跌价而避免一部分的税负。我国所得税开征不过半年,就遭遇到空前未有的战祸,推行之棘手,自在意中。又以财政竭蹶,以膨胀通货为弥补预算赤字之唯一工具,物价继长增高,而所利得税之征收,除课源部分采取扣缴办法,政府可以按月收税入库外,其大部分系采直接由纳税义务人自动申报办法。此项申报办法,多为本年度申报上年度的所得额。在此币值日低之情形下,今年度征收上年度之所得税,在纳税人方面不知享受了多少便宜,在国库方面不知蒙受了多少损失!此非逃税而何?不过此项逃税确是合法的。

政府有鉴乎此,故于三十七年设法避免此种逃税方法,其法是令各业先按三十六年度核定所利得税额之6倍暂行缴纳,并规定当地税局,于二月十五日至三月十五日一个月内将估定税额,通知纳税人,限于缴款书送达后三十日内缴纳之。俟依照税法查定应纳税额后,再行通知补缴,如有溢缴,应即退还,并自暂缴税额缴纳之日,至收入退还书送达前一日止,按照中央银行给付银钱行庄存款准备金之利率,计算退款利息。这个先按三十六年度核定税额之6倍暂缴办法,如能付之实施,则此项合法逃税,以后不能再重现矣。但在三四月间溢缴,而于九十月间退还,则纳税人未免太吃亏,因九十月间之法币购买力,比较三四月间之购买力相差不知若干倍矣。若某业确于去年遭受极大之亏损,其所缴之税款,应全部退还,岂不亏损更巨。纳税人延期缴纳,固无异于逃税,而纳税人预缴而后退还溢缴,亦无异于加税,或竟犯了"虚盈实税"之弊。

在国家财政立场,避免过去年度拖延时日以致发生"实盈虚税"计,用此种抢征之办法自属得计。但在纳税义务人方面,暂缴税额有出入时,多退少补之办法,亦不免有"虚盈实税"之嫌。纳税人缓缴,固是逃税;而政府抢征,而后退还,无异加税,甚至于"虚盈实税"。但延期缴纳,责任并不全在纳税义务人,往往由于主管征收机关核定税额之过于缓慢。最近有若干人士声称其三十六年度账目早经核定,决算竣事,如税局需要申报以及查核账目,立即可以照办,则在此种情形之下,税局理应直接令其申报,并立即查定其正式之应纳税额,然后通知其限期缴纳,似不应一律先行责令其缴纳暂缴税额,待后再用迂缓的方式,逐一查定其应纳税额,再行退税。总之,政府之立场,与纳税义务人不同。在政府则以财政收支困难,税收总额愈多愈好,纳库时间亦愈早愈好;但在纳税义务人方面,则处在目前币值继续跌落,资金十分窘困期间,终以少纳迟纳为有利。

(丙)由于行政效率太低而逃税

第三个合法逃税的方式,是发生于吾国行政效率之不高。一般税务机关行政效率之低,已为不可掩饰之事实。例如春季应纳之税,有时至夏秋尚未征收。当此通货膨胀之日,币值下降颇速,延缓征收,实即等于减征;换言之,在国家,税收实值,无形减少,而在纳税义务人,无异逃税。因此国家总收入愈不能平衡,通货之膨胀,亦因以愈速,以致不得不时时增高税率,修正税法,而使纳税人民有目迷五色,莫知适从之感。

货物统税原采从价征收制度,按照规定每半年评价一次,以上半年六个月的平均完税价格作为下半年的完税根据。在这个六个月中间,完税价格只有一个,并且还不是以上半年最末一个月的物价所计算的价格。在这物价急剧波动期间,物价上升的指数,半年中往往数倍。即使为顾全评价手续的过于繁琐,但为求其公平与合理,仍应缩短调查的期限,改为随时评价,使其与当时的物价较为接近。这对于增加税收,必有适当的帮助,而合法的逃税之风气,亦可稍戢(货物税,现在以前三个月的均价为计算标准)。

(丁)由于交易不给发票而逃税

第四个合法的逃税,是印花税的逃走。现在的印花票,不贴在支票上，而贴在发票上。但每笔交易除非为报账或其他作为法律根据者外，毋须发票，所以发票上的印花税容易逃走。以全国论，大部分的交易，都不用发票，因为我们不能强迫每一个交易都用发票，所以这样的逃税是合法的，若想捉住这样的逃税，有主张将发票上的印花，移至票据上，即印花税税率不必增加，而政府的收入可以大大地增加。支付款项的票据与发票，都是代表一种交易，不过发票代表的是货物的转手，而支付的票据，则代表款项的转手。在通货恶性膨胀物价继续上涨中，将印花票改贴在支付款项的票据上，可以鼓励货物的周转，阻抑信用工具的流通，不仅于税收有利，且于物价亦不无抑平的效用。在健全的货币制度之下，支票上贴印花，固可发生不良的影响，但在不健全的货币制度下，此种措施，利多而害少。

（戊）由于法人不课综合所得税而逃税

综合所得税，依法仅对自然人之所得而课者。若为避免个人缴纳综合所得税，可以利用法人不课法，将应得之股息与红利，转入资本，或以公司名义，投资于其他公司，如此逃税之目的达矣。现行税法，对于强制个人应得之股息及红利并入个人所得额内计税，尚无硬性的规定。故有人主张效法英国，以明文规定，如法人不分股息及红利时，即课法人综合所得税作为法人代替其股东完纳其个人应纳之附加税。若此法人之所得额大，以累进率课彼之税亦必大，可以迫使法人将股息与红利分给各股东，以图轻课综合所得税也。

英国于分类所得税之外，又课附加所得税，名为附加，实则综合。法人固非附加税之纳税义务人。如果法人在事实上有完纳附加税时，只能作为法人代替构成法人之股东而完纳股东个人所应纳之附加税,不能作为法人以法人资格负担附加所得税。此种规定,中国似可效法;不然,逃税之风必炽,而国库之损失必更大。

(己)豪门资本与官僚资本企图中的逃税

海关走私固是可惊,而豪门资本与官僚资本企图逃税,更属可怕,故有从长讨论之必要。

(子)公司设立登记采属地主义

修正公司法,普通称新公司法,已于三十五年经立法院通过,并经国府明令公布施行。其中要点甚多,而要点之中有一点专为逃税问题而设者,以其与国家税收有关,又不利于中国之工商业,不得不于此详述其经过,希望日后之执政者有以纠正之。

关于外国公司必须在其本国"营业"一点,修正公司法第七条及第二九二条分别规定如下:

第七条——本法所称外国公司,谓以营利为目的,依照外国法律或经外国政府特许组织登记营业,并经中国政府认许,在中国境内营业之公司。

第二九二条——外国公司,非在其本国设立登记营业者,不得申请认许;非经认许给予认许证者,不得在中国境内营业,或设立分公司。

此种限制规定之办法,采属地主义。在外国登记营业之公司,不问其股东为中国人或外国人,皆为外国之公司,受外国公司法之约束;在中国设立分公司时,则受中国公司法之约束。反之,依中国法律在中国设立登记营业之公司为中国公司,股东是否为中国人或外国人,在所不问,须受中国公司法之约束。

(丑)修正公司法何以不利于豪门资本与官僚资本?

中国的官僚资本及外国商人要求将以上两条中之"营业"二字

删去,目的在逃税,请申述之。

中国官僚资本,其始大抵皆借做官时之搜括,或侵蚀国营事业之盈利以自肥。若完全以其资本组织中国公司,亲自出面,恐遭国人之白眼。若在外国组织公司,在外国亦须营业,将完全受外国公司法之约束,于缴纳公司的营利所得税外,更须以股东个人地位缴纳个别所得税,如此即不能享受特殊利益。惟有利用外国公司名义,在外国登记而不营业,在中国则设立分公司。外国政府为奖励此种公司,既有优待办法(详后),对于此种只登记而不营业之公司的营利及其股东个人所得,均不征税(既不营业,当然可以不征税)。中国政府则视其为外国公司之分公司,只就分公司之营利所得征税以外,因不明其股东身份,并不征收个别所得税(以为公司的股东住在外国),因此股东可以逃避国税。所可虑者,这种外国公司,既可逃避一部分的税负,对于中国的民族企业,给予一个严重的打击,因为外国公司的负担轻,而中国民族企业的负担重,绝难与之竞争,其不被外国公司所压倒者几希;换言之,不但不能打倒官僚资本,且将为官僚资本所打倒。所以把"营业"二字从以上二条中删去,不啻为官僚资本开辟新途径,便利其发展。此岂中国国民之福?因此修正公司法规定外国公司必须在本国营业,以杜流弊,中国官僚资本家甚感不快,多方予以破坏,而美国政府亦根据美国商人之请求,提出反对理由,并要求修改。

(寅) 本国公司不营业之源流

外国公司在本国不营业,仅挂一块招牌,专在别国设立分公司营业之办法,实渊源于英国香港政府之"香港条例"(Hongkong Ordinance),其用意在奖励英国人在别国营业赚钱。这种公司在本国既不营业,自可免除本国公司所得税及股东个人之所得税。上海某百货公司在香港注册,即利用此种办法而成立者。其后美国人知道此中秘诀,亦于1922年制定中国贸易条例(China Trade Act),免除税捐,减轻负担,以便利美国人在华投资与营业,准其在美国本国设立公司,但不准其在美国本国营业。所以禁止其在本国营业者,为防止本国其他公司与之竞争。(若在本国必须营业,必付所得税,就不能享受特殊利益,而其他公司容易与之竞争。)法国等因亦起而效尤。不过美国公司照中国贸易条例组织者,为数无几。不平等条约取消之后,如此种办法仍可继续,必有纷纷利用者。美国素重正义平等与互惠,自应迅速修正本国不合理之法律,为英法等国之先导,不应要求中国修改合理之法律。况过去上海百几十家在中国营业之外国公司,战前皆已满载而归,更不应再存妄念,继续享受。尤其是中国官僚资本家,战前既已挂洋旗骗了不少国家和国民的膏血,战时发了国难财,战后又发胜利财,如果尚不知足,妄想挂羊头卖狗肉,重温旧梦,可谓狼心狗肺,将为国人所唾弃。

(卯)过去外国人在华营业所得之利益

过去外国人所办之公司,在华设立分公司,所得利益甚大,因受不平等条约之庇护,对于中国政府,向不纳税。此种公司,大体可分作三类:1.资本雄厚之企业家,善意来华营业者,在不平等条约庇护之下,皆满载而归。此种企业,无论为公司或个人组织,为数甚多,不胜枚举。2.资本薄弱,锐意经营投机事业者,借不平等条约为护符,对华商多方引诱,入其彀中,使之无法竞争,徒兴望洋之叹。此种企业家,亦无不满载而归,如从前之美丰银行与美丰信托公司等,皆为最显著之实例。3.中国人挂洋旗者,在国外注册;在国内营业,利用不平等条约之庇护,避免中国政府之干涉,享受非分之利益,如某百货公司在香港注册;某报馆、某药房等在美国注册,托庇外国之势力而图利;其他托庇西班牙、葡萄牙、意大利等国籍者,亦不胜枚举。此种公司,在其注册之本国,皆不必营业,在中国借不平等条约为护符,享受种种特权,而中国国民经济所遭受之牺牲极大。现在中外订立平等条约,过去之种种流弊,中国亟谋设法改善,故修正公司法特规定外国公司在中国设立分公司者,不但在外国设立登记,并且要营业,不但对外国人没有妨碍,且可防止中国官僚资本家滥用机会,经营不正当之营业。

（辰）美国反对修正公司法之理由

美国政府根据美国商人之请求,对于我国修正公司法此点之规定提出反对理由三点,要求修改。其反对理由如下:

（甲）妨碍美国人在华之投资与对华贸易之发展。

（乙）美国企业家受影响,而以保险、新闻事业无实际物资买卖者所受之打击为最大。

（丙）与1945年6月18日中国国防最高委员会通过之第一期经济建设原则不合。

（巳）美国反对理由之不成立

美国所提的三个理由,完全不能成立,试分别批评如下:

1. 就妨碍中美投资与贸易一点来说,此次美国秉正义立场帮助中国,战胜侵略国,并对华毅然废除不平等条约,订立平等的新约,对于美国商人过去在华借不平等条约所享受的种种特权和利益,极不合理,应完全放弃,不应听取本国商人之偏见,对于中国提出不合理之要求。况且中国修正公司法,对于美国人在华设立分公司者,无非以其在本国营业为先决条件。美国人以在本国营业之经验来华投资,只有利益,绝无害处,今反谓妨碍投资,殊所不解。

普通外国人之公司在华设立分公司之原因,大都皆因本国公司资力雄厚,无法运用,乃分其一部分资金来华投资。倘本国无营业余资,如何能来中国设立分公司?现在美国各大公司因积储雄厚,无法利用,故来中国经营,有利无弊。就美国言,如继续主张正义,不宜帮助美商在华享受非分利益。就中国言,不仅希望对外得到平等待遇,且希望借此防止不肖官吏,从中营利,决非对于美国有何不利企图。

2. 基于以上理由,谓美国企业,将受不良影响,殊所不解。假定甲公司在美国经营制造业,为推广对华贸易,在中国设立乙分公司,推销产品,自然为中国所欢迎。又如美国丙公司制造物品,需用中国原料,来华设立丁分公司,中国亦绝无拒绝理由(假定此项原料中国自己不需要)。但甲丙二公司必在美国本国皆有营业,否则甲公司无物可销,丙公司无取原料之必要。他们在中国设立分公司后,足以增进中国之生产事业,并发展两国之贸易。况此次战后,美国渴望国际贸易之发展,不仅如上例促进两国间贸易之进展而已,且希望多边贸易之发展。举例以明多边贸易之性质。譬如美国向中国推销机器,中国向南洋群岛推销布匹,南洋群岛向美国推销橡胶。南洋即以美国所付之橡胶价款,交给中国偿付布价,中国即以美金交付美国,偿付机器价款。倘在美国之本公司并不营业,即不能顺利完成上项交易。此种营业,即为国际性的,或营出口业,或兼营中间贸易,皆须以本公司营业为主。如果仅仅在中国制造或推销,或以中国原料就地制造,与本国事业不发生关系,即可依照中国法律,在中国设立总公司,如中国公司,不必挂外国公司之牌子,在中国为分公司之设立也。否则在本国仅有公司之名而不营业，既不受本国政府之管辖，在中国仅设分公司，又可逃避中国政府应征之一部分租税，不啻使华商公司处于不利地位，终于被外国公司压倒。为华商计，如不早为之图，为害不可胜言也。

即以新闻事业与保险业而论，或在美国发新闻，在中国收新闻；或在中国发新闻，在美国收新闻，必在中美两国皆须营业，岂在中国设立分公司，而在美国只挂一块招牌，即能完成其事业乎？保险公司之情形亦如此。在美国本国有保险公司之业务，在中国设立分公司，予以推广，乃足使保险之业务范围扩大，使危险分散，使平均法则之作用更臻确实，借以加强保险业务之基础。盖保险业务之危险，贵乎分散，不宜集中。若在本国不营业，实违反保险事业之最大原则。

我国国防会议通过之第一期经济建设原则，曾明文规定外国公司须在中国国境以外，设立本公司，方得在中国设立分公司，从未说在外国之本公司不必营业。若谓新公司法与第一期经济建设原则相冲突，不知何所指而云然。即有冲突，亦仅中国内部行政问题。在中国立法机关以外之机关，尚无权干涉，外国政府更无置喙之余地。国防会制定之原则，立法院有权补充或解释；新公司法之修改，仅可能为补充原则之所未备，根本谈不上冲突也。

综以上所述，可以断定美国政府所提三项反对理由，皆不成立。

(午) 逃税的途径不止一个

以上所说的逃税，就是股东个人分类所得税之逃避。此外分公司亦有不少逃避的机会，因为分公司自无资本，其所运用之资本，乃由总公司拨来的，可多可少，亦可随增随减。例如中国银行之资本额,原提高至1亿元,但各地分支行,虽为数甚多,但皆无一定的分资本额。所谓的1亿元,是属于整个中国银行的。外国公司亦然。其所拨付于各个分公司的数目,视各该地业务之繁简,收益之多寡而定。假定中国之分公司,今年拨到资金1,000万元,获净利200万元,则所得合资本额之20%。再假定次年获净利400万元,其百分比应为40%,所抽之累进所利得税应较高。但他的资本额,可以随时妄报,说次年拨到的资金为2,000万,则百分比仍旧如20%,而政府应征之税额减少矣。

(未)国防会议修正公司法重付立法院审议之经过

第七条与第二九二条两条中之"营业"二字,即国防委员会议诸专门委员亦无不赞成删去者,咸认为足以充实新公司法之原则。惟国防委员会某专门委员会主席徐堪氏坚持异议,力主取消,第七条及第二九二条两条中之营业二字,虽经其他专门委员一致反对再修改,徐氏仍力主取消,始决定提出国防委员会大会讨论。在国防委员会大会开会时,徐堪氏又首先起立发言,开口便说领袖之意要删去"营业"二字,其他委员因亦无一发言者。此案遂再送立法院审议。徐堪何以坚持取消此二字?以徐氏之地位与财力,当为国人所咸知。他自己是一位大官僚,又是豪门资本之代表,出了九牛二虎之力,把"营业"二字取消,用心良苦。立法院修改公司法,一本正义立场,毫无私意参杂其间。惟既经国防会议交下审议,无法拒绝。但国防会议前既通过第一期经济建设原则,规定外国公司须在中国境外设立本公司,方准在中国设立分公司。既设本公司,当然要营业,天下岂有不营业之本公司乎?今又通过准许在中国设立分公司之外国公司,可不在其本国营业,是无异国防会议自动修改经建原则;且外国公司既可在本国不必营业,又何必在中国设立分公司？故国防会议通过之原则,有自相矛盾之嫌。立法院委员颇滋疑虑,有请求解释之必要。原则既有修改,立法院自当再行建议。建议由立法院长孙哲生先生提交国防会议,但不发生效果,结果"营业"二字终于删去,而豪门资本得其所哉。

(申)外人遵守中国修正公司法之利益

如美国人自由撤回其要求,照中国新公司法,组织中国公司,可有下列种种利益：

1. 中国公司法对于外人可以投资之成数,并不加以限制。从前特种股份有限公司条例所定中外合资之公司的资本额,必以华股占总额51％。此项限制,现已取消;即外资加至90％,亦为法律所许。

2. 从前中外合资公司的董事长、总经理,皆必须为中国人,新公司法亦将其取消,仅规定股份有限公司董事长或代表公司之董事,必须为中国人外,其余并无限制,条件比较宽大。

3. 本公司与分公司之区别标准,不为业务之大小,而为设立之先后,或为管制与被管制之不同。本公司业务虽小,并不妨碍其在中国设立分公司。

4. 公司组成之分子,不问国籍,中外一律平等。即使中国政府作股东,亦仅能享受普通股东之权利,不得有任何借行政力量而取得之权利。

5. 外人在华设立公司,手续简便,管制宽大。

6. 股份有限公司之董事,须有半数或过半数在中国有住所,所以便于管理,并无其他任何用意。凡此种种利益,皆为原公司法之所无,而为新公司法所规定,其目的在便利外人在中国设立公司,以达利用外资之目的而已。

第四篇
征实与专卖

梁門論

血液と寺支

第一章　田赋征实征购与征借

吾国田赋原基于土地私有制,设定从田课赋之税制。田即土地,赋字从贝从武,亦即本于"足兵"先须"足食"之义,故田赋是加于土地私有者之负担。原征本色,即实物。自明英宗正统元年,田赋地丁,始征折色(地丁之意义系就地税与人头税两税合并之意)。自太平天国以后,漕米亦大部改征折色。民国成立,即仅余之江浙两省漕粮100万石,亦改征银元,〔清代漕粮原征本色,由运河运京仓者曰正兑,运通仓者(北通州)曰改兑,京仓供八旗官兵食米,通仓供王公百官俸禀。〕于是田赋全部,遂皆以银两银元计算。我们说我国古代田赋征收"本色","本色"者,即土地所产何物即以何物缴纳之谓也。"折色"者,即完粮之时,不再以实物缴纳,改缴银元之谓也。但社会进化,必舍实物进而为银元之缴纳。抗战军兴,政府为调剂军粮民食,平均负担,以增强抗战力量起见,采用田赋征实,亦系适应战时社会经济政治环境的需要而应有之举。政费既系取之于民,用之于民,则出以实物,入亦以实物,自然适应。我国自古以农立国,信用货币未曾极端发达,各种财货之出入,大多以农业所得实物为计算标准。今日通货已极度膨胀,内地人民多以谷物替代法币为计算标准,故在今日抗战结束,即应废止征实而不能废者,职是之故。即敌人亦曾在山东实行征实。山东事变后,受敌伪压榨最深,加以多年歉收,敌伪又施行所谓"以粮代赋"之刮剥手段,致农户皆缺乏余粮。

一、田赋征实须以翔实的赋籍为根据

三十年度遵照第三次全国财政会议之决议,采行经征经收划分制度,以税务机关任经征,以粮政机关任征收。三十一年度为配合战时需要,谋节省人力物力,征实以外,实行随赋征购军粮及带征县市公粮。所有粮食之稽征与收储工作,一并由田管机关办理。三十二年度为统一粮食征收储运业务,俾能灵活运用、密切联系起见,开始将赋政与粮政工作打成一片。因赋政与粮政既打成一片,各省之田赋管理处与粮政局,自须合并改组,成立田赋粮食管理处。赋政为粮政之基础,因田赋征实,必根据于翔实赋籍,但中国之赋籍,殊不健全,本书田赋两章已将赋籍之种种缺点,尽量披露。故欲平均人民税负、增加政府税收,必先有健全之田赋册籍,而欲得一健全之田赋册籍,必从整理赋籍入手。整理赋籍有治本治标两法:治本为清丈,治标为土地陈报。在抗战期中,欲求速效而省费,办理土地陈报尚焉。但结果甚坏,我们在田赋两章中已详细言之。兹为研究不厌求详起见,特将四川办理土地陈报之情形详加讨论,以觇其对于征实之不良影响(详后)。故欲改进田赋征实制度,必从赋政与粮政两方面同时着手,二者实为一物之两面,不可偏废。

二、战时各省田赋征收实物暂行办法要旨

(一)各省田赋征收实物,依三十年度省县正附税总额,每元折征稻谷两市斗(产麦区得征等价小麦,产杂粮区得征等价杂粮)为标准,其赋额较重之省份,得请由财政部酌量减轻(第二条)。

（二）各省土地如已依法办完测量登记,开办地价税者,应依其税额,照前条规定办理(第三条)。

（三）征收之实物,以稻谷为主,其不产稻谷之地方,以其收获之小麦杂粮等缴纳之。缴纳小麦杂粮之比例另订之(第四条)。此条用意无非欲解除缴纳之困难。如各县征实,必以稻谷完纳,无疑于产玉蜀黍之区将发生巨大之困难,市场固将因之紊乱,因为不产水稻之户,为完纳其应征田赋,必须先售出玉蜀黍,再购入水稻,则市场价格必呈动荡现象,且能否如预期完纳亦将大成问题。(按各省征收实物种类,经政府核定者,分甲乙丙三类。征收稻谷一种者为甲类,包括湘浙赣粤桂苏闽等七省。稻谷小麦玉蜀黍择征者为乙类,包括川鄂鲁绥晋康皖豫陕等九省。征收小麦玉蜀黍大豆青稞者为丙类,仅有甘肃一省。)

（四）各省征收实物,采用经征经收划分制度。凡经征事项,由经征机关负责,经收事项由粮食机关办理(第七条)。但征实之初,粮政局新近成立,事务甚繁,难于兼顾,有决定在三十年度内经收事务暂由各县经征机关主办者(如湖南)。此条用意,无非欲减少可能发生之弊病,良法美意,无可非议。但经征经收绝对分开之原则,应用于所得税,收效不少,若推及之于田赋征实,亦不甚妥适,一因权力未能集中,行政效率未能大著;二因田赋征实,目的在控制粮食,应付战时需要,与平时公库制度下经征经收之宜分立,完全不同。故有主张并二者为一以一事权而增效率。

三、抗战时期田赋征实之种种利益

在抗战期内,田赋征实,据若干人的估计,有下列各种利益:

489

（一）不致引起纷扰——强制征用实物,为交战国家普遍运用之集资方式,但在中国强制征用粮食,容易引起纷扰,征收实物,可以避免之。

（二）不致因米价上涨而受田赋上之损失——因田赋一经征起实物,其价值只有随粮价之上涨而上涨,不若法币本身之购买力,反因物价之畸形上涨而趋于下跌也。

（三）不致因给价搜购引起通货膨胀,且可避免筹款搜购粮食之困难——以三十年度而论,该年所需之军粮民食（政府必需设法控制在手者）为数极巨,即四川一省,必须筹集1,200万石,其中600万石,以征实筹集之,其余600万石以征购筹集之。若全额用法币收购,仅在四川一省,即须放出12亿元左右（稻谷每石仅以百元计算）。若言全国,则为数更巨,放出之数,必数倍于此,徒使粮价上涨,靡有止境,而通货膨胀,将无法抑制也。况至三十年之春粮价高涨,已至150余元一市石。若发行继续不断,粮价必愈益抬高,而大户囤粮,操纵居奇之风,势必日炽,军粮民食,更难解决,幸有田赋改征实物及发行粮食库券征购粮食二策同时推行,不然三十年度之财政金融,难得安然渡过矣。

（四）改征实物,收储运济,俾各地粮食产销得其平衡,粮价得以稳定,并为调剂各地军粮民食起见,可以筹集大量粮食。不然,一旦粮价高涨,奸商地主,必纷纷囤积居奇,军粮民食,必发生严重问题。

（五）征实系我国田赋古制,简而易行,推行上可以迅赴事功。

四、田赋征实之害

（一）违背进化原则——回溯田赋征实倡行之始,社会人士及学者和专家尝聚讼纷纭,一致赞成者固不乏人,而表示怀疑反对者亦所在皆有。盖依社会进化原则言,原由实物经济(自然经济)进展至货币经济。回复过去征实旧制,似与历史进化原则相背,且于征收运输保管等技术方面,困难重重,窒碍殊多,不免疑虑横生。

(二) 有违农时——农民日出而作,日入而息,终年胼手胝足,为衣食奔走,几无空暇。虽有纳粮之心,但无输送之暇,且收粮仓库有远在二三十里之遥者,际此工资昂贵,大量运送,往返需时费钱,诚有不堪负担者。且征期往往适在冬季下种之时,以及废历年关(如在浙江),致农民益形忙碌,无法运缴。

(三) 人民负担加重几倍——田赋改征实物,比较征收银币轻重相差过巨,平日上纳1角之微,至此须纳上五六升稻谷之巨。例如云南,耕地清丈,自民十八年开始,数年之间,相继完成,从新厘定耕地税,分三等九则,计上等上则,每亩征收新滇币3角(当时比率合国币1角5分),依次递减至下等下则,每亩仅征收新滇币一仙,另附随正税征收附加1倍至4倍不等。正税归省,附税归县,作自治团体及保卫队经费。二十八年,因积极开展各县建设事业,奠定地方财政基础,将正税税率提高1倍,附加则限制只能减,不能加。正附两项,全部划归各县自收自支,后因物价上涨,改订上等上则每亩征收国币1元5角,依次递减至下等下则,每亩征收1角,平均各则耕地,每亩约纳国币8角。以税率言,较十八年已增十倍,以币值言,则因通货膨胀之故,筹缴尚易。至三十年改征实物以来,每耕地税1元者约纳稻谷四斗五升至六斗二升余之多,负担过重,无法缴纳,致有缴还执照,抛弃业权,要求免纳赋粮者。在抗战期间,尚可勉力忍痛上纳。现既得最后胜利,无论何人,不能坐视十室九空,罗掘俱穷的惨象。云南耕地仅2,200余万亩,且山

491

陵起伏,耕法极不科学,致生产力薄弱,每年获得之稻谷杂粮共仅2,100余万石,平时已不敷自给,每遇荒年,必运越米入境,乃自三十年度改征实物起至三十四年度止,五年之内,各县农民负担征实征购征借采购县级公粮等粮额,总数共达稻谷2,000万市石之谱,莫怪贫苦粮户无法谋生矣。田赋征实,固为战时之必要措施,但胜利复员之后,政府估计征实之利弊,首颁免赋明令,因此浙江省三十四年度田赋停止征课,以苏民困。嗣因粮食来源骤形短绌,军粮出于价购,都市民食,无法调剂,刺激物价,造成粮荒,于是中央对于田赋征实问题,反复讨论,权衡利害,认为仍拟征实。或谓中枢于复员之后为加强绥靖,继续征实,自非得已。此后军事底定之日,必须废除征实,但从另一方面观察,欲期不以实物为计算赋率之中介,仍有待于币制之稳定。

五、田赋征实之弊——粮弊最多粮官最肥

（一）粮官之舞弊方式,浮收短报搀砂搀水等等——田赋征实实施以来,流弊百出,只养胖了少数粮官,大多数老百姓却莫不叫苦连天。因为要征实,必须要保存一个庞大的机构：中央有粮食部,省有粮食局,县有粮食科,一层层地推下去,机关林立,吏多如毛,行政经费的总额,或竟超过了征实之所得。此其一。

粮食是农产品,非工业制品可比,保存万分困难。加以品质不一,没有一定的标准,而量器也没有统一的标准,所以粮官在收集时可以上下其手。仓库设备异常简陋,所以粮官在仓库中所收得的米搀砂灌水,日久多霉烂而变质。粮食的管理,不仅包括征收与仓贮,且包括运输与分配,而在运输途中,不是船翻车覆,便是遭遇

盗窃。农民纳1石米,究竟国家能得到几斗,值得吾人研讨。

粮食品质之优劣,关系军民健康甚大。在抗战期中,公教人员所领之粮食,类多搀水搀杂,甚至有领到霉米者。有时米虽不霉,而米中有谷稗,几成普通现象,为盲肠炎等病症之主要原因。虽经粮食部通令严禁搀杂搀水以提高品质,对于米粮中之谷稗,亦令饬各加工工厂切实施用清除机清除尽净。然一经清除,分量减少,所短者,即粮吏之所得者。故部虽三令五申,卒不生效,因为层层舞弊,官官相护,冠冕文章很好听,而实际情形则不堪闻问。粮食部长徐堪氏,对某一全会报告粮食状况时,曾说过"好人不到粮食部来"一句真话,这句话足以把粮政的黑幕,披露尽净。兹将四川一省所发现之种种流弊,叙述于后,以例其余:

(二)土地陈报所造成之种种错误——二十九年开始陈报时,无全盘计划,测量不用仪器,加以限时包工,工作人员尤不健全,致造成错误之处。最好的例子,是业权错报。此系误将甲之土地移作乙之土地而陈报,其影响有三,有因乙愚昧无识,只知按单纳粮者,则甲实际仍有该土地之所有权,而由乙代其纳粮,遂形成甲之田多而粮少,乙则田少而粮多之现象。此其一。有因乙存幸得之心,竟以陈报单为管业之凭证,即强占该项土地者,遂形成甲乙间诉讼不已之现象。如成都平原一带,因地价较昂,法院受理是项案件特多,即为实例。此其二。有因甲乙二者,共同发现错误,能和衷共济,联名申请政府更正,但彼此互相推诿终不纳粮者,遂形成国库收入减少之现象。此其三。

(三)复查丈量土地人员之勒索舞弊——勒索的方法有二:

(甲)对具文申请更正之粮民,不但不使之达到申请之目的,反变更事实,使其多累。如因测算失实,申请减积,或因土地等级不符，申请更正者，往往故意反使之较原陈报之面积为大，等级则升高。如是即是使欲减少纳粮者，反使之纳粮愈多，终至迫其行贿后，始得维持原状或如所请。

（乙）对未申请更正者，则滥权检举，故意谓某甲某乙现在之实际面积或等级，与所陈报者差误甚大，或谓其实际收益甚多，而完粮则太少，非复查丈量增加粮额不可。总之，非终于迫令行贿不可。

以上系关于勒索。至于舞弊，亦有二种方法。

（甲）代人减积减等，即所以减轻纳粮，并借此逃避赠与税与遗产税。

（乙）代人任意分割，或增加户名，即系把大粮户画为若干小粮户（所谓大粮画小）借以逃避累进税收。彼等利用这种方法，谋意外之收入。或个别向粮户接洽报酬，或由乡镇保甲长经手间接议价。因有上述勒索舞弊情事，遂形成真伪不分，是非不辩，田地多而能行贿者，纳粮反少，田地少而无钱行贿者，纳粮反多之畸形怪象。故虽至愚之民，亦所共晓，必不甘服。

（四）经办田赋人员之弄权渔利与乡镇人员之朋比为奸——此因现行之地方行政制度为县长及乡镇长兼为田赋机构名义上之主脑，故一切弊端，上以欺国家，下以愚弄人民者，除由专办田赋人员直接滋生外，亦不少彼辈协同造成之事件，尤以乡镇征收人员与乡镇各级自治人员，彼此勾结作奸者为特多。归纳言之，弄权渔利者三：

（甲）多填粮额，

（乙）大斗浮收，

（丙）侵吞仓余。

朋比为奸者四：

（甲）吞食运费，

（乙）中饱盈余，

（丙）盗卖渔利，

（丁）盗借生息。

综上所述，具见利用土地陈报成果实行征实之新制，理论上可谓合理而完善，施行上缺点与弊端似嫌太多，以致一种利国利民之制，竟得病国病民的结果。惟吾人一再根究造成此种结果之症结的症结，虽然办法上也有不少须要负过的地方，而大部分的责任，还是得归罪于彼辈经办田赋之人员，缺少工作精神与人格修养。所以"事在人为"，"为政在人"等谚语，有时虽未必尽然，亦有可以引为警惕者，昔王安石变法，败于用人，尤不可以不引为前车之鉴。

今日抗战已结束二年，平时经济应即恢复，田赋征实应即停止。土地陈报之成果既如此恶劣，似应舍而不用，重新全面计划土地丈量，时至今日，已不可再事因循。但此项工作，是有全国一致性的。就理论及环境上讲，不宜由地方单独进行，致呈分割破碎的局面，当由中央设专门机构负责进行。此为整理田赋治本的办法。中央新设地政部后，据报载地政部长李敬斋氏表示土地清丈工作，即将采用新法，提早将全国土地清丈完毕，政府决定根据清丈结果，参酌王安石之方田制，推行新土地政策，重行支配。可见整理地籍已为各方所重视。惟清丈工作，非有极大之人力财力不为功。例如浙江省府原期于三十七年完成平原地区清丈工作，迄无消息，无形中已成泡影，盖由于财力人力不足之所致也。浙江全省承粮之有税土地仅达总面积30%强，大部土地，隐匿无税，政府巨额支出，仅由少数忠实业户负担，事理之不平，孰甚于此，故土地清丈实为当务之急。

（五）征收处之故意延宕以遂其浮收侵吞之伎俩——例如在贵州亦常闻纳粮者之苦诉，有以征收处故意延长时间诉苦的，有以簸净稻谷损失诉苦的。征收处对于纳粮者加以种种挑剔，如经纳粮者责问，即不肯完成完粮手续，或延搁时间过多。纳粮者将粮送到征收地点，常有停留一日而不能办理手续者。贵州交通不便，一切粮食运输全仗人力畜力，每夫负重不过40公斤，日行仅30公里。地主去完粮，是由佃户代办的。如果粮送到之后，不能当日缴进，那末他们一天的食宿负担，征收处固不应负荷，地主亦有不愿负者。职是之故，佃户纳粮时往往不便与如狼如虎之征收人员争辩，免吃不必要的苦头。

（六）征收处不以簸失的稻谷交还老百姓——其以簸净稻谷损失诉苦的，谓完纳田赋，自然要晒干簸净，簸出的糠谷自应交给他们带回。事实上则不准带回的。簸出的糠谷，其中有谷者不是没有。况空谷在农家也不是废物。舞弊最大的例子是征收处将簸出的空谷，于佃户回去后，即与实谷合并以充应征之数，因此不肯将空谷交还佃户。

政府办理粮政，既失了人民信仰，故有主张把收储工作交与人民本身之组织，即由各乡镇各保民，直接推选本保之公正分子，组织一本乡镇之田赋收储委员会，建立公仓（或借私人大仓为公仓），保管经检定之标准量器。人民纳粮即于每年秋收后，由该委员会决定保别日期，依次由各该保之委员领导粮民，于限期内公开以惟一之公用量器，收入公仓储存之。收粮日期内各委员均须到场，负责检视斗手之公平与否。政府则只须以一个统一之机构负拨运及支配粮食，与处理其他有关田赋事宜之责，平时并得指导各乡镇储委会之健全及监督其工作。如此则收储工作既付之乡镇人民本身,在政府不但可减少多设机构之浪费,与完纳迟缓零落,影响工作之痛苦,且可免除一切征收人员所造之弊端。在人民不但可以培养自治能力,与解除征收人员所加之痛苦,且因自己储粮于公仓,倘有仓余,自然仍归人民,或移作赈灾救贫、或其他地方公益、或捐献国家之用,要皆由人民自主自决,极为公平合理。今各乡镇既各有乡民代表会议之设,前项收储委员会原则上可由乡民代表兼负其责,或负监督之责。

六、对大粮户行累进制

依征购办法第四条之规定,"同一户名在二县以上均有余粮者,应采属地主义,分别配购。"此则为累进原则之一变通办法。惟办法中仅以同一户名作准,大有不妥之处。一人之财产,用二个以上之户名者,并非无之。在二县之同一户名有余粮,当采属地主义,分别配购,则在一县之一人财产,不同户名,是否可以分别配购?若准其分别配购,则逃税事件将更增加。一旦化整为零之风气日炽,国家损失更重,不如以财产主权为准,不再以户名为准。考征购系随赋而来,小户豁免,大户累进,为天公地道之原则,绝不容大户之从中取巧也。

我国田赋,向依收益额比例征课,有违近代最进步之课税原则。在征收法币时期,其弊害尚未十分显著。自三十一年度举办征实,并随赋征购军粮与带征县级公粮以来,深感贫苦小粮户之负担过重,有大量纳粮以后难以维持生活者。故他们的过重负担应移一部分于大粮户,不然大粮户售缴之后,仍保有大量余粮可供高抬粮价囤积居奇之用。但欲实行移转,莫善于酌采累进征购及制定小粮户免购点之规定。不过田赋非直接税可比,酌采累进制,窒碍难行。盖业户承粮,向来惯用化名,产业分散,欲查明地亩总额,极不容易,必先办理总归户(详田赋二章)而后方可查得。但财政部三十二年所颁办理各县(市)业户总归户办法,极不彻底,因为(一)系根据征粮底册所载粮户为归户标准。如业户已于陈报时即用化名或其继承人之名归户时,无法校正。(二)此种就册归户办法,不能表示地权分配之实况,故不能利用为累进征赋之根据。惟一功用,系将户数较前略为减少。

七、对小粮户应予以种种便利

对于小粮户,不但须提高其免购点,且须予以种种纳粮之便利。湖南有集体纳粮制之创立,令各县经征机关发动乡保甲长宣传倡导一种集体纳粮办法。一般小额粮户,输送少数实物,原有途中费用超过实物价值之感。推行集体纳粮制之后,颇见便利。不仅得到便利,且可养成互助合作之精神,与办到人力财力之节省。然从反面一想,则田赋征收实物,粮户输送投完,与征收货币相较,其困难已不可同日而语。减少小粮户完纳之困难,亦是天公地道之事。故征收实物当以便民省费为最大的原则。小粮户集体完纳,运输相共,盈绌相通,人力财力,自然节减,尤以通河道独轮车运之处为最显著。查湖南各县举行集体纳粮仪式所摄影片,每次多至数百人,具见情形良好,各省如能普遍推行,收效益宏。

中国田赋推收制度,未臻健全,属地属人,间不一致,驯至地之与粮,粮之与户,多已失其联系。粮在甲分处所属地区,而田在乙分处所属地区者，比比皆是。改征实物后，粮户不能在稻谷生产地就近缴纳而须引重致远，输送至粮亩隶属之分处缴纳，极感困难。故于集体缴纳之外，更须予以申请过入乙分处缴纳实物之便利。

八、征购

征实之外，尚有军粮之征购。征粮与购粮不同之处，厥在征粮除财政上之目的外，尚有其经济上与金融上之目的。盖惟征粮可以防止法币外流，收缩通货。但若征收费过高，则结果将与购粮相等。按照中央决定半征半购之原则为核定标准，在贵州以大户为征购标准对象，且采累进之原则，是本有钱出钱之宗旨。每户配购数量，不及一市石者不购。征购价格，在三十一年度，是以三十一年九月十六日起至十月十五日止三十日内之平均市价为准。付款方法，每购稻谷1市石，付法币若干元，余付四年期甲种储蓄券，或搭发粮食库券。若全部发给现款，预算数字立见膨胀，物价势必高涨，国计民生，两受其累。不特此也，一次采购足额办法，可以避免在市场零星购买，且可使军事机关部队不再在民间自行采购，军需军政两得其宜。然采购时搭发库券或储蓄券，亦不无流弊，请分述之。

(一) 粮食库券

民国三十年粮食库券之用途，依条例之规定，为收购粮食支付代价，其票面以实物数量计算，分为稻谷与小麦两类，其面额分为：1市升、2市升、5市升、1市斗、5市斗、1市石、5市石、10市石、100市石9种，周息5厘，亦以实物计算。自民国三十二年起，分五年平均价还,每年以额面五分之一抵缴田赋,至民国三十六年全数抵清。三十年度征购粮食,经商定以粮食库券抵付一部分粮价者,计有四川、广西、江西、湖南、湖北、河南、陕西、绥远、宁夏等省,其搭配成数,依各省征购粮价之高下分别订定。此项库券,在四川,由粮食部委托中国农民银行及四川省银行代理发行,经粮食部与两行签订代办征购粮食财务合约。在广西、江西、湖南、湖北、河南、陕西、绥远、宁夏等省,则委托各该省政府代理发行,并由粮食部订定发行粮食库券会计制度,分函中国农民银行、四川省银行、暨各省政府照办。四川省购粮,系随赋带征,需用小额券额过巨。且斗以下之尾数,无法给付。为谋补救起见,由粮食部印发库券领换凭证,计1升证、2升证、3升证、4升证、5升证、1斗证、2斗证、3斗证、4斗证、5斗证十种,并拟定三十年粮食库券领换凭证领换办法。

(二)搭发粮食库券之流弊

(甲)库券储蓄券增加国库负担——在三十三年上半年,仅搭发现款一项,即需11亿余元(该时币值),其他储蓄券需8亿元,粮食库券约计1,260余万市石。储蓄券自第三年起还本付息,粮食库券自第三年起分五年还本付息。非增加以后年度之国库负担,即减少以后年度之粮食收入,而其利益多半落于大粮户手中。

(乙)搭发库券储蓄券不利于小粮户——在战时印刷库券,非常困难,因此券款不能于征购时立刻发给。人民挑送完粮已感耗力费时,如购粮价款须俟将来发到之时再去兑领,则所花川旅杂费为数可观。在小粮户或竟超过应得价款,得不偿失,故不免有放弃不领者。

（丙）容易引起怀疑心理——购粮时，不同时发给券款，极易引起人民怀疑心理。

（丁）大粮户低价收买——小粮户售粮不多，搭发券款为数无几，如放弃不领，大粮户遂可以低价收购，以图日后取得巨额之本息，致社会呈现财富偏在之现象。

购粮价款，大概于开始征购时，一次汇至各省转发各县应用。但各县往往于接到价款之后，扣留不发，或存放生息，或经营商业，不啻以公款移供私人囤积居奇之用。故购粮给现，殊不妥当，但改发库券，亦有流弊，盖获利者反为征收人员及大地主，一般贫小粮户未得实惠，因此川黔等省地方团体或民众代表曾对中央有"废购增征"之建议，盖征购给价或给券，在中央所费甚巨，而贫苦粮户未得实惠，何贵乎有此名不符实之征购制度！

九、征购改为征借

征购给价，产生了种种弊病，于是民间有"废购增征"之建议，足以反映购粮给价，对于一般粮民印象，并不甚佳。于是三十二年度首先废除征购给价。该年四川首先改征购为征借，停发三成现款，全部改发粮食库券。适该时中央允将三十年粮券五分之一及其利息于三十二年度征购额内扣抵，则粮券已不啻成为有价证券，引起民众重视，乐为收储。故全部改发库券，比较领取式微之现钞，容易引起粮民一致之拥护。况政府所定之购粮价格，比较市价低得多，故所得之三成现钞更少，转不如储藏与谷物实价相等之库券，即稍有损失，亦不过兑现之时间约略展缓而已。所购粮额，既全部改给库券，暂不定价格，将来偿还之时，又可酌给利息，则粮券无非是一种粮食借贷之凭证,并不含有购买的意义,名虽征购,实则征借。此为四川改购为借之理由。继四川而改购为借者,计有滇、桂、绥、康、闽、陕、粤、浙、甘等省。此外安徽一省更进一步,改征借为捐献,既无给价之必要,复无发券之手续,不啻是田赋征实之变相,与"废购增征"之意见,适相吻合。

从以上所述,可知田赋征实之上,尚有征购,而征购改为征借,又要带征公粮,三者相加,负担不可谓不重。最重者当推浙江省。浙江省科则失平,民负过重,曾由省参议会向中央力争,比照江苏省科则办理,因而三十五年度得获准比照二十六年田额正附税2,160万元,减半征收,计全省赋额折合法币1,080万元,依据三十五年度中央征实标准,正附税每元征实3斗,征借1斗,公粮9升,共为4斗9升,全省应征实物应有500余万石。以三十五年黄金潮后市价计算,每石平均以40,000元计,约值2,000余亿元。

十、粮食之仓储

就战时施行粮食管理工作言,粮食生产散漫,征购集中,至为困难,即集中后,亦非即时可以全数分配,必须先集中囤储于各仓,而后按各地之需要情形,由仓分别配拨以供应消费。在征购后至供应前一个阶段中,仓储实为重要之过程。盖粮食既购且征,皆系规定时间,按年办理结束,故所征所购,为数相当巨大,但消费则非短期所能完尽,故不得不有仓储。又实施粮食管理之中心工作,不外:

(一)支配市场,稳定粮价。要达到此一目的,必须随时有粮应市,使市面来源畅旺,自无涨价之可虑。

(二)调节供需,适当分配。欲达到此一目的,必须随地有粮,按情形拨济以应需要,自无供不应求之虞。故欲使粮管工作告厥成功，必须作到随时有粮随地有粮之地步，则储备工作，实为不能一日或一地缺乏之首要工作。譬如三十六年五月间杭州发生闹米风潮，亦因政府握有大量粮食，随时抛售平粜，并拨供公教人员食米，事态未经扩大。

在历史上，我国原有常平仓、义仓、与社仓之设。常平仓之目的亦在调节谷价，使之常平。丰收时谷贱伤农，则加价买进；歉收时谷贵伤民，则减价卖出，使生产者与消费者咸受其益。且常年积储大量谷物，可以随时做些赈济工作。义仓则重在博施普济，谷物多由人民捐助或政府征收，专备荒年赈救灾荒之用，使一般饥民灾黎能受实惠。社仓则系人民自己所办，目的在储存谷物，以备灾荒时贷放之用。此项贷出之款，于丰收时即可偿还归仓，故可称为共同备荒办法。战事发生后，湘浙等省采购粮食，亦有常平仓之名，但不知其有无常平之实也。

我国战时实施粮食管制，不但需要多量仓库，且须建筑坚固及合乎去湿、防热、防鼠、防虫等条件的仓库。粮食管理中之仓库，分为三类，"一为收纳仓库，在征收所在地设置，数量以每县不得超过八仓为原则，其容量以每县能容纳该县征购粮食总额之五成为准。仓务主管属田赋征收机关，亦即办理粮食征购工作机关。二为集中仓库，设置于各县水陆交通便利地点，数量以每县不过五处为原则，其总容量则按各省征购总额及分配交拨情形而定。仓务主管属粮政机关。三为聚点仓库，设置于重要转运据点、或军粮交接地点、或重要消费地区。其容量标准，在转运地之聚点仓库，应根据逐月之输出输入数字，以其最高时为应配置之容量。军粮交接地及重要消费地之聚点仓库容量，可以两月拨用量为准。收纳仓库，系初度集中之仓库，因收纳地点散在四乡，故需要仓数特多，但随储随拨,故设备不妨简略。集中粮仓,系再度集中粮食于交通据点以便转运,随时运出运入,故必须附有运输设备。聚点仓库为储存以分配于消费者。在消费者未来领用前,即须妥为保管,以免损耗粮食数量及品质。故集中仓库与聚点仓库,均有完善的保管设施,但政府规定以上三种仓库,均可彼此互相利用,则收纳仓库设备亦不可过于简陋。"

仓储之目的在储以待用,故善良保管为仓储工作之中心,否则所囤储之粮食,不到取用之时,已遭受虫鼠雀等之侵蚀,致数量减少,或因发热发霉发芽,米质变劣,不堪食用,则储存之意义全失。故实施仓储之目标,即在防止粮食数量的减损与品质的朽坏。因为须防粮食量与质之损耗,故必须改善仓库之建筑与内部设施。除仓房应建筑坚固外,内部构造以能符合防湿、去热、防鼠雀、防害虫等条件为优良。

但开征之初,以各省各县之实物仓库,一时不及兴筑,自当尽先拨借公私粮仓,或租用民屋分别修理备用。其中有因事实限制,不能与粮柜适应者,即行以柜就仓,柜随仓设。又如湖南滨湖各县则以船代仓。湘西有屯仓各县,则利用固有屯仓,均系因地制宜以期适合需要。不过此是一时权宜之计,年数稍久,自当广置粮仓,而设置仓库,当以便民省费二者兼顾为原则。便民之计,莫善于普设经征经收分处,俾人民征纳实物,不致引重致远,浪费人力物力。如湖南于筹备之初,即决定增加征收单位,以半径30华里为设置标准,共设528处。惟仍恐粮户困难,因限于预算与规定,不能再行增加,于辖境内均匀配置,但同时亦须注意避免轰炸,自不能尽量设在交通沿线。惟食物经收进仓后,如仓库过于分散,则水陆交通线不能尽量利用,拨运更感困难。加以吾国各县市往往因境内一时青黄不接,有禁止粮食出境之举,甚至县属各乡保为未雨绸缪,亦多自行禁运,其影响征实工作之巨,可以想见。

十一、平衡供求

粮政机关之第一件工作,是使供需平衡;供需平衡,方可使市场稳定。但如何使之平衡,成一重要问题。下列各项为必有准备:

(一)接管及清理积谷——积谷之监督管理,在中央其主管原属于内政部,在各省属各省民政厅。此为粮食部未成立前之办法。粮食部成立后,依该部组织法第十条之规定,积谷就划归粮食部主管。自此积谷事项,在中央方面由粮食部负责办理,在省由粮政局负责接办。粮食部既能掌握实物,容易控制市场。

(二)调查大户存粮——接管积谷之外,尚须明了粮食之余绌实况,借以掌握来源,故调查存粮,实亦为控制之基本工作。我国耕地辽阔,生产散漫,但大宗粮食,集于地主富农之手。调查存粮,如只从大户着手,则轻而易举,收效亦宏。但开办之初,因调查时间仓卒,人员训练未周,兼以人民咸怀观望,以多报少,甚有绅粮地主隐匿不报,致调查结果未能使人满意。在四川大地主甚多,故管理粮食与取缔囤积,当然要自富户做起。故令各县举办常年额收租谷500市石以上粮户之登记,后复规定补充办法,举办300市石以上之粮户登记。在其余各省市分令就三十年度纳粮10市石以上之粮户调查存粮。

(三)粮商登记——欲使粮食供需平衡、市场稳定,在积极方面,必使市场粮源畅旺,民食所需不感恐慌。在消极方面,必严禁囤积居奇、垄断操纵,非粮食业商人经营粮食业务者,固须严厉取缔，而粮食业商人有购囤积居奇或有抬价竞购及黑市交易行为者，自应随时依法严惩。故粮商登记为粮食管理要项之一。但若有各省市自订粮商登记暂行办法，则步骤难期一致，自当由中央斟酌实际情形，拟订粮商登记规则，普遍施行，以期划一。凡经营粮食购销、仓储、加工、经纪等业务之公司、商号、行栈、仓库、厂坊、合作社，均须向粮政机关登记，须有营业执照后，始得营业。且已登记之粮商，应加入粮食业同业公会，按月填报营业实况，以便控制。夫粮食业务至为繁巨，不得不利用原有粮商组织，借收驾轻就熟之效。但必须为合理之经营，尤其在非常时期，粮商业务，关系粮食管理，不能任其自由而为非法之交易。即在未办田赋征实之省份，如山东，亦须举办粮商登记。中央虽定自三十五年七月一日起开始田赋征实，但大部县份皆被共军控制，故征实业务不得不延缓。然为调剂民食，必须施以有效措置。山东田粮处明令济南及各县，一面严禁囤积居奇，督售大户存粮，疏畅粮源，一面举办粮商登记，组织粮业公会，评定粮价，阻止狂涨。

（四）节约消费——欲求粮食来源充裕，节约消费，似为必要之举。各地消耗粮食为数颇大者，当推酿酒一项，应就各省实际情形，核定禁酿范围。米麦为人民主要粮食，各省应一律禁止酿酒。其他杂粮，在缺粮省份，或在歉收年份，亦应予禁酿。只能在余粮省份及自给省份，可以酌量开酿。至酒精工厂，关系国防工业，其所需之制造酒精原料，又当另定管理办法，颁布各省，依照办理。

十二、棉田征实

国家总动员会第二十一次常务会议鉴于环境之变迁，客观之要求,决定自三十一年度起,扩大征实范围,举办棉田征实。所谓棉田征实,即棉田征棉之谓。于稻、麦、玉米、高粱、甘薯等杂粮之外,增加棉花工业作物一种。诚以各地物产,互有参差,田赋课征标的物,亦应因田地而异。其为产棉之区,自得指定棉花抵作赋税。征棉与征粮,在基本原则上并无二致。为适应战时需要,固不得不毅然采取田赋征收实物一举,有认为因时制宜,为理财之权宜措施者。不过这种措施,实系田赋征实之一小部分,只可称为粮食征实,不得称为田赋征实。我国幅员辽阔,物产不齐,在产棉特区,几全不产食粮。如产棉区域,田赋征收粮食似多窒碍,而惟一的补救办法,亦只有实施棉田征棉。且产棉区域大抵仅种少许自用之粮食作物,有时尚须向外购备食粮,棉农一切用途均赖棉花交易。例如河南纯产棉区,棉田约占耕地70%乃至90%,仅以其10%种麦。若以田赋征实种类限于稻、麦、杂粮数种,则须将棉花低价出售,以所得之款,高价向市场购进粮食,缴纳田赋,一出一入,被奸商盘剥二次,岂贫苦棉农所能忍受?为补救计,似应实行稻田征粮、棉田征棉之变通办法,以免棉农之损失。依照田赋征实原案,赋额1元应征小麦2市斗5升。改征棉花后,若以当地市价每市斗小麦能换皮棉2升计算,则棉农应纳皮棉5斤,岂不赅括明了?不过粮棉市价时有变动,折合难有一定之标准耳。

棉田征棉,除避免损失外,尚有一更重要的理由。在战前种植棉花等工业作物,虽成本大而利益仍属优厚,不虑生产短绌。但在三十二年抗战方殷之际,粮价上涨,比较棉价大一倍,故种麦1亩,等于植棉2亩。棉农为利害打算,焉能望其不舍棉而就麦乎?二十九年秋后,粮价相对高涨,棉价则仍平稳,棉农无利可图,遂纷纷改种粮食作物。三十年内棉花栽培面积,实较二十九年减少30万市亩。若田赋征实,限于稻麦及杂粮,则棉农为应征国家赋税起见,不得不增加食粮作物种植面积,使棉种面积益形缩小。故棉田征棉,实为必要之步骤。但一旦征棉,如棉价比照粮价相对低落,仍不利于棉农,应予合理调整,务使种棉利润不低于种稻之利润,借以维持原额。此就棉农之利益与棉产之维持原状而言也。

为政府着想,实行棉田征棉,亦可以掌握物资,平抑棉价,庶棉花不致成为奸商投机操纵之对象。管制物价,虽以限价为中心,但必须增加生产,掌握物资,方可收管制之实效。掌握了棉花,遂可实行以花控纱、以纱控布、以布控价之连环政策。

十三、田赋征实滞纳处分

田赋征实,定有期限,逾限缴纳者,须加收滞纳罚锾。依三十三年九月十九日国民政府颁行之战时田赋征收实物条例之规定,此项滞纳罚锾最高额为20%,不可谓不重。其延不缴纳者,国家得提取土地收益或拍卖欠税田产抵偿。前者为执行罚,亦即过怠金性质。按一般租税通例及财务罚锾之规定,人民滞纳税课,得以过怠金方式予以金钱罚,但不能对纳税义务人加以物之处分或变价抵偿,因为关系人民之私权,非行政机关所得处分。后者(即延不缴纳者,即提取其土地收益或拍卖欠税田产抵偿)为强制执行,应送请司法机关办理。盖在私法上言,当义务人(或债务人)不履行义务之时,权利人(或债权人)无自为强制执行之权能,必须依据民事诉讼法经过判决、裁定等程序,再由权利人请求强制执行以达到权利返还之目的。在田赋滞纳案件中,权利人是国家,其权利自非私法性质,义务人为纳税义务人,其中义务亦是公法上之义务。

经征机关亦非普通之债权人可比。然则司法机关执行强制提取收益或拍卖地产,舍强制执行法以外,并无其他可资依据之法律。故事实上亦不得不根据强制执行法而为之。但种种问题即因此发生。举一个例:

欲强制执行,必负担强制执行之费用。依强制执行法第二十八条之规定:"强制执行之费用,以必要部分为限,由债务人负担,并应与强制执行之债权同时收取。"依此费用当然由纳税义务人负担,毫无疑问。但该条后一项说:"前项费用,执行法院得命债权人代为预纳,"明明说经征机关虽无负担执行费用之责任,但须代为预纳。此在私人债务关系中,不成问题。债权人先予代纳,可以向债务人扣回。但经征机关,并非普通债权人可比,本身并无的款。一切支出,均为预算所规定,支用时,必须经主计处派来之会计人员签核,向公库提取时,或须经审计部派驻公库之审计人员签核(事前审计)。代纳之款,既不列入预算,将用何种款子来抵用?将以何种科目记账?何种科目可以流用?皆是实际问题。这个问题不解决,所谓强制执行,事实上等于空谈。此外问题很多,朱馥生氏著《田赋征实滞纳处分之症结》一文,载浙江经济第三卷第一期,值得一读。因此之故,经征机关鲜有运用滞纳处分之规定者,即运用亦不生实效。一考各县实际情形,则知征收成数甚低之县份,并不在少,而何以始终不依法强制执行,其中症结,即在于此。

按现行田赋征实滞纳处分,除加收滞纳罚锾外,带有极浓重之强制性。例如强制提取该欠户之其他资金抵偿,与拍卖欠赋土地及其定着物抵偿。假定强制提取其他资金抵偿欠赋,则须依照强制执行法中"关于动产之执行"一章办理。此中须经查封、公告拍卖、或作价变卖诸阶段(第四十五条),手续之繁琐,时间之迂缓,亦当在数个月以上。若认定其无其他资金而声请为"拍卖欠赋土地及其定着物抵偿"之执行者,则依法须经查封、先期公告、依期投标或再投标、拍定或强制管理诸阶段(第七十五条),手续之繁琐,时间之迂缓,更甚于动产之执行。况事实上公家拍卖欠赋土地或其他动产,人民格于情谊,不愿承买。兹假定不顾一切,拍卖欠赋土地及其定着物而无结果,势必定期再拍卖,如仍无结果,只得依第九十四条之规定,将不动产由执行法院交债权人承受。如不愿承受,法院有权命令债权人为"强制管理"。但田赋管理机关之业务为征赋,并非管理不动产,故强制执行法之规定,用之于公法上之田赋催征,其扞格难行之处,彰彰明甚。强制执行法始终未经经征机关运用,症结在此。

第二章 专卖

一、专卖起于战时

我们说过所得税起于战时,我们亦可以说专卖事业亦起于战时,因二者之举办皆缘于战时财政之要求。战事爆发,军需浩繁,平时财政收入,绝不敷以应需要。况战争之时,所得税收不能保持常态,若于此时推行一种专卖制度以应事实需要,未始不是一种应变的方法。日本之专卖事业,即以甲午战争与日俄战争为其原动力,其目的亦在增加收益,它所行的三种专卖为烟草专卖、食盐专卖与樟脑专卖,皆系历次对外战争之产物。我国古代,亦曾实行专卖制度,如周之泉府,齐之轻重,汉之平准,宋之易市,皆含有专卖之意,其专卖物品,历代均以盐铁茶酒为对象。迄于今日,其仍保留专卖遗规者,仅食盐一项而已。汉代举办专卖,无非为增加对外作战经费。汉时盐铁的产销皆由私家商人经营,政府只是征税而已。汉书食货志谓:"至秦则不然,田租口赋盐铁之利,20倍于古,汉初循而未改。"是汉初一如秦税。汉武帝时,因为一方对外的长期作战和财政两难,一方又鉴于盐铁业的获利优厚,故收盐铁为国营,此时当然不须征税。昭帝时,虽于短时期准民自由,但不久又复行原案。

二、独占的种类

原来国家所独占经营的事业,不止财政的独占一端,此外还有所谓行政的独占,英文称之为 Administrative Monopoly,其目的是为国家办理行政,对人民提供劳役,不以收入为本来目的。最好的例子是邮政电报等类事业之独占。至于财政的独占,其目的固在谋取收入以应国家的需要,可以称为财政的或收入的目的;但另一方面亦在利用国家财政政策,对人民的经济行为,或者加以鼓励,或者加以限制,或禁止,以达到国家所定的经济政策。此种目的可称之为社会的或经济的目的。例如专卖物品之价格,自可依性质之不同分别等差,对于平民用品,定价宜廉,对于奢侈物品,不妨斟酌提高,按级定价,直接可收寓禁于价之效,间接亦可取缔无益消费。

三、专卖政策之决议实施与一般原则

三十年春国民党第五届执行委员会八中全会通过:"筹备消费品专卖以调剂供需平准时价"一案,议决先从盐、糖、烟、酒、茶叶、火柴等消费品试办,财政部即于同年五月间设立"国家专卖事业设计委员会",从事于 6 种专卖事业之设计与筹备。自三十一年起,已先后将盐、糖、烟类、火柴等 4 项筹备完竣,付诸实施。酒与茶叶以实施条件尚未具备,暂行缓办。至于盐专卖一项,仍利用原有组织,由盐务总局继续办理。另设烟类专卖局、川康区食糖专卖局、粤桂区食糖专卖局、闽赣区食糖专卖局、火柴专卖公司,均以商业组织方式负责经营,分别设置董监事会,借收监督指导之效。兹将八中全会议决之一般原则录后,以明我国举办专卖事业之步骤与范围:

(一) 政府专卖,拟先从盐、糖、烟、酒、茶叶、火柴等消费品试办。

(二) 政府专卖物品,以统制产制、整购分销为初步实施办法。其零售业务,仍利用现有商店经营,但须经政府登记给予特许营业证,并须按照政府规定办法经营买卖。

(三) 政府专卖,以使人民得公平享受、公平负担为主旨。专卖物品寓税于价,实行专卖以后,不再对物课税。

(四) 专卖事业,有全国普遍一致之性质,应归中央统筹办理,各级地方政府不得为之,并不得对于专卖物品课征捐费。

(五) 财政部设专卖事业设计委员会,对于专卖事业之一切制度章则及其他必要事项,应于4个月内计划完成,即筹设主办机关,实施专卖。

四、专卖由于间接税缺乏弹性

吾国中央税制,向以间接税为骨干,租税收入,取自消费物品者占90％以上。近年以来,虽努力于直接税制之树立,然为时尚短,尚不能奠立一个坚强的基础。推厥原因,则以吾国各种直接税法规之制定,以自身无过去经验可资参考,不得不借镜于欧美税法,因此未免侧重理想,不切合实际。例如关于登记申报调查计算之规定,其手续之复杂,表格之繁多,绝非知识水准极低之一般人民所能了解。结果反不能切合施行,皇皇法令有时竟成具文。如三十五年修正之所得税法,特加入综合所得税一项,因为税法内容与实际情形相差太远,迄今尚未开征;只得日后就推行之事实,作不断之改进。在直接税未能推行尽利之前,不得不偏向于间接税中之消费税(关、盐、货)。不过间接税制,缺乏弹性,已为一般所共知。就吾国现有之消费税,增加税率,事实上有其限度。故在战时,欲以通常之正当途径,增加税收,困难重重,不如从间接税中抽出若干种消费税,改行专卖以替代之,把税金与利润二项包括于专卖价格之内,则于税金之外,尚有利润可获,政府收入自较丰厚。此项利润,原为私人所有,因专卖结果,完全归入国库,故国库获有双重收入,不啻于原税之上,再加一种附税,且此附税或超正税而上之,无异增加消费税之弹性。况课征消费税,不易依品质而分等级,且亦不易随时改订税率,故犯"累退税"之病。若采用专卖制,则可按品质之高低,分定价格等级,以免品质愈低负税比例愈重之弊。且此种专卖价格,可以随时按供求之关系斟酌提高,以适应财政之需要。

五、消费税盛行之国家适用全部专卖制或局部专卖制

一个国家,如其税制尚不能完全改为直接税制以前,多为环境所迫,将若干种消费税改为专卖制,以裕国库收入。故所谓专卖制者,乃指间接税中消费税之独占课税方法而言。凡属应纳消费税之货品,如适用于专卖,国家可以归纳于专卖制之内,施行全部专卖固可,施行局部专卖亦无不可。如国家独占其生产或制造,或独占其收购或贩卖,皆是局部专卖;若并生产制造与收购贩卖皆独占之,谓之全部专卖。此种专卖形式,孰优孰劣,初无一定,须视一国

之国情与一般环境以为断。大概言之,从增加收入着眼,全部专卖为优;从轻而易举着眼,局部专卖又较全部专卖为宜。实际如何运用,应视实施专卖货品之产制情形与需资多寡以定取舍。全部专卖在今日之情形下,是属不可能,不得已而求其次,施行局部专卖制。大抵专卖物品,由私人生产或制造,归国家收购,售于承销商,转售于消费者。例如三十一年五月间所颁布之战时火柴专卖暂行条例第三条规定:"凡经许可制造或输入移入之火柴,概由专卖机关收购之,"可知现行火柴专卖,既以充实战时财政收入为目的,则最要之旨,当为力谋扩展销额,借以增进专卖收益。另一方面,火柴专卖,既采收购方式,其惟一要义,厥为来源充分,有货可收。于此则必须首先讲求火柴供应问题。然以火柴开始专卖时之情形而论,恰与财政需要之情形相左。因需要大于供应,不足之数,除设法增产外,无法弥补。自国外输入,既不可能,自沦陷区走私,亦有问题。故专卖收益之大小,完全系于火柴供应之丰啬,乃为不争之定论;而火柴供应之丰啬,又系于原料来源之充足与否。如原料来源不易觅得,火柴供应濒于断绝,火柴专卖效果等于画饼。职是之故,糖、烟、火柴三项专卖实施半年之后,所得收益是:糖专卖达 8,600 万元,烟类专卖达 2,000 万元,火柴专卖只达 400 余万元,合计共达 1.1 亿元(三十二年初币值)。

除上述之全部专卖与局部专卖制之外,国家因人力财力的缺乏,无力经营各种专卖,可以把若干专卖权以契约方式,让予国内外私人公司来经营,国家每年只取得一定额报酬,对于受让人的权利义务,经营的年限,售货的价格等等,严格予以规定。此种制度称为让予权或特许权制度(Concession System)。苏联在推行几次五年计划之中,曾利用这个制度来加速它的完成。

六、专卖与专利之区别

专卖二字原指财政的独占而言,英文原名 Fiscal Monopoly,日人译为专卖,我国从之。其实专卖二字,不十分确当。因其范围初不限于专卖,可视其情形之所宜,进一步举办原料收购制造各种专利。例如卷烟可以举办原料专利,其民间制造之卷烟,必须由国家收购,同时官方亦设厂制造。故国家可以得这三种专利,但最后必须做到专卖。除原料专利外,办到民制官收官运官销。又如烟酒,因种类繁多,产地散漫,制造及运输必须听人民自由,我国官方仅能做到公卖即算成功。

如德国举办之专卖,仅白兰地酒一种,近于完全专利。细分之,包括下列各种:

(一)收购白兰地酒业所酿之酒(收购专利)。

(二)从植物纤维素、纤维沉淀质、炭化钙、以及 1914 年 10 月 1 日以前在专利区内未经利用之原料,酿造白兰地酒(有限制之制造专利)。

(三)输入外国白兰地酒(输入专利)。

(四)精炼白兰地酒(精炼专利)。

(五)运销贩卖(专卖)。

从此可知专利之范围远大于专卖。酿酒业虽有国营与私营之分,但国家握有控制力量,不致有生产过剩之虞。其控制方法是每年规定酿酒权,分配产额。在此产额以内,国家负"照基价收购"之责。但若超过产额,则国家得减价收买,不过市情变动频仍,今年所定产额,明年未必适用。故每年合议一次,以求适合市情。各酿酒业之产额百分率,亦因总产额之变更而有所增减。酿酒权与其业务及土地相连,不得转让,以免发生弊端。

凡私人制造之白兰地酒,必须交与专利局。至实行专卖之时,对于专卖物品,先规定一种基价,然后斟酌基价,规定收购价格,再由收购价格,加以运费、行政经费、及相当利润,产生专卖价格。对于规模较小之酿酒业,予以保护,故于基价之上,再加5%至15%。对于最小者,则予以特别保护,可加至30%,以为收购价格。酿酒业分农业酿酒业(大抵指用番薯或五谷酿成者)、果业酿酒业(指用果类酿造者)、与工业酿酒业(大抵指制造酵素之酿酒业)三种。凡产量超过分配额者,国家亦得收购,在果业酿酒业至少得照基价减10%;在其他酿酒业,至少减20%,以为收购价格,目的在防止生产过剩。

七、专卖与公卖之区别

在三十一年以前,我国对于专卖制度,只闻议论纷纷,鲜见施诸实行,有之惟有类似专卖而非专卖之烟酒公卖,及航空公路建设奖券之独占发行耳。远在民国四年,北京政府提出改良烟酒办法,以为实行专卖之初步准备。于是研究他国实行专卖之成规,以备采择。研究结果,得到三种专卖形式:第一种是商制官收商销,例如俄国,于1863年以前,特许商人设厂酿酒,由官方收买,寓税于价,分批售卖。此法因成本过巨,筹资不易,不能采用。且由官方收买,亦无商业经验可资依据,实施起来,必多窒碍难行之处。第二种专卖形式,是官商并制,官收商销。例如俄国1895年以来,于前项特许商人酿酒外,并设官办制酒厂,概由政府征税出售。俄国可行,但在中国因官商成本未必相同,而专卖之价,又不能分歧,必须划一,非商人亏折,即国帑受损。故此法亦不敢采用。第三种专卖形式,是官制官销,即产制与贩卖全归官方经营。例如瑞士火酒采官制官运官销方式,税款即包括于售价之内。此法必须将制运销全归政府独占,把所有私人厂家一律封闭,或归政府收买。如是于官方未曾学习制烟酿酒之前,已有基础之私人厂家均须停业,是利未收而害已见。故此法亦不足取。

以上三种专卖形式,既不能采用,惟有根据专卖之精意,变更施行之办法,订定一个似专卖非专卖之官督商销的公卖制,既不必筹备巨资,亦不必有产制之经验,一切经费归商人负担,政府只任督征之劳。于是在中央设立烟酒事务署,在各省设立烟酒公卖局,以总司其事。民四以后,各地军阀割据,全国行政未能统一,各省办法亦未能一律。民十六国府奠都南京后,财政部乃设印花烟酒税处,十八年一月设立整理烟酒税务委员会。二十一年八月税务署成立,烟酒税归并于税务署征收。自此以后,已与普通征课货物税之货品,无所区别矣。

三十一年举办专卖,原定盐糖烟类火柴茶酒6种。至实行时,只办4种,茶酒2种未办。推厥原因,不一而足。惟茶酒2项,种类不一,产区零散,品质不齐,不易标准化。如何可以推行尽利,必有待于精密之调查及详细之研究。故于北京政府未办专卖之前,先办公卖,以为一时权宜之计。

八、实施专卖应选择何种消费物品

专卖制度是用以替代消费品之课税。但消费物品,种类甚多,

并非任何消费品,皆宜于专卖,因而发生选择问题。大抵课消费税之物品,合乎下列数种条件者,可以适用专卖制:

（一）虽重课消费税而消费数量甚大者,生产集中,而易于管理收购者。——最好的例子是食盐。消费量甚大,产地亦颇集中,加以场产已有相当管理,仓坨之建筑亦粗有基础。采行专卖,因势利导,有裨财政,无可否认。但盐是属于国民最后生活费之所谓生活必需品。生活必需品虽可大量生产,大量消费,似不应课税,实为租税政策之根本常识。故盐不宜课税,更不宜为以财政收入为目的之专卖物品。

作者以为与其以食盐为专卖物品,不如改用食糖为佳。理由为:

1. 制食糖之原料相当集中,甘蔗甜菜以四川（包括西康一部在内）广东福建三省之产量为最丰。四川产地有资中等43县,广东有台山等20县,福建有仙游等19县。故原料产地相当集中。

2. 食糖是帮助消化之重要物品,为人类营养上所必需,但我国一般人民视糖为奢侈品,多不食糖,但生理上亦不发生不良现象。这是因为我们的食淀粉中,已含有糖质,即不食糖,亦不致影响人民之身体健康。因此糖之为物,食之固好,不食亦无所不合。故糖为日用必需品,但不是生命必需品,更非最低生活费所必购之生命必需品。此糖所以异于盐者也。盐是最低生活所必备之生活必需品,不但不应举办盐专卖,且应免税,糖则不然,且品质纯洁坚实,不易因空气而起各种化学作用。若将糖之售价酌量提高,对平民生计,亦无大害。故可以高出原价若干。至于盐,则为生命必需品,不能高价以图厚利。

查战时食糖专卖暂行条例,只就生产原料之管理、成品制造之管理、成品储存之管理、收购销售等项，加以规定，可知政府并无实行全部专卖之意。因所规定者，是民制官收商运商销之局部专卖制度，即欲实行全部专卖，事实上亦不可能，一因甘蔗与甜菜，皆为农家副产品，系小本经营的，绝少大规模之种植。若由政府收回自营，则大批小本农家，必群起而反对。若夫运输，则窥暂行条例之用意，似交由承销商自行办理。所惧者，运输被商人操纵，产地或有拥积难销之虞，销地有物稀价昂之患，供需失调，累及人民。故运输最好亦由政府筹办，否则食糖产区，只限于川粤闽三区，而销费则普及全国，极易受奸商操纵与把持，致妨碍销区人民之服食。必如何方能使政府收专卖之利，而人民可免奸商盘剥之弊，是值得研究的问题。当创办之初，为顾全事实的需要，只办产糖丰富各地（例如川康区）食糖专卖，自三十一年二月十五日开始实施。在开办后七八个月间，糖类价格颇有波动，舆论哗然，而受害最大者，厥为一般消费者。夫实施专卖之用意，固在乎充实国库，但亦有安定民生之责任，庶国计民生，两得其利。糖价上涨昭示专卖政策之失败。查糖价飞涨之原因，固不出于吾人之所预料，完全在于奸商阴图囤积事情。战时国防动力原料，需要酒精数量，有增无减，而酒精工厂，又遍设全川，对于所需糖类原料，纷纷作大量购储，致形成糖价日趋上涨。但各地酒精厂，多以设厂为名，阴图囤积糖类。故市场价格，波动更大。于是经济部对于未准登记之酒精厂，取缔五六十家，多系仍在筹备尚未开设，或已开设尚未开工之厂。

此外自滇缅路因战局关系截断，外运困难，各地游资集中于四川资中内江自流井一带。内江系糖类交易中心，而当地之银行钱庄共有38家之多，不乏以大量资金作糖类投机买卖。往往糖类仍在产地，未经运出，而糖之所有人，已变换数次，一如沪上证券交易所之做期货交易然。每经一次交易,糖价即抬高一次。但专卖利益并未比例增收。专卖得此结果,不能谓已完成使命。办理专卖应从三方面观察。从财政方面观察,固为谋增加收入,但从经济方面观察,则为稳定物价。关于物价,食糖专卖之成就,似不及火柴。自火柴实施专卖后,于三十一年一年中,价格并无若何波动。此外还要从社会方面观察。以烟类专卖言,除为财政收入目的外,在节制消耗方面,固含有经济目的,而在防烟伤身方面,则具有社会目的。

(二)专卖物品必须择其无若何弹性者——即价格提高,不致大减消费量;价格降低,不致大增消费量。食盐与火柴,皆是好的例子。德意二国早已采行火柴专卖。中欧各国,近年来亦多相继行之。若我国仿行,固可裨益国库,但不能无问题。如原料来源不甚充裕,如制造火柴之机器不能自制,皆是严重问题。

查三十一年之火柴专卖,亦与食糖专卖相仿,采分区专卖制,系一种财政性质之局部专利制。三十一年八月十日施行于川康黔三省,十月一日起施行于闽省,采收购方式,但必须有货可收,方可使供应不成问题。制造火柴之原料,最重要者当推木材和药料2种。木材本非稀少之物,但可供作火柴原料者,以易于燃烧而亦不能过于燃烧、富于韧性而不易折断者为适合,是以不易多靓。四川边区适用于制造火柴之木材甚多,因运输不便,不能运至制造厂地,此其一。至于主要化学药料,如硫化磷、氯酸钾等,则非采用舶来品不可。自太平洋战争爆发后,此种药料来源,几全部断绝。虽可以黄磷代替赤磷,然以黄磷含有毒素,有害卫生,亦不宜久取而代之。然抗战结束之后,这个问题,容易解决。对于生产药料,各方面研究得已有相当成效。

我们要注意的,不是原料问题,乃是替代问题。一般说,火柴无若何弹性,无论价格之大小,火柴非用不可。这话并不十分准确。火柴与食盐不同。食盐无替代品,非吃不可,故无若何弹性。火柴则超过一定限度,弹性极大。西北一带,人民生活较为简单,多有仍用火石火镰者。在抗战期间,西南沿川黔桂公路大小城镇,视火柴为珍品,平常用以引火者为刨花,火种为余尽或燃点不息之棒香。生火作炊,往往费时甚久。施行火柴专卖,因视火柴为缺乏弹性之消耗品。但因火柴有替代品,提高价格,必大大地影响火柴之专卖利益。且火柴替代品,未尝征税,亦无征税之可能,更不能强人民舍替代品而用火柴。故实行火柴专卖之成败得失,殊难悬揣。

(三)专卖物品宜为易于标准化者——例如烟叶,品类繁多,我国普通分为土种烟叶类、与改良种烟叶类(即美烟)两种。然以品级不易划分,生产成本不易明晰,产烟区复散漫各处,并不集中,产销量又缺少真实之统计,欲举办专卖,对于原料统制,自必深感困难。首先应将产区圈定,分成若干美烟区与土烟区,查明销量,制定产量,栽植时并须协助烟区农民组织合作社,指导栽薰之改良、肥料之选择、办理贷款之手续、以及品级之划分。如此方可使烟叶标准化,方合于专卖之用。至于卷烟,则有洋商之阻碍,办起来亦有多少困难。

我国亦行过盐专卖,基本言之,亦仅办到官收而已。至于官运,一时亦未办到。所行过的,无非是委托商运制,在政府严密监督下,办理运输。欲求全部办到官制官收官运官销,不仅资金有限,事实上亦不可能。不过有一点值得注意的,——盐是标准化的。盐专卖暂行条例第四条规定,盐之品质,视其所含氯化钠之成

分,分为下列三等:

1. 一等盐含有氯化钠 90% 以上。
2. 二等盐含有氯化钠 85% 以上。
3. 三等盐含有氯化钠 70% 以上。一等盐所含水分,不得超过 5%;二等盐所含水分,不得超过 8%;三等盐不得充作食盐。举办盐专卖之目的,一面固在增加国库收入,一面亦在顾全人民卫生与健康。标准化之后,所有过去产制上种种弊病,可以消除;一切搀杂作假等情弊,亦可以铲除,至少减低至最小限度。总而言之,欲举办专卖,必须改良专卖物品,不然何贵乎专卖?但欲改良物品品质,必首先办到标准化,此乃不刊之定论。除盐之外,火柴亦为极易标准化之商品,大抵分为数级,每级有一价。在三十一年一年中,最高价格为 1 元 2 角,每级降低 1 角,自最高至最低,亦仅相差 2 角。

我国工业界不愿购用本国的土产,大抵因土产未曾标准化之故。故所用原料,多来自国外。吾以为吾人可仿英美烟公司之先例,在国内自动地改良农产品,以替代外来之原料,一则可以堵塞漏卮,二则可以增加农民之购买力,一举而数善备。英美烟公司之烟叶,出自河南与山东两省,用垫款的方式,指导农民如何改良。原料品质,又好又标准化,收获甚大。吾国农产品之最大的缺点,就是没有一定的标准。欲办全国专卖,一定要采用大量生产的方式。大量生产之产品,既有标准,其所需之原料,亦非有标准不可。吾国所产各种原料,皆是小规模经营之结果,固无标准之可言。就棉花论,农民种植棉花,各自为政。因无一定种子,故所产棉花,纤维长短,光泽色彩,各各不同,不能排成几种牌号,最多只能以地命名,如灵宝棉花、南通棉花、余姚棉花等等。虽其品质之优劣,大体上尚可比较,若绳以严格之标准,相去实远。过去棉产不但有品质不齐之缺点,同时农商道德亦多欠缺。农商业者,每贪图目前微利,不顾信用,任意将棉花搀杂搀水,冀加重其分量,棉花更无法分类。若勉强分类,所费尤多,成本尤大。加以棉花搀水后,纤维易坏,麦子搀杂过多,如砂石等类,易使机器损坏。纱厂粉厂,自不乐用。棉产既没有标准。自不得不以产地命名,如灵宝棉花南通棉花等等。假定灵宝棉花最佳,列第一等;南通棉花次之,列第二等;余姚棉花又次之,列第三等;各以地域名,并无其他牌号为之区别。各地农民,无论其对于种植改良,如何努力,不足以增进其交易上之信用。如余姚棉列第三位,则凡余姚人所种植者,皆将列入第三位,无论如何努力改良,难得升列第一位或第二位,岂不徒然。其足以阻抑种植之改良者可知。如此人人皆将因循相袭,中国棉产将永无进步之日矣。

(四)专卖物品为消费物品,具有应取缔之性质者——政府对此类物品采行专卖,不第可以寓禁于征,且可借以管制其消费或用途。例如酒在中国,是最广泛之消费品,嗜之者虽未成习,然多不愿立即戒除。故事实上此种专卖,一面本于社会政策之目的,一面亦本于财政之目的,因其能获得巨大之收入也。又如奖券独占,本在限制人民赌博行为,盖侥幸之心,人所常有,纵即禁止,未必遽能彻底。若归之公办,则一方面予以相当取缔,另一方面国库可获相当额外之收入。不过奖券公卖,著者向来竭力反对,以其增强人民侥幸之心,引人民走向赌博之路,一面又以法令禁止赌博,岂不自相矛盾?

(五)特产品——如桐油为我国之特产,又为易货物品,故主张全由国营者,采用专卖制,最为适宜。惟创办伊始,不宜大事扩充。如各种专卖办有成效,不妨仿智利之硝石专卖,日本之樟脑专卖,意大利之金鸡纳霜监督,可以财政收入为目的,实行桐油专卖,不过桐油系液体,容易搀杂,不便保管。用途有限,销路不广,且为工商业用品。实行专卖,不仅销路有限,且将影响有关工业制造品之生产,似不适于行使专卖。

九、举办专卖之主要目的与副目的

我国自实施专卖制度后,各种专卖品,因其性质不同,故实施方式亦有差异,而推行之主要目的,则在充裕战时财政。此为各种专卖所共具。但除此主要目的外,尚有几种副目的。以烟类专卖言,专卖可以节制烟类之消耗,则含有经济的副目的;烟能壮身,在此方面,又具有社会目的。改良品质,不仅影响销路,亦且影响人民之健康。在战时,因物资缺乏,品质恶劣之货品,因供不应求,销路尚不止断绝。战事结束之后,劣等货品,推销堪虞。故为达到财政目的,改良品质,实为当务之急,而为达到社会目的,尤须注重人民健康。旧法产制,品质窳劣,如糖类搀杂,火柴含毒,加以奸商贪利,在在使品质日趋恶劣。土种甘蔗烟叶,至为低劣。如欲增加生产,减低成本(经济目的),似宜设法大量推广爪哇种与印度种之甘蔗,及推广美国种之烟叶。精良种采用之后,产量可以大增,而成本亦可以减低。

十、专卖制之优点

专卖之优点与缺点,桓宽盐铁论一书已言之甚详。该书为盐铁专卖孰利孰害辗转研究之伟大著作,惟因时代不同,未能具备近

代专卖制度之一切特色耳。欲讨论专卖之优点,应从数方面观察:

(一)从财政收入方面观察——专卖由消费税蜕变而来,故欲明其优劣,必首先与消费税作一比较。第一,专卖是一种大规模的事业,可以利用分工制与机械生产以减低其生产费。因此货品价格亦必低廉,而人民负担,随以减轻。第二,企业利润,原为私人所获。今因举备专卖,改归国库所有,国库收入自然增加。第三,在自由竞争制下之一切无谓费用,如广告费、兜售费等等,均可节省。第四,各国通例,政府对于专卖之价格,或以法律定之,故富于弹性(消费税大概缺乏弹性)。

(二)从国策方面观察——欲保护落后国家之产业,当然要以关税政策为工具。本书主采保育政策,以达到某种程度之保护为目的(详关税章)。若政府不赞成这种主张,而欲实施彻底的保护,则企业独占最为合式。

(三)从课税技术上观察——专卖制之下,国家对企业之控制,较为完密,一切逃税匿税之流弊,不难革除。因税款已包括于售价之中,一切征税纳税之手续,均可免去,无形中节省了不少费用。

(四)从社会利益方面观察——实行专卖,可以限制私人资本之过度发展,就可以防止剥削阶级之独占利益,则社会不安之现象,亦不致发生矣。如运用局部专卖而得宜,且可收 1. 保护小生产者, 2. 安定物价, 3. 提高劳动者生活水准, 4. 消灭奸究操纵垄断之效。盖实行专卖制之后,若干专卖之物品,其价格自有一定之准则。况专卖之物品大抵属于全国普遍应用之物品,其价格足以领导其他物价,趋于安定。一旦物价安定,一般奸究自不能施其操纵居奇之伎俩也。

根据上面的理由,专卖制度是最合于战时财政的,尤其在中国这种地广人众的国家,一方面要利用间接税的优点,以充实国库,一方面又要避免由增加消费税税率而来之种种纠纷与弊端(如税率愈高,漏税逃税者愈多),则舍推行专卖制度外,别无良策。

十一、专卖制之缺点

(一)公务人员经营专卖事业之不相宜

现行的专卖事业,大抵采用商业组织的方法,于是便发生公务人员从事商业性的工作,是否相宜的问题。古典派首领亚当·斯密,反对政府经营企业,其最大的理由,是公务人员经营企业,往往以事业与己无切身利害关系,工作迟缓,资金浪费,既缺乏振作的精神,复未免有舞弊的惯技。如把物品售价定得很高,国库得不到相等的利益,而人民已受到高价的痛苦。这种弊病,在我国实施专卖短短的二三年之中,已经屡次发现过。盐专卖上的流弊,是人所共知,毋庸详述。但这种情形,决不是专卖制度本身的缺点,不是不可克服的。政府机关中之公务人员,与私人机关所用之人员,皆是同一学校所训练的,决不致在私人机关服务者,能奉公守法,遇事不苟且;而在公家机关中做事者,遂怠工误公,惯于作弊。这显然是管理好坏的问题,而非专卖本身的缺点。

(二)专卖需要大量资金

设立专卖制度,当然需要大量资金;如国库不能负担这笔经费,势必仰给于资本市场,则资本市场受到压迫。尤其在战争爆发之后,资本市场经不起这种压迫。结果公债政策,不免发生障碍。

在这种情形下,只能采用分区之局部专卖,先试办一二区,俟有成效,再行逐步推广。我国之糖专卖,即用此法。若仿苏联而采用特许制度,则在中国行之不当,容易养成特殊阶级。虽可以用契约来限制,总觉不妥。

(三)与民争利

在平时可以奖励私人自由竞争以扩充生产,但在专卖制下,国家处于独占地位,绝对不许私人自由竞争。寓税于价,仍由消费者负担之。从此一点观察,专卖制度之采用,似与民竞争。但与其重征滥课,苦累贫民,无宁发达公业,以获取正当之收益。此在平时为然,若在战时,需款更急,专卖之推行,为必然之结果。但一般见解,总以为专卖制有"与民争利"之嫌。衡其实际,在真正民主的国家,此种见解,实有错误。因专卖优点,系择若干物品,由国家直接经营。举凡居间剥削阶级之私人不当利润,一转移间,而变为国库之正当收入。不过在我国所谓"国家经营",往往与"官僚经营",不易分明,而国库收入,往往远不及官僚私人收入之大。假公济私,或以私害公,种种弊病,由此而生。

(四)专卖物品不能满足各式各样之嗜好

如一国的制造业,已十分发达(例如卷烟),而各制造厂家,皆惯于制造一种特别卷烟,以应社会上各式各样之需要,就可以吸引各类消费者之特别嗜好。因社会消费者之嗜好,异常分歧,所以卷烟之牌号与种类亦特别繁多。因消费者各有所好,故制造家能予消费者以各样之满足,生产质量同而香味不同之消费品。此自由竞争制度对于消费者之利。今若国家出而实行完全专利制度,将自由竞争制度根本废除,再进而加以合理化之管理,而生产质量相同香味相同之消费品。言其收入,固可较任何租税收入为多,但言其贡献,未必能如自由竞争制度下可以满足各式各样之需要,适应各式各样之嗜好,对于消费者确是一种极大的损失。且一旦国家决定全部专卖,化零为整,集中制造,并实行大量生产,并雇用有限之人工,则大部分自由制造业之生计,必将受其威胁而致失业。况改业不是一时可以办到。在过渡期间,国家他部分税收,转将受其影响。故完全专利,收入虽多,而税收短绌,工商失业,得不偿失。

十二、专卖物品价格如何决定

吾国实行专卖的办法,着重于专卖物品价格之管制。其管制办法,系由产制成本着手,即先于产制区域设立评价委员会,根据产制成本,加上制商合法利润(火柴为20%,烟类以20%为限,食糖川康区以20%为限,粤桂区为15%),评定收购价格。然后以收购价格为基础,计出政府收购成本,加上国家专卖利益(烟类为收购价格50%,统税在外;食糖为收购价格30%,内有统税15%;火柴未明定比率约合20%,统税在外),即为各专卖机关售与承销商之批发价格。承销商由其批发价格,另加承销商合法利润及应有之运杂等费,订定承销商售与零售商之价格。零售商再由此价格加上零售商合法利润及运杂费,订定零售价格。以上价格,均经由各专卖机关分别订定,报请财政部核准备案公告实行,从此可知专卖价格已获合理之管制;如承销商或零售商有不法行为,即可撤销其营业牌照。

十三、专卖取消之原因

专卖制自三十一年起开始,至三十三年底取消。查其取消原因,虽不一而足,而其最著者,可归为下列数项:

(一)专卖业务,自三十三年夏季,改组为专卖事业管理局。该局的作风,名为专卖,实则垄断一切,外间啧有烦言。加以业务开支极大,而专卖收入不著;支出的百分比,几占收入的50%。此其一。

(二)战时物价一概上涨,专卖物品,不能例外,随着上涨。但社会方面则希望专卖物品之价格稳定,事与愿违,深感不满,群起攻击。不过通货既无法控制,物价自亦无法平抑。故时时调整专卖物品之价格,实为不可避免之事。此其二。

(三)专卖局用人,动辄发生舞弊,遭致非议。此其三。

(四)孔去宋来。宋上台之后,即主贸易自由,放弃统制,故将各种专卖一概取消。盐务原办专卖,亦同时取消,改为就场征税。惟因盐务方面,对于产制运销,向来兼管,故取消专卖以后,内部程序及机构,改变甚少。此其四。

(五)盐烟火柴专卖的取消,改收统税,其好处是减少了民间的负担(因专卖开支太大)。加以专卖只能提高物价,而不能增加国库的收入。极大一部分专卖收入,是被拿去作为专卖机关的开支。而在另一方面,物品一经专卖,便要使企业家转业,物价之上涨是必然的。所以专卖对公私经济皆是无益的。然而专卖机构的改革,还必须做到制度的改革,徒把专卖取消而不在制度上想办法,是不够的,因为食盐专卖的管制机构没有变,人事没有变,管制的办法,依然也没有变,只是盐务局合并盐务司改名盐政局,并改征统税。盐、烟、火柴改征统税,税率照原有专卖利益拟定,并没有减轻分毫。这样,对于厂家的负担,还是沉重的,他们的困难,并不会因此减少。

第五篇 公 债

第一章　公债与租税

一、平时的公债问题

(一) 关于公债的新旧学说

关于国家财政,有两种不同之学说,一为古典派之旧学说,谓国家预算,必须求其平衡,竭力避免赤字预算,否则将危及一国财政之安全。此一学说,直至今日,仍有力量,是极普通的传统观念。一为今日新兴之学说,谓巨额之国内公债,只有繁荣经济之好处,没有危害国家财政之坏处。李嘉图时代的财政事实是消极性的,在现在,已经被资本主义高度发展的过程所根本否定。代之而起的是,财政对国民经济与国民生活比重的增大,这可视为财政对国民经济积极性的参与。兹先就旧学说加以简单的叙述。

(甲) 关于公债之旧学说

对于英国经济学者及财政当局发生很大的影响,而形成以租税为中心的财政政策之传统观念者,当推英国经济学鼻祖亚当·斯密。他是持公债反对论者,认为国家的临时支出,应以赋税来供应,若以公债替代租税,势必危及资本,且减少资本,则社会财富的生产力减退。我们的意见与斯密不同,以为如民间以投于生产事业的资金来购买公债,或有危及资本之患。如果于投资后尚有余额无法运用,则应募公债,反能增加资金的利息,有何危害之有?

他的弟子李嘉图,对于财政问题,与老师抱同样的见解,亦是一位公债反对论,租税中心论者。他认为:1.租税可以抑制无为的费用,2.租税出于人民的所得,而公债则出于民间的资本。

巴斯达白尔(Bastable)是近代英国最著名的财政学者,他所著的财政学(Public Finance)几乎是世界各国大学生所必需的参考本。他的意见,与其他正统学派的学者稍有不同。他以为 1.国家岁出,在可能范围内应以每年收入来抵充,故收支双方必须保持平衡,收入应与支出同比例地增加。2.如有巨额临时岁出,而以增加之税收补充,不免破坏正常的租税制度,所以此种短绌不妨以公债来填补。3.倘若临时经济是一种继续经费,延长数年之久,必须以各种各样的租税来适应。4.上述的原则能否应用,要看下列的三种情形如何而定:1.如租税苛扰,不能保持平均分配的原则时,则不能应用;2.如各种各样的租税同时征收,其数额竟超过生产力时,亦不能应用;3.如政治环境不许课征重税时,亦不能应用。他并说公债是与私债一样的,要看他是否用于生产事业来判断。

英国当代的财政学者达尔顿(Dalton)与希拉斯(Shirras)亦是租税中心论者。希拉斯的名著 The Science of Public Finance(财政科学)久为中国治经济学者所阅读,在该书的第 470 页,他亦论到发行公债的利弊,他的结论是:"在人民的负担能力限度之内,国家的临时费用,应该以租税的收入来应付。如英国财政大臣麦铿那,不仅认为战时的经常费应取给于租税,即公债的利息,亦当以租税收入来支付。只要征收租税于交易产业所无阻碍,就不应该发行公债来填充经常费。然而为避免租税的激增起见,发行公债,或有必要。可是在任何情形之下,大部分的收入取之于公债,是无可原谅的。"吾人应注意希拉斯对于战时的经常费既主张取给于租税,则他对于平时的财政,想决不主张以公债来调度。

(乙)关于公债之新学说

由以上所述,古典派之传统学说,谓不平衡之预算与激剧增加之公债,将危害一国之财政安全;而新派的学说,如美国哈佛大学教授韩森(Prof. Hansen)等主张者,则谓维持预算平衡,在今日新环境之下,并无必要,而公债之继续扩充,诚为繁荣经济与充分就业之必要条件。政府机关高级官吏中亦有拥护此种新学说者,如助理国务卿白理(A. A. Berle)是赞助者之一。他以为大战之后,即须开始复兴工作,而复兴工作中包括:1.农村复兴计划,2.公共事业计划,3.大规模建筑计划,4.40%的人口之营养计划,……及5.公共卫生计划。凡此各种复兴工作,其重要性不亚于战时之动员工作,若不妥为处理,积极推进,不免陷入不景气状态,甚至引起革命。但欲推进这几项工作,非仰仗于巨额之人力财力不为功,故白理氏主张成立一资本信用银行制度,负筹措巨额建设资金之专责。如此有工作,即有工资;有工资,即可维持或提高战时生活水准。若因此而增加公债,并无不良影响,不必主张预算必需平衡。

新学之主要观念,是巨额之公债,不但非国家之债务,应视同国家之资产;继续不断之支出超过收入,为繁荣社会经济必要之工具。平衡预算,是一种陈腐的思想。以不断增发之公债来挽救继续性之失业,实为必要之图。所以内国公债的性质,与私债绝对不同。公债为国家推行政策之工具;每一分文钱之建设支出,皆成为吾人社会中各分子的所得,所以支出与所得,实为同一盾牌之两面。今日之中心问题,不是金钱问题,乃是如何利用公债政策,把人为、资源、与组织配合起来,以达到充分就业与国家繁荣之目的。吾人应明白财政是为人所运用,并非人为财政所役使。

在复兴工作中,一切经济支出实际就是投资。新理论谓此次大战中,因公债无限止扩充,后方得达全盛时代。美国及其他参战各国,失业因岁出增加而消灭,生产亦激增,于是新学派认为此种现象,已足以证明他们已找到达到充分就业之妙诀。发行公债,殊不足虑,可以用增加之生产来付还所包含之成本。但此次大战仅证明公款之无限度开支,可以增加就业。这是战时之经验,不足以阐明平时继续不断之赤字,是否不致危及财政与经济制度之健全,自应从历史中寻觅证据,为此说辩护。

(丙)新学说之基本根据

不断的公共借款,为充分就业与永久繁荣的必要条件之说,是根据于下列三种基本观念:

(子)经济饱和论——在私资本主义之下,美国业已达到经济饱和点,突飞猛进之时期,已经过去,未来之工业进步,与以往相较,将不足道,因为经济之发展,必有赖于人口之急速增加,与新产区之开发。若人口增殖率降低,新区域之发现无望,如今日之美国然,则经济发展必受阻碍。19世纪为发展最速之时代,人口繁殖,领土扩张。此两种事实支配着当时全部经济生活。但别的新兴国家之史实,与此种论调,不相吻合。从瑞典发展的史实中,可以找出人口的繁殖,与经济发展,并无多大关系的证据。在1900至1930的30年中,瑞典人口不过增加20%,而生产增加,则超过300%。在国外所投之资金为数甚微,几全部属于国内投资。人口增加,需要与欲望当然亦随之而增加,固足以推广产销之范围;但现存人口之未满足的欲望与需要,亦能构成可能之市场。中国贫民处于水深火热之中,衣食住行,无一不成问题,若能使他们的生产力与消费力同时并进,亦可大大地改善他们的经济生活,何必先增加其生殖率而后再得进一步之发展？至于新区域,自1900年以来,已不见有需要巨额资本之区域开发,满洲移殖仅赖基础极薄弱之农业。职是之故,人口繁殖,领土开拓,为经济繁荣之必要条件之说,毫无根据。

在1890年代经济饱和点之说,已甚嚣尘上。一部分观察家认为生产力已远过消费力。美国劳工部长赖脱(Carrol D. Wright),竟说世界主要国家之机械与工业上各种设备,皆远超过生产之需要。他以为英、法、比等国所需之铁路与运河皆已筑成。意、西之铁道,荷兰之巨大工程,阿姆斯丹之通海工程,比尔尼斯、阿尔卑斯二山下之地道等等,皆已完成。此外如港口,如河流,皆完全开发,仓库与水电工程以及电车道等皆完成工作。……此种生产工具之供过于求,造成世界经济之不景气,世界上恐无余地,再可以作巨额之投资,如以往之五十年者;即使投资,其报酬亦不能如过去之丰厚,黄金时代似已过去。往日之饱和论者,与今日之饱和论者,犯了同样的错误——皆忽视资本发展之伟大的潜在力。美国人口亦在增加,若对于新增的人口供给必需品,一面又提高全人口的生活程度100%,所需之资本供给量,必超过以往之任何时期。这样伟大的新发展时代所贡献的投资机会,比较以往领土扩大时,有过之无不及。此次大战之后,可预测的资本发展机会,决不亚于已往。人造橡胶、无线电传真、玻璃业、流动房屋、人造纤维素、航空运输等等,皆是日后可能发展的工业。因此韩森教授亦已放弃饱和论。

(丑) 储蓄超过投资之现象

依今日的国际情形,民间之积蓄,很难寻得投资之出路。此点与以上所述之经济饱和论,有连带的关系。设人口之增加停止,而投资之机会极小,则资本的积储,将永远超过私营之生产投资,势非由政府发行公债,以吸收私人积储不可。换言之,私人投资事业的减少,必须以公众之投资来补充,否则国家经济必陷于长期的不景气。此点似亦不必过虑,因为国民所得之积储,已不若以往之积极。在1940年代之10年中,美国国民所得分配已发生变化。最低的薪水阶级无论是城市居民或乡村居民,皆已获得各种救济金。利润已稍减,分红已受到相当限制,工资率已经提高不少,农民得到补助金,同时社会安全及养老金制度亦已树立基础。加以累进所得税之推进,民间消费量之激增,皆使私人储蓄率大大地减少。在以上减少储蓄额之各种因素中,赋税之增加亦是不可忽视的。假定国民所得为1亿元,消费额为8,800万元,民间积储为1,200万元,这1,200万元应如何运用,成为问题,终必设法寻求一投资的出路。假定翌年民间之所得额与消费额仍为1亿元与8,800万元,余额1,200万元原为储蓄,今年则由政府以征收累进所得税方法吸收以去,而从事于生产事业,则民间已无储蓄额矣。足见只要政府征收急进的累进所得税,即不发行公债,亦无储蓄过剩之患。

(寅)公债新哲学并无危险性

一般对于公债新哲学之主要观念:1.巨额公债之发行,不但非国家之债务,应视同国家之资产。2.继续不断之支出超过收入,为繁荣社会经济必要之工具。3.重点在平衡经济,不在平衡预算;公债是完成充分就业的工具,利用政府的借贷力,以达到并维持充分而稳定的就业水准等等,觉得非常惊骇。以为此种邪说,必形成长期的赤字财政,非吾人所应接受。倘盲目地接受,决非国家之福。殊不知无论何种新的学说,必有其历史背景,无风决不能掀浪。美国当恐慌严重的时候,失业人数日有增加,价值消失,物价惨落,私人投资裹足不前。政府责职所在,不能袖手旁观,置若罔闻,势必筹集巨资,从事于公共投资,以期失业人数之锐减,并盼物价之转变,逐渐达到充分就业的水准。所以政府在通货高度紧缩的时候,必须对于社会安全与公共福利,作大量的支出,以提高国民消费及商业活动水准。这种政策,是勇敢而有为的财政政策。若于此时采取相反的政策,停发公债,减少支出,增加租税,反足以招致国民所得迅速下落的惨象,这是不负责任的财政政策。健全的财政政策,应于通货紧缩时或经济不景气时,增加支出;于通货膨胀时或经济繁荣时,减削支出。如公共支出的经费来自借贷,则于全部就业水准达到后,必须用高度累进税,以平衡预算。但于经济恐慌发生之后,情愿牺牲预算的平衡,以维持经济的平衡。关于公债新哲学许多佳作,皆是美国严重的经济恐慌之产物。我国今日所处的地位与时代,与当时的美国大不相同,不仅公债新哲学无研讨之必要,即公债旧哲学,讨论起来,亦无人会感兴趣。中国在抗战时所发的公债,先用销募,应者寥寥,遂改用劝募,收效甚微,最后则用派募,而发行公债之意义尽失。派募含有高度的强制性,则公债与租税何异?若必强发公债,则其结果必与抗战时期所得之结果无异,将债券作抵,向银行取得纸币,以资应用,徒使通货益加膨胀,经济崩溃益加迅速。并与美国于通货紧缩时发行公债之情形适相反。况美国新派所主张之公债,是用于具有清偿力的公共工程,并非用于不生产的内战。

(二) 余对于公债与租税的意见

(甲) 在紧急时公债与租税的比较

余对于公债与租税二者间之选择问题,并无一定的见解,一切似应视当时的实际情形与经济状况来决定。在某种状态之下,发行公债是可以许可的;在另一种状态之下,是不能许可的。例如有不测的事件突然发生,致使增税筹款,缓不济急,不得已发行公债,迅赴事功,亦是应做的事。一旦战事发生,人民心理上与物质上顿受打击,全局战费如果仅由租税来供应,却成问题,以其不能急速地获得巨额收入,以供军需。公债胜于租税的优点,亦即在此。但发行应有一定的限度,必须尽可能地避免通货的膨胀与物价腾贵。如公债为通货膨胀之因,使社会财富的分配发生变动,劳动者与固定收入者的实际收入逐渐减少,是不良的现象。此其一。

(乙)发行公债之利与不利要看当时之实际情形而定

租税出于人民之所得,而公债则剥夺人民投于生产事业的资本。如以公债取得之资本,用于生产事业或直接对人民有益的事业,则发行公债,尚无害处,且可使国家资本逐步累积,使国营事业渐臻于产业界领导的地位。这是公债有利的证明。但国富增加,不能断定其为利用公债之结果,不能说发行公债与国富增加二者有必然的因果关系。自信力的坚强,不断的努力,教育水准的提高,生产技术的进步,无一不是国富增殖的基因。

因此公债与国富之间,没有一定的呆板的关系。公债固可以增进国富,是有利的;亦可以危害国家财政,是不利的。所以发行公债之利与不利,没有绝对的标准,要看当时之实际情形而定。盖公债是公债,国富是国富,二者非一物,因之公债数额之增加,并非就是国富的增殖,其关键在于公债之能否因时因地而善为利用。如发行公债,以举办私人所不能兴办或不应兴办的事业,开拓疆土,开发资源,则国富当然可以增殖;否则,徒造成财政上的浪费,妨害国富的开发,又于国家不利。财政上浪费的结果,就是把负担划分于后世。但有时亦不一定划分于后世,因为公债发行过多,便会变成通货膨胀;货币价值消失,公债负担无形消灭。此其二。

(丙)发行公债之公平与否应看后世能否得到享受以为断

以公债的收入,造成有形无形永久的固定国家资本,使现世后世皆能享受其利益。倘能使社会游资,用发行公债的方式,吸收进来,变为新生产的财富,当然可以把他视同资本。这种资本,就是国家资本,亦可称民族资本,非个别经济所利用的资本可比。公债反对论者,咸谓公债是把现在的事业经费移转于后世,是不公平的,所以反对公债的发行。但吾以为公平不公平,应看后世能否从现世的事业中得到享受以为断。如能得到享受,何以不使其分担一部分的支出呢? 所以从客观方面看,公债的发行,如可使新的事业勃兴,则有刺激生产的功用,吾人应予赞助;反之,若公债的收入用于不生产的事业而发生浪费的现象,使后世只有负担,而无享受,当看作信用过度的膨胀,应予以反对。此其三。

(丁)公债能使人民团结之说是错的

或谓公债可以产生人民团结心,此乃无稽之谈。我们可以说,公债予拥有资金者以投资之途径,造成一个闲暇阶级,如法国之专恃公债利息以支持生活者(Rentier)。他们是与政府有利害关系之公债所有人;遇有政变的时候,他们有拥护政府的倾向。但闲暇阶级之有拥护政府的倾向,不能看作人民的团结心;反之,我们倒可以说闲暇阶级的造成,是财富分配不均的现象,反使贫富之间有一种阶级观念,促社会分裂,谈不到团结。因为公债的发行,使利率提高,少数资本家固得厚利,其余多数人则负担了利息的支付。资本家利益之增加,促进他们的奢侈生活,焉得不使下级社会产生"我不如你"的观念。今日我国金融界之巨子,其起家的方法,未尝不与公债有密切的关系。因此吾人只能说公债所有者,有帮助政府防止反政府运动之意思,不能说公债使人民有团结力。此其四。

(戊)公债可发与否要看由借贷而得之福利是否大于牺牲

就生产借款言,必生产之增加率,大于主观成本之增加率,始可提高社会之经济福利,或增加社会之真实财富。但何谓主观成本?生产必有成本,而成本有金钱成本(或称货币成本)与真实成本之分,因生产某物以货币支付之费用,谓之金钱费用;因生产某物而用去之物资与劳力,谓之真实成本,就是因生产而遭受之种种牺牲。真实成本,以生产时所用之物资与劳工数量计算,谓之客观成本。以生产过程中所遭受之种种牺牲而言,谓之主观成本。牺牲之形式甚多,吾人在休息时间可以有娱乐,在生产时间则必劳作。以劳作比娱乐,牺牲之意义立显。吾人欲生产,必须有资本;欲得资本,必须放弃享乐,从事节约。因节约而放弃享乐,又是一种牺牲。放弃娱乐与享乐,忍受牺牲,是一种主观上的感觉,故谓之主观成本。社会一切经济活动,其目的在获得经济福利,而经济福利之获得,必须有代价。牺牲或主观成本就是代价,经济福利就是报酬。代价小于报酬,则福利大于牺牲。所谓以最小之牺牲,获得最大之报酬,指此而言也。

以上系就生产借款而言也。若言消费借款,其目的在救目前之急,虽加重将来负担,亦所不惜。目前需要之迫切,远在将来需要之上,故借贷者对资金之主观价值甚高。若举债不成,无以救目前之急,则消费者惟有节衣缩食,竭力挣扎,以渡难关,经济福利于是牺牲。若目前举债成功,而于将来需要和缓时再行偿还,则无异于以将来和缓之需要,交换现时急迫之需要,结果必使二种需要之迫切程度趋于平衡,并使现时之经济福利与将来之经济福利二者之总和提高不少矣。无论何人,莫不重视目前之欲望而欲有以满足之，而不愿留待将来。饥者对于现在食物之需要，比较对于将来食物之需要更切。消费借款之作用，在满足目前之急迫需要，以增加消费者之经济福利，而以将来需要不急迫之款项偿还之。自社会方面观察，闲置无用之资金，对其持有者之效用较低；若以借贷方式移供他人急迫之需，不啻化无用之物为有用，不仅个别资金之效用提高，即整个社会资金之效用，亦因此提高矣。

由以上所述，可知借贷行为，不问其用途在生产，抑在消费，自借者方面观之，皆可收减轻主观成本，增加经济福利之效。但自整个社会观之，借贷行为，亦可将资金由一部分社会手中，移入于另一部分社会手中，换言之，即由不需要资金者手中，移转于需要资金甚急者手中，而于移转之际，减轻借入者之主观成本（或经济牺牲），增加贷出者之经济福利；以不需济所需，以不急救甚急；将闲置无用之购买力，置之于有用之地；从不能发挥效能之处，投入于有用之途，整个社会福利，岂不大大地增加矣。

以上所述，是关于私人间之生产借贷或消费借贷。政府借款或政府发行公债，其所根据之基本原则，原无二致。盖政府借款，亦不外乎生产借款与消费借款二种。前者用于生利事业，与私人之生产借款性质相同；后者用于不生利事业，如对外战争，与私人之消费借款性质相同。

不过此二种借贷，无论是私人所为，或政府所为，应有一定的范围。如是私人所为，其人有生产的能力，光明的前途，方可应其所求。不然，纨绔子弟或游手好闲之徒，日以挥霍为能事，根本无生产能力以偿其前欠，决不能应其所求。如是政府所为，必其政府朝气蓬勃，对外作战完全为谋国土的完整，民族的生存，与夫权益的维护，为国民者理应助其成功，否则亦应严厉拒绝之。

第二章 公债与租税(续)

二、战时公债问题

(一)筹集战费之主要方法与辅助方法

欲筹集巨额之经费,以适应战事发展之迫切需要,通常可以用下列各种方法:1.捐献。不过捐献纯以国民爱国心之热烈及持久与否为转移。国民爱国心之充分热烈,往往限于一时一地,而求其长时间普遍之持续则甚难,故其捐得之数目,不能确恃为主要收入。2.发新钞及制造信用。在一定限度以内,固可使用这个方法,但一旦失去控制,即发生膨胀之恶果。3.专卖事业。专卖一方面固可以寓税于价,充裕国家收入;另一方面又能限制私人资本,发展国家之资本,改善专卖物之品质,平定其售价,调剂其供需,以增进全社会之福利,诚属法良意美。顾专卖物品,必具有可行专卖之条件。例如火柴专卖,在需要方面缺少弹性,价格提高,销路不致受影响,品质方面,易于分级,产制方面,易于管理,凡此皆火柴可行专卖之条件,故能举办专卖之物品,亦甚有限。4.国营对外贸易。欲实行这个政策,在产制购销方面,必须有其必要之条件,尤其是国外之交通,必须顺畅,始克有济;设一旦发生滞碍,便受重大影响。故上述四项,仅可认为筹集战费之辅助方法;如进入持久阶段,此项方法均不足恃。

其够得上筹集战费主要方法之资格者,惟增税与募债二项而已。良以增加税收,如行之得当,最为稳健,既能达到巨额收入之目的,并有节约消费与稳定物价之作用,与战时经济政策实相吻合。至于公债,以向人民募集为原则,一方面吸收游资,减少居积;一方面使法币回笼,缩小筹码发行之数量,均与物价发生循环关系。最重要者,则为国家所需之战费,由人民直接负担,免去向金融界折扣承销之损害。募债方法苟能审度国民之经济力,以时募集,并普遍消纳于民间,则于战费之供应,亦能收适应急需之功效。

我国在抗战之初,租税与公债交互运用。在租税方面,有转口税之增征,统税施行区域之扩大,以及政府所颁布之非常时期过分利得税与遗产税。在公债方面,则有救国公债5亿元,国防公债5亿元,金公债三种,合该时国币约5.5亿元,及振济公债1亿元,共计16.5亿元。这显然是以公债为重心的方案。此亦无可奈何的事,因为我们用租税去筹集战费,事实上有一个最大的困难问题,便是沿海各省和产业稍具萌芽的区域,已经被日军占领,主要税源的关税、盐税、和统税都受了影响,不得已再增加印花税,与再加征烟酒税。印花税本甚轻微,故加征1倍,且扩充征收的范围。至于烟酒税,本来是享乐税,该时增加五成,对于人民生活,不致发生影响。以上所举之转口税,原是用以代替关税的,因沿海各省沦陷,关税无着,洋货与敌货可直入内地,故于二十六年十月规定:凡国内民船、轮船、铁路、公路、或航空运输的货物,除已完过统税、矿税、烟酒油税外,一律由海关征收转口税。征税以后,即不再重征,可以通行全国。税率从价值百抽7.5,用以代替关税。但此种税收,在事实上当然不能弥补短收的损失。我国二十六年度10亿元预算里面,关税收入占36,900余万元,盐税22,800余万元,统税17,500余万元,这三种税源统计起来,占岁入77.2%,并且都是间接税。在平时税收有不足的时候,本来常常以公债来弥补,以致在抗战初期历年积成的内债,约有20亿元,外债约25亿元。若以加征的旧税与加辟的新税(如遗产税与非常时期过分利得税)来弥补,终抵不过关税、统税、盐税三税短收的损失。故以公债来筹措一部分战费,为不可避免之措置。我们在抗战初期,不希望实现战时财政应以加税为主,公债为辅之最高原则,只希望以公债为主,加税为辅之次要原则,能切实遵守。不料战事的演变,竟使这两个原则,都不能实现,转动的印刷机,遂取而代之,以致造成今日的局面。

(二) 租税公债与纸币之比较

赋税者,国家用强制手段取之于民之捐输也。民富国用足。譬如一国之内,有米1,000担,煤1,000吨,铁1,000吨,木1,000枝,棉花1,000包,牛1,000头,船1,000艘等,计共7,000个单位,

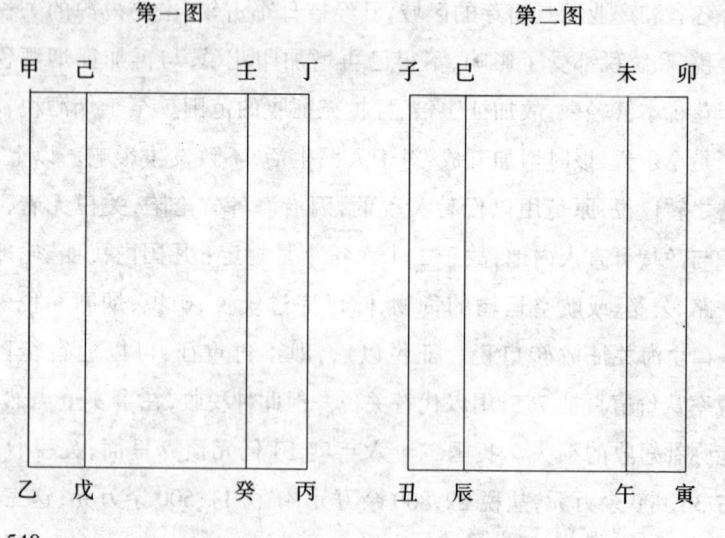

第一图　　　　　　　　　第二图

以第一图之甲乙丙丁方块示其数量之总额(7,000),代表全社会之财富。又以第二图之子丑寅卯方块示全社会所有之货币,假定为70,000元。全社会之7,000单位财富,以70,000元表示之,即等于每单位定价10元〔各种财富单位不同,或以吨计,或以担计,或以包计,此处可视同混合体,以混合单位(Composite unit)计算,作为7,000单位〕。但既有社会,不能不有一个政治组织,谓之政府。政府应用之物品,必须取之于社会。假定政府征11之税,则所取者,等于财富总额十分之一,以甲乙戊己长方块代表之。从前政府征乙税,概取实质的物品,中外各国都如此。如前清之漕粮,原系南方八省之米,由运河运京,供皇室与八旗之用,今日之田赋征实,亦是征实物。后社会进步,改征货币,再以货币购物,形式虽异,内容则同。政府取民之钱(子丑辰巳,等于货币总额十分之一),再以此十分之一的货币,去买第一图之甲乙戊己,即十分之一的社会财富。是在货币方面的十分之一(子丑辰巳)等于实物方面的十分之一(甲乙戊己)。政府抽税的目的在物,不在钱,钱之为物既不能充饥,又不能御寒,实一无用之物也。不过钱是一种交换之媒介,非钱不足以致有用之物。

第一图甲乙丙丁大方块之总额,系7,000,为全社会之财富。甲乙戊己长方块,系政府之所取,等于十分之一,则必为700单位无疑。若社会生产能扩大至14,000单位(2倍),或21,000单位(3倍),或28,000单位(4倍),甚至63,000单位(9倍),则政府之所取,亦比例地增加至2倍、3倍、4倍、以至9倍不等。故人民富,政府亦富;百姓足,君孰与不足。

甲乙丙丁大方块所代表之财富,除政府所取之十分之一外,余皆可用以供平日之消费。但社会为稳全计,必须保留一部分,以备

549

生产之用,谓之储蓄。生产所需者,为煤为铁(重工业轻工业所需),为木料(建筑厂所需),为棉花(纺纱厂所需),为牛(耕种所需),为船(运输所需)。兹假定第二图之卯寅午未为社会所储蓄之货币,存在银行,则在实物方面,必有相当于此项货币存款之实物,如第一图之丁丙癸壬。故社会所节省者,表面上为货币,实际上是实物,以丁丙癸壬表示之。此项积储,为社会发展之必不可少之条件,不然社会资本无由产生,而社会踏入静态境地。第一图之戊己壬癸,为社会之消费品,为日常生活所必需,米可以供食,棉可以供衣,木可以供住,船可以供行。兹假定社会财富不增,仍为7,000单位,而政府所取于民者2倍于前,即取十分之二。此税过于苛重,但人民处于淫威之下,无可如何,非节省消费(即缩小戊己壬癸),即减少资本(即缩小丁丙癸壬)。但节约消费,亦有限度,过于节约,有碍健康;减少储蓄,在贫乏的国家,有妨生产。不过与其侵蚀资本,毋宁节约消费。但今日之中国,一般人民已陷于省无可省之境地,哀鸿遍野,饿莩载道,倘政府犹不顾民困,悍然加税,未有不铤而走险者。以故盗贼横行,举国骚然。故节约消费以供政府不迫切之消费,殊属难能。吾国财政之缺乏伸缩力者,社会之财富不丰故也。

若节约社会消费,犹嫌不足,惟有减少社会储蓄,侵入第一图之丁丙癸壬,以供政府无厌之求。于是资本锐减,生产停滞,而政府所增取之煤铁木棉等等,本可以制造机器厂房及民用服装者,今乃用煤与铁制造枪炮军舰,用棉制造弹药军服,木料建筑兵房碉堡,炮声一响,都化为乌有。不但军舰弹药枪炮化为乌有,即社会原有之财富,无论为资本或消费品,亦连带受累。如是社会财富,直接间接,有形无形,遂日趋于衰微,而社会穷矣。财政之基础,于以日益薄弱；政府之收入，于以日形短少。

夫政府之税收，既不足以供其求，则不得不另行设法以补足之。于是仿欧美之法发行公债，吾国人民向不知公债为何物，即在今日之穷乡僻壤，对于公债，类皆盲无所知，一若未曾见过者然。吾国公债始自前清之昭信股票。当光绪二十四年，按照马关条约，应付日本第四期赔款，廷议发行公债，募得巨款以交付之。故定额为1亿两。尔时人民对于政府募债，多所怀疑；即豪富之家，购买若干，亦视同捐输性质，故发行不旺。后至民国三十四年发行公债，亦用劝募方式，使地方官负责劝募，地方人民多以应酬视之。直至今日，劝募之外，尚有派募，足见公债之不易普遍流行全中国也。究公债发行之原因，则因人民穷困，无添纳赋税之能力。当局遂以公债之收入，补税收之不足，一以免除抗税之危险，一以速收巨额之款项。况赋税为一般人所纳，无一幸免，故易招反抗，公债为有钱者所购，买与不买，听人民自由（如不完全采用派募）。况购公债者，可以公债作抵，向银行借款，以购公债，但无人肯向银行借钱以纳税。故当政府需款甚殷之时，往往避难就易，以公债补预算之不足，为不可免之事。然就财政之基础而观察之，公债固有异于赋税者乎？政府征税之目的，不在于钱，乃在于第一图中之甲乙戊己实物。增税之目的，固在于实物；加税之目的，何独不在于实物。不过增税在甲乙戊己，而加税则在丁丙癸壬。因加税之议，易招物议，甚至引起反抗，故以公债代之。以公债所得来购买丁丙癸壬之实物，则举债与加税，方式虽不同，其终极则一。丁丙癸壬既被取去，影响及社会资本之构成。生产阻滞，财富减少，而政府又以购得之食物供打仗之用，炮声一响，化为灰烬，不仅军火化为灰烬，即民间财产，亦受损失。交通阻滞，工商业停顿，工人歇业，沦为流氓,遣散之兵士,或流为土匪,社会安宁秩序,均不能维持;资本退避三舍,多流出海外,如今日之豪门资本早已远涉重洋矣。阵亡士兵之妻女,以及退出工厂之失业女工,如貌美年轻,不免操卖身之业,种种恶现象遂随之而生。是公债之为害,较赋税尤烈。赋税以不能任意增加,为害尚浅;公债以发行较易,为害更大。

公债所代表之实物,已云消烟灭,早不存在,而纸片式之公债票,仍流行于社会,将来仍须以抽税之方法归还之,则吾侪之子子孙孙,当代负偿债之责任矣。如是公债之为害,不但吾人受之,即吾侪之子孙,亦无可避免也。

以上所述,为公债之害,尤烈于赋税。然在中国,因财富不丰,财政之基础十分薄弱,赋税无伸缩力,故以公债补之。仍因财富不丰,或因政府信用不好,应募者不甚踊跃。如在抗战时所发之公债,类多停留在中央银行库中,发而不销,为之奈何!于是不得不用第三个妙策,即滥发纸币,而纸币之为害,更甚于公债。请言纸币。

夫公债之为害甚于加税,前已言之详矣。然发行公债,犹属于财政范围之内。以公债而弥补预算,苟有的款,还可以作还本付息之用,未始不可以一试,盖募债与征税,皆在财政范围之内也。若夫纸币,则完全在金融范围内,不得视同财政。今日之工商界,无不分工任事。制鞋者,未必能成衣;耕耘者,未必能织布。势必各以已所能出,换已所不能出,于以交易兴。其为交易之媒介者货币也,即所谓金融是也。货币分硬货软货两种,纸币软货也,当然在金融范围之内。金融之伸缩,应视国内外贸易之盛衰为转移。贸易盛,货币必增;不然,周转不灵,百业停滞矣。贸易衰,货币必减;不然,银根太松,投机勃兴矣。是金融之缓急,与贸易之盛衰,适成一正比例。二者相辅而行，不可须臾离也。今若因军政费不足而发行纸币，则纸币随军政费而增，非随国内外贸易而增；金融与贸易脱节，以致贸易衰落时，纸币不减而反增。不但如赋税公债之乏伸缩力，且含有一种反伸缩力，应缩反伸，则以纸币补预算，无异以财政乱金融，其为害之烈，比公债尤甚。请言纸币与公债不同之点：

（甲）发行公债，既称为债，本不能不还，息不能不付；承募人之条件，如担保品、抵押品、折扣预付利息等项，不得不遵守。万一公债满期不还，承募人或持有人必提出极严厉之抗议，况持有人大半系达官富商，团结极坚，势力极大，政府不能不稍存顾忌。虽发行时，或用摊派方式，但在公开市场转让时，则买卖双方，皆出于自动。从各方面观察之，募债筹款，虽较征税容易，然亦有种种阻碍，非随便可以发行者也。若夫纸币，则收受者，皆出于被动。纸币发出之后，以一纸命令行使，人民不得不用，非乐用也，实非用不可也。此纸币与公债不同者一。

（乙）公债集中于达官富商之手，反抗政府之势力极大，政府不敢开罪于彼也。故公债非还不可。若夫纸币，则散布于四方，大半在下级社会手中，其势孤，其力散，不足与政府为难，故政府竟可不兑现，任其成为废纸。此其与公债不同者二。

（丙）在中国公债须有切实担保，而后始有人承受；纸币可以用武力强迫行使，无须有充足之准备。此其与公债不同者三。

（丁）公债须付利息，纸币不付利息。此其与公债不同者四。

（戊）公债因政府信用不佳，往往须打折扣发行，如九折、八五折等类。吾国之公债，大都如此，但到期必须十足收回。至于纸币，则反其道而行之，照十足发出，打折扣收回。今日之法币，如于明日决定收回,已打了一个五六百万分之一的折扣(今日为三十七年七月二十日)。此其与公债不同者五。

(己)公债不过缺少伸缩力,而纸币且含有一种反伸缩力。此其与公债不同者六。

综合以上六点,发行公债,其势逆,其利薄;发行纸币,其势顺,其利厚。政府知其三昧,遂敢放胆做去,以致纸币之价值,急转直下,一泻千里。由此观之,纸币之为害,较公债尤甚。公债尚有种种阻碍,不便多发,而纸币可以层出不穷,无法限止。

但话又要说回来,在中国公债可"发"而不能"销",只有以"总预约券"作抵,向国家银行借款,故纸币之来源仍在公债。

(三)租税与公债在战时财政上的比较

抗战开始的时候,政府的开支,曾采极端紧缩政策,其方法一面疏散老弱无能的职员,他方面对于留任职员之薪金,一律折扣发给。在抗战初期内,财政紧缩政策颇收效果,那时国库亏短数额很小,通货增加尤为缓慢。中间有几个月简直没有什么增加。当时四行自由售出外汇,收回一部分法币,自然也是通货增加缓慢的原因。一般物价很平稳,农产品除出口货之外,大致跌价。直到二十八年秋,政府尚因谷贱伤农,在四川拨款收购谷麦,以维持粮价。

但是政府的事常常免不了日久玩生,或由于事实的需要,或由于人事与情面的作祟,旧机关慢慢恢复常态,进而加倍扩充,新机关陆续增设,漫无边际。我们不敢说旧机关的扩充和新机关的增设,全无必要,但就抗战期内的事实分析,至少有若干缺点与战时精神不相配合。于是开支日增,而战争的消耗又复激增不已,预算愈不能平衡。急则治标,不得不设法筹款,而在战时筹款的方法,自以增税为第一,举债次之,通货膨胀又次之。惟增加租税,有一定的限度,且有缓不济急之嫌,不得不用举债的方法,以补充增税的缺陷。无论何国,战时财政未有不借发行公债以为调度者。我国在抗战初期,亦竭力推行公债政策。我国财政当局,以过去所发公债,信誉卓著,深信已为战时募债树立良好之基础。战前所发公债,以基金担保,极不一致,偿付手续,又极繁复,故为划一债券名称,巩固债信起见,予以统一整理,债信因之大著。

公债与租税,既是筹措战费之方法,亦是我国战时财政之两大柱石。但在理论上,这两种财源,性质不大相同,对社会经济与财政之影响亦异,举其不同之点则有:

(甲)租税是取之于民之所有,政府不负偿还之义务;公债是指借贷行为,政府不仅负偿还之义务,且须负付息之责任。

(乙)租税系强制征收,人民不能拒纳,因人人有纳税之义务。公债系投资的自由行为,人民购买与否,听其自由,无所用其强迫。

(丙)就财政观点言,增税之手续,异常繁重,尤其是创办新税,或不免遭民间之激烈反对,而立法及行政手续,往往需时甚久,方能完成。公债虽亦须通过立法机关,比较简捷,可济急需。战时军事瞬息万变,战费支出,尤贵能迅速,而所需之费颇巨。若专恃租税,不仅缓不济急,且杯水车薪,实无济于事。

(丁)就平时社会言,公债之作用,在吸收社会游资,移供政府之用,即将社会不迫切需要的资金,移供政府迫切需要之用,故对整个国家经济,具有调节作用。租税则反是。租税往往取之于社会所需要之资金,一旦移供政府之用,社会不免受其影响。此于平时为然。若在战时,增税与举债,皆能收平抑物价之效,二者皆能促进人民之节约,使社会上一切无谓之消耗,皆能免除。

（戊）租税无须偿还，不加重后代之负担。公债还本付息，大都由后代负之，加重将来财政之困难。

（己）加税的影响，能够促进军需的动员，因为在工业发达的国家，战时租税的负担，以奢侈品工业为最重。企业家为避免重税的缘故，必将其原有的工业改作军需工业，故租税有促成产业动员的效力。

（庚）如所举之债为外债，即可以换取友邦之物资，以补充本国物资之贫乏，而国库之货币支出，亦可以减少，更切合于战时财政经济的原则。

英美两国偏重租税，而德法两国则偏重公债。其所以然之故，因为英美受了古典学派财政学识的影响，深信健全的财政，是以租税为中心的财政。至于德国，则其学说大不相同了。德人对于战争向抱乐观的态度。以为最后的胜利一定是他的，可以举债的方式筹措战费，一俟战事结束，就可以索取赔款来收回公债。这种自信心，就使他偏重公债政策。所以普鲁士及德国自19世纪始，战争的财源，以公债为主，租税辅之。到了1864年至1866年及1870年至1871年的普法战争，其全部经费是取之于公债。这次世界大战，希特勒把人民从饥饿线上赶往战场，当然舍举债外，亦无其他筹款的方法了。法国财政政策的基本精神，是与德国相仿佛，偏重于公债。但一半是受了环境的影响，因两次大战中，法国的领土是战场，岁收无法增加，况租税组织亦不完美，殊难以税收的增加来填补战费。

日本人对于战事胜利的自信力，不亚于德国，故中日战争开始时，亦以举债的方式筹措战费，一俟战争结束，一切负担当然放在中国人身上。所以自二十六年发动战争以迄于二十八年一月在短短的一年半中,公债在总战费中所占比率为93%。战费达74亿元,而公债占68.8亿余万,适为93%,与第一次欧战时德国公债之比率,实属所差无几。

举债有内债与外债之分,我国自抗战发生至二十七年底,国库支出达30亿元之巨,其取给于税收及捐款者仅七八亿元,约占支出四分之一,其余均以债款弥补。抗战进入第二期,需款更巨。若专恃内债,非国内资力所能胜任;若专恃外债,势必以土货抵偿。但中国可以在国外觅得销路之物品,多系笨重的东西,如桐油、钨、锑、猪鬃之类,体大而值小。加以敌机轰炸,交通梗阻,而海港又被敌人封锁,输出货物,困难重重,故举外债而欲以货物抵偿者,却不容易,因此不能专恃外债。但外债亦非举不可,因为此时正向外国订购军用工用器材,所需外汇,为数不在少。若不举外债,势必资金外流,影响外汇,动摇金融。因此在第二期抗战当中,募借外债与发行内债,同时并举。

吾谓此时正向外国订购军用工用器材,因为我们对敌作战的物质条件,实在太贫乏。钢铁弹药、重要兵器、交通器材、运输工具等不消说;就是行军药品、兵士服装等,也不能完全自备。我们对外作战的工具,一半以上须向友邦购运,假如不举外债,则友邦对于军用工用物资,不能继续供给,或者运输路线发生障碍,空手赤拳,究不能击败敌人。且大后方各工厂生产的能力,都很可怜,他们所能供给的数量很少。以文具为例说,几家纸厂所出的劣质纸张,不够后方的需要;中国标准铅笔公司的产量,也不够机关学校所需的。其余如夹钉、图钉、复写纸、蜡纸等等,多不能自给,于必要时,只得向国外输入。太平洋战争爆发之后,此项物品,在几天之内,涨价一倍以上。可知向国外订购,殊属必要,而举借外债,尤为不可避免者也。

（四）在中国的战时财政上公债与租税的区别消失

以上六种区别，在今日我国情形之下，已悉数消灭。我国人民不愿自动地购买公债，一由于力量有限，二由于商业利润太厚，公债利息太少所致。在政府方面，举债只能做到"发"的地步，不能达到"销"的目的。募债既不容易，不得不改用劝募与派募的方法。当民国二十六年战事发生之初，我政府发行救国公债国币5亿元，其时各地人民热烈响应，纷纷自动认购，乃即成立劝募总会，主持募债事宜，分向各省劝募。时间未久，即募到2.19亿余万元，较之原发行额，且有超过。此足见人民爱国高潮。但人民初受战争痛苦，救死扶伤之不暇，安能负荷大部分战费？各省劝募之事因而停止。二十七、八两年发行金公债、国防公债、建设公债、军需公债等，均注重向海外侨胞推销。战时各地侨胞，对祖国购买公债，捐献款项，情形之热烈，贡献之伟大，良足称道。但国家整个战费，应由全民共同负担，始称公允，安得将购债责任全放在华侨身上？乃决定广泛对人民直接募集，组织战时公债劝募委员会，直隶行政院，专办劝募事宜。自三十年三月起开始，所募债款，尚能达到预期之效果。三十一年发行之数较巨，并鉴于三十年度劝募之经验，乃决定城市以派募为原则，乡村以自由劝募为原则，兼采派募与劝募两种办法。前劝募委员会，不能办理派募业务，乃于三十一年四月结束，另由财政部组织公债筹募委员会，于同年五月成立。其筹募之方法，为派募与劝募并重。派募之对象为：1.商人，包括一切以营利为目的公私营业，2.房屋管业人，3.自由职业之收入丰厚者，4.土地管业人。因其于征购粮食时，已搭发粮食库券，暂不派募公债。劝募之对象为：1. 各界人民之收入丰厚者,特别注重财产赠与及财产继承之受益人,2. 公私团体之基金、存款、或公积金,3. 已经派募尚有余力购债者。在派募方面,逾期不缴债款,加派公债。劝募方面,如劝募成绩特优,或认购债额达到一定之规定者,均按非常时期捐献款项,承购国债,及劝募捐款国债奖励办法之规定,予以奖励。以上是最初之规定。嗣后依照国民党十中全会之决议,拟定累进率之派募制度,加强对巨富之派募。其办法为凡收入额超过50万至100万者,除普通派募外,加派5%;超过100至200万者,就其超过额加派8%;超过200万至300万者,就其超过额加派10%;以次每超过100万,则累进派募5%,最高超过至1,000万元,加派50%为止,以后派率不再递加。此种办法,对于有钱者出钱,多钱者多出,自为一种有效之措置。三十二年发行同盟胜利公债30亿元,除照上列各项规定办理外,对于土地管业人,一律加派公债。其理由因较大之地主,虽曾于征购粮食时搭配粮食库券,但为数有限,其因粮价增涨之收入甚巨,实尚有余资可资购债。如一律派销公债,自可增加巨量之债款之收入。至于富户财产之调查,由当地政府会同党部、青年团等,缜密调查统计,拟定应派债额,以昭公允,并使人心悦诚服,乐于接受。

　　劝募与派募同时并行的结果,派募之数远过劝募之数。推行公债政策,既须仰仗于派募的方式,则公债与租税的区别,完全消失,理由如下：

　　(甲)原来租税是强制征收,公债是适用自由原则,此其不同之点。但公债既可派募,而派募时,必须用强制方法。租税固是强迫行为,派募公债,何尝不是强迫行为？二者之区别,究何在耶？此其一。

（乙）战时物价上涨,币值继续不断地下跌,政府发债时所收进之购买力大,偿债时所付还之购买力小。于是公债虽是借贷行为,政府虽负还本之责,但所返还者,究值几何,借贷岂不等于强制征收？此其二。

（丙）就财政观点言,公债之发行,原以其手续简捷,而我国过去发行公债,较征收租税需时更久,便捷之利,已不存在。此其三。

（丁）就社会经济言,公债既用派募方式推销,则其所吸收之资金,未必属于游资一类;而移供政府应用之资金,或系社会所迫切需要之资金,公债之调节作用消失,又与租税相似矣。此其四。

（戊）租税无须偿还,公债必需偿还。但今日以不值钱之法币来收回公债,或收回押与四行之总预约券,亦不致加重后代之负担,则公债与租税又无区别矣。此其五。

（己）在我国今日情形之下,公债与租税二者,无论从其性质方面,或从财政影响,社会经济各方面观察,似无所轩轾。欧美财政学者分公债中心论者与租税中心论者,对于租税与公债皆能分析精密。但在今日之我国,物价指数比战前已涨几百余万倍,此项分析,已失其意义。盖我国战时公债既系派募,则凡可用公债吸收之资金,亦可用租税征收,不若直接增加租税之较为直捷了当乎？如三十二年度推销公债办法,对于工商业之派募,或以营业额为标准,或以纯收益额为标准,与营业税之征收对象相同,何若不派公债,而加征营业税之较为简捷乎？故凡与现在有租税之征收对象相同者,可以不募公债,一律增加租税可也。三十三年颇有主张以人口为对象派募公债者,其性质与人头税无异。人头税或人头公债应否举办,乃另一问题。若必须发行"人头公债",不如直接征收人头税。故凡可用新税征收者,可不募公债,概办新税可也。此其六。

综合以上所述,可知在今日我国情形之下,租税与公债,实无多大区别。不过谓其绝对无区别,亦不尽然。三四年前颇有主张对公司公积金派募公债者。在会计学上,公积金为公司之债务,不能征税,但亦不能自由动用,理应专款存储,似可派募公债。此不能征税而可募债之一例。故凡不能以租税征收之社会资金,可派募公债。

(五) 如何使公债消化

增税与募债既为筹集战费之主要方法,则二者之间,究以何者为主,何者为辅,势必引起各国学者热烈的讨论。至今学者间仍有公债论与增税论之争。增税固要看人民之纳税能力如何。倘增加的税款分配失当,或税率过高,过于苛重,则加税的影响,也可使社会发生不安的现象。若推销公债,也要看市场上资金是否充溢。按之实际,二者同用,是无可避免的,也是最合理的。第一次欧战时,英国的战时财政政策,已为多数人认为战时财政的模范,但在其全部战费中,租税仅占四分之一而已,足见公债亦为战时唯一的财源之一。因此之故,各交战国政府,不能不用种种方策,以图公债之消化。这种方策,简约言之,可归纳为下列几种:

(甲) 限制资金之用途 例如公司资本在若干万元以上者,其新设或增加资本,或合并,或变更目的时,须得政府之许可。股金之缴纳或第二期股金之缴纳,公司债之募集,及用自己资本若干万元以上,充新设备之建设,或改良扩充,亦须经政府许可。银行及其他金融机关,对于事业之放款,在若干万元以上者,亦须经政府之许可,或与中央银行协商。

（乙）提高公债的地位　凡以公债作担保向中央银行抵借者，可以减低利息。例如中央银行向来对于公债担保之放款取息一钱，对于商业票据则取息9厘。兹将公债担保放款之地位，提高至与商业票据一样，亦取息9厘。若此，银行以其手上之公债为担保向中央银行抵押，再以抵押所得之款承受公债，尚属合算。假定公债担保借款之利率为年息4分，而公债之年息为5分，即减至年息四分半，并不吃亏。其次对国债课税，特别予以优待，且遇公债市价跌落时，可由中央银行尽量买入，以抬高之。

（丙）以公债掉换私人在国外之资产　国人在海外之投资，无论属于何种性质，均可令其交给政府，换以政府公债，谓之征购。但亦可以征借的方式借给政府。政府取得这种资产，变成外汇，可以向海外交换各种物资，以供军需或民用。此种爱国热忱，以英国人所表现者为最彻底，我国豪富在海外所存之巨额美金存款，虽屡经最高的会议（如国大代表大会）议决征取，迄无结果，日久玩生，终以不了了之。不过征取与征购或征借不同；征购有代价，征借须偿还，而征取是无偿没收，所以成功之希望很小。

我国于二十七年、二十九年、及三十一年曾三度发行金公债，均在国内发行与推销，或向国外华侨推销。二十七年度金公债发行之目的，在收换金类外币、外汇、国外有价证券等，以便增强外汇力量，并稳定汇率之波动。二十九年度建设公债之发行，目的亦在征集国人所有之外币、外汇、国外有价证券等，以充实政府国外之购买力，购置抗建所需各种器材。三十一年度所发行之同盟胜利美金公债，其目的不在交换抗建所需海外各种物资，乃在吸收国内游资，以稳定物价与平衡预算。三次金公债之目的既然如此，则其对象自是国内之富商巨贾与国外之侨胞，似无委托友邦公司在国外发行债券之必要。故此种公债,虽以美金为将来还本付息的标准,仍属于内债的范畴。

(六)内国公债不能推销之恶结果

但欲以公债掉换私人在国外之资产(如豪门资本家在美国之存款),言之虽易,行之维艰。所谓救济特捐,又成泡影。至举外债,如要以土货抵偿(如向美国借款以桐油抵偿),或在将来分期偿还,于战时财政不致发生恶影响。举内债,如可以在民间推销,用将来之租税收入来还本付息,则其负担可以平均分摊于社会各阶层。用这种方法来举外债与发行内债,不但负担公平,在时间上亦可以持久,在程序上亦属正当,于战时财政之发展,亦不致有恶劣的影响。我国在抗战时曾举内债十数次,但不能在民间推销,只能做到"发"的地步,不能达到"销"的目的,所以债券不能普遍流通。非偏在沿海及海外侨胞方面不可,内地绝少发现。结果变为通货膨胀,原因如下:

抗战发生以前,除统一公债外(详后),财政部所发行的公债,尚有下列数种:

公债名称	发行数额	发行日期	总额
二十四年四川善后公债	70,000,000元	二十四年七月	
二十五年复兴公债	340,000,000元	二十五年三月	
二十五年四川善后公债	15,000,000元	二十五年四月	
二十五年整理广东金融公债	12,000,000元	二十五年十月	
二十六年广东省港河工美金公债	2,000,000美元	二十六年四月	
		美元	2,000,000元
		国币	437,000,000元

563

抗战开始以后,国家预算愈不能平衡,财政赤字益令人惊心怵目。在抗战初期,政府尚能利用人民敌忾同仇心理,颇顺利地发行公债,以弥补岁入之不足;至二十九年以后,物价飞涨,币值日落,财政赤字愈益扩大,公债的销数愈益缩小。到了最后,只得以"总预约券"抵押的方式请四行垫款,以弥补岁收之不足。兹将抗战期间所发行的内债种类与数额列表于下:

公债名称	发行数额	发行日期
救国公债	500,000,000 元	二十六年九月
二十六年整理广西金融公债	17,000,000 元	二十六年十二月
二十七年国防公债	500,000,000 元	二十七年五月
二十七年金融公债	英镑 10,000,000 镑 美金 50,000,000 元 关金 100,000,000 元	二十七年五月
二十七年赈济公债	100,000,000 元	二十七年七月
二十八年军需公债	600,000,000 元	二十八年六月
二十八年建设公债	600,000,000 元	二十八年四月
二十九年军需公债	1,200,000,000 元	二十九年三月
二十九年建设公债	美元 50,000,000 元 英镑 10,000,000 镑	二十九年五月
三十年军需公债	1,200,000,000 元	三十年二月
三十一年同盟胜利公债	美元 100,000,000 元 1,000,000,000 元	三十一年五月
三十二年同盟胜利公债	3,000,000,000 元	三十二年
三十三年同盟胜利公债	5,000,000,000 元	

自二十六年至三十三年止七年之中,所发战债,虽达十余次之多,但实际上印成债票,向公众发售而在市面流通者,即由人民利用平日的储蓄来购买的,仅救国公债、国防公债、及金公债三种,余皆不能在市面流通。且救国公债系采用摊派方式而发行者,而国防公债与金公债之流通范围,仅限于沿海及海外华侨方面。大多

数公债，以"总预约券"方式，向银行作抵。其方法是将"总预约券"交与四行，作为担保，再由四行放款于政府，收取7厘利息。但在抗战初期，四行对于政府垫款，并不全以增加发行抵付，他们一直努力于收缩发行。截至二十九年底，四行对政府垫款40%以上，是以所收存款与其他资产抵付的。国家银行为国库垫款，同时如能吸收大量的储蓄，诱导人民以存款方式，把储蓄存入银行，再利用此种储蓄，为国库垫款。那末，国家银行的垫款，并不一定使法币发行额增加。在抗战开始时，四行所拥有的存款，数量极大，而且其中有一大部分存户，并非政府机关，而是公司行号以及个人。这是人民的储蓄，国家银行可以利用来调剂国家财政的。因此在抗战初期，国家银行对国库的垫款，并没有使法币发行额发生同等数额的增加。二十六年度对国库所垫之款达11.9亿元，同期中法币的发行额仅增加3.2亿元，因此国内通货流通数额，虽较战前增加，但其增加倍数绝不如一般人想象之巨。以后政府继续以"总预约券"向西行抵借，四行无力承受，或无款可放，只得听其变为通货膨胀。结果，公债的发行和国家银行的垫款，并无实质上的区别，二十九年度垫款37亿，而法币增发36亿，三十一年垫款168亿，法币增发172亿。二者的关系，总是亦步亦趋，十分密切。此种通货膨胀，称为"烟幕下之通货膨胀"，即发行公债其名，通货膨胀其实。二十八年度内债发行额共12亿元，国库实得数仅为2,400万元。从这数字里，我们可以看得出，在抗战期中，大部分的内债，都是做了银行垫款的抵押品，其为人民实际购买者，只占一极小比例。因此通货愈发愈多，物价继长增高，靡有止境。人民生活艰窘，尤以贫民的生活为最难支持，于是流为盗贼。富者虽同样感受压迫，尚可利用物价之继续上涨。投机垄断，或囤积居奇，于是物

565

价更涨,产生了一大群暴发户阶级,社会财富偏在,结果富者益富,贫者益贫,一般购买力削弱。生产事业,自然日形衰退,而一连串的不良现象,遂呈现于吾人眼前：1.大部分公债不能推销,2.多数公债由国家银行承受,3.通货膨胀,4.物价继续向上,5.社会财富分配更不均匀,6.游资充斥,7.囤积居奇,8.物价更高,9.一般的购买力日益削弱,10.生产事业更衰退。凡此种种,是铁一般的事实,无可掩饰。一言以蔽之,皆公债不能推销之恶结果也。以上是一连串的不良现象,因为1是2之因,2又是3之因,余类推。反之,2为1之果,3为2之果,余类推。

英美两国对于通货膨胀政策,视同毒蛇猛兽,时时刻刻都在设法避免。所以这次大战,英国财政大臣从西门到伍德,都是以租税政策为战时财政的中坚。所得税自1939年至1941年,由每镑5先令6便士增到8先令6便士。此外并大量增加战时盈利税(Surtax)及过分利得税(Supertax)。英国平时预算,已达到平衡的境地,立法机关在承认预算时,亦想竭力保持这种平衡。可是到了战时,支出庞大,收入方面虽亦有增加,终不逮支出增加之速,因之发生亏短。如何弥补这个亏短,成了一个困难问题。这次战争,英政府竭力避免举债,不采用通货膨胀政策。所以最后编制收支临时平衡表时,仍以提高税率为骨干。美国近年来之财政政策,亦置重于征税主义,重课富有者,一面发行公债,吸收社会游资,以充复兴经济计划所必需之经费。美财长毛根韬,更主张限定营利利润为6%,超过之数,一律归公。

战时公债之不易推销,不仅于中国为然,即在先进国家如英国,其推销亦不如平时之易。推厥原因,则战时公债政策之决定,应以公债推销之环境及所付利息之高低为中心,一方面须获得巨额借款以应战事之需，一方面须无过度提高公债利息，以减轻财政负担。先就利息一项言，在战事进行过程中，一般利率，有逐渐涨高之势，公债利率视一般利率为转移，自亦须逐渐提高，始易发行。虽然利率问题固甚重要，但在战时财政中公债之推销问题，尤为重要。战争期中一般社会经济情形，瞬息万变，设非战事有早日结束之望，或人民对战事前途具有极端信心，则投资者必不愿于战时购买长期公债。于是政府为便利长期公债之推销起见，乃不能不附以种种优厚条件，如公债所得免税，折扣发行提高公债利息及调换权利等等。凡此种种，虽交战国类多采用，但结果仍不十分圆满。譬如英国，在第一次欧战时，除 1915 年路易乔治财相任内所发行之第一次战债，及 1917 年班拿劳（Bonar Law）财相任内所发之 5 厘战债，销售良好外，其他各种长期战债之推销，均感困难，且因种种优待条件之故，国库负担亦随之加重。政府如能于战争前期发行长期公债，尔时一般利率尚比较低落，债息自亦较低，则政府自可减轻以后发行高利公债之损失。

在日本推销战时公债之结果，比英国更不如。日本发行公债，向采直接发行之方式，即将全部公债交日本银行承受，而日本银行以纸币付之，逐渐散布于民间，再以公债在市场出售，收回纸币，以完成其循环运动。但在战事发生不久，当日本政府于二十七年八月间发行 1 亿元华北事变公债时，就改用公募方式，实际强迫银行团承受，不用自由推销之政策。结果，使受战事冲击之金融，发生空前之紧迫，因而后发之公债，不能不用老法，即交由日本银行承受。截至二十七年末止，公债发行额，大部分存留于日本银行，无法推销。此与我国以"总预约券"向西行抵借者，如出一辙。

（七）内国公债不能推销之原因

我们在上面屡次说过,在抗战期间,发行公债,只能做到"发"的地步,不能做到"销"的地步。二十九年所发公债的总额,为 1,974,000,000 元,特设"战时公债劝募委员会",直隶于行政院,负进行劝募之责。劝募结果,殊不足道。各地认募额只等于发行总额五分之一强,为 415,670,000 余元。若讲实收之数,则更不足道,不过 167,230,000 余元,尚不及发行总额十分之一。足见"发"与"销"之间的空隙太大。识者归因于人民经济力量薄弱,销纳量些微,此说固有几分真理,无可厚非;但除此客观的原因之外,尚有主观的原因,就是在币值继续下跌的状况之下,债本的侵蚀,是无可幸免的。兹就各种客观主观的原因举其荦荦大者,列之于后:

（甲）财源未加培养——国用所需,莫不取自人民,人民经济充裕,而后国用不虞匮乏。所谓"百姓不足,君孰与足","国有聚敛之臣,宁有盗臣。"财政当局未能一本斯义,故税吏之贪污,征收方法之不善,是众目所睹之事实,无可讳言。在积极方面,又不能振兴社会的繁荣,运用金融的灵活,使商货流通,日益便利,市场推销,日益畅旺。结果人民收入不能充盈,消纳公债之能力,自然薄弱。

（乙）人民深受战争的影响,荡析流离,非惟无复有消纳公债之能力,国家且须支出巨款,予以救济安置。

（丙）战事发生之初,社会经济失调,影响国家之收入减少;且我国以弱敌强,不得不采取以空间换取时间之战略,沦陷区域愈推愈广,推销公债之范围日益缩小,较之国土未曾被敌人蹂躏之国家,如上次欧战之英、美、德诸国,其财政调度之难易,不难想象。

(丁)我国系农业社会,工业不发达,流动资金较少,而国民购买公债之习惯又未养成,故战时发行大量公债,亦不若欧战各国之容易。

(戊)迨战争进入第三第四阶段,游资充斥,投机盛行,物价高昂,利率高至月息二三十分,人民对于利益甚少之公债,自然不感兴趣。加以港沪及南洋各地均陷敌手,募债地区,益形狭隘,虽政府特设机构广为劝募,卒不能收效。

(己)此外有一个主观的原因,即在币值继续下跌的状况之下,债本的侵蚀,是无可避免的,因而人民对于购债,裹足不前。

(八)金公债

在币值继续下跌的状况之下,债本侵蚀之大小,要看购债时与还债时之间的期限长短以为断。人民在心理上既存有这种得不偿失的顾虑,对于购债,当然裹足不前,金公债之发行,即为破除人民此种心理。乃从5亿美元贷款中,拨出1亿美元,作为基金,发行三十一年同盟胜利美金公债1亿元,于五月一日按票面十足发行,公债利率定为年息4厘,自发行之月起,每六个月付息一次。公债条例第四条规定:"本公债还本付息时,按照票面额付给美金,并得由持票人声请,依照每次还本付息到期开始支付日之中央银行挂牌市价折合国币付给之。"依此规定,不但债本以美金支付,即债息亦是以美金支付的,本息既得安定,主观之条件自然具备,不致遭受贬值的损失。

于同盟胜利美金公债发行之先,尚有二十七年金公债,与二十九年金公债之发行。在币值继续下跌之时,以外币为标准来发行公债,不免引起国内外人士对法币之怀疑,此其弊也。但万事有弊，亦必有利，金公债之发行，可以收缩通货，使不致过于膨胀，至少可以暂时产生一种阻止政府无限制发行纸币的力量。不宁惟是，在通货继续下跌的时候，国内资金难免外流，影响及于外汇之动荡不已。发行金公债，一面可以阻止资金的外流，同时亦可避免外汇之剧烈波动，诚一举而数善备。不过话又要说回来，将来期满开始还本之时，国库负担，势必加重，非外汇头寸因而减少，即法币膨胀之速率加大（票面上应付之美金数目，照中央银行挂牌行市折合国币付给，则发出之法币，益形膨胀）。查民国三十一年同盟胜利美金公债，票面上载有条例摘要，声明"民国三十三年四月底开始还本，分十年还清，每年四月底十月底各抽签还本一次，本利均以美金支付，或依持票人声请，按每次本息到期日中央银行挂牌市价折合国币支付。"足证本息必须以美金支付，经持票人声请，方可折合国币支付。但实际上，无论持票人声请与否，一律折合国币支付，殊属违反条例之本意。政府之自失信用，于此又可见一斑。

第三章 公债

一、公债之分类

(一) 英国公债之分类

(甲) 广义的与狭义的

公债一词,有广义与狭义之别。在狭义方面,系指政府以发行公债票的方法所举借之债务,如我国之统一公债,英国之自由公债(Liberty Bonds)与胜利公债(Victory Bonds)等是也。狭义之公债,与英文之 Bond 相似。在广义方面,公债系指政府之一切债务而言,亦即是国家债务之意,等于英文中之 Public Debt,凡财政部的银行欠款、国库券、借垫款等等,均列入广义的之内。此系第一个分类。

(乙) 永久公债与定期公债

英国之公债,亦分为永久公债(Funded Debt)与定期公债(Unfunded Debt)两种,此项名词常见于英文书本中,意义含混,定义不明。惟习惯上用法,Funded Debt 一词,大概含有永久公债之意。永久云者,即政府负按期付息之义务,至于还本,并无一定期限。就其意义观之,即解为永不还本,亦无不可,而持有人对政府亦无要求还本之权。但政府亦可自动地还本。至何时还本,须于事前公告,并须经过一定时间后始可还本。总之,还本之权,操之政府。

英国之 Consols,即属于永久公债的一类。中国尚无此类公债出现。吾国人民心理上大都有"有债必还"的观念,若告以持票人对政府无要求还本之权,根本不能希望他们接受。非永久公债云者,系指政府公债须定期还本者而言。虽有时亦可于到期之前,提早还本,大抵包含一年以至数年还本之中期公债,数年以至数十年还本之长期公债,及一年以内还本之流动公债。此系第二个分类。

（丙）永久公债与流动公债

除以上两种分类外,亦有将公债分为永久公债与流动公债（Floating debt）二大类者,此乃第三个分类。不过这个永久公债,与第二分类之永久公债,意义不同。后者含有还本无定期之意,前者系指在一年以上始还本之公债而言。所以第三个分类中之永久公债,实际就是第二个分类中之定期公债。依第三个分类,凡在一年以内须还者,谓之流动公债。以一年以内还本之流动公债,变为一年以上还本之永久公债,在英文谓之 Funding the floating debt。英文之 Funding 一字,可以译为整理二字。如英国为整理 1919 年之流动公债而发行之整理公债,即称为 British funding loan。整理之目的,在使流动公债变为 Funded debt 是也。此项整理公债之还本期,明白规定为 1960—1990 年。第二个分类中之 Funded debt,与第三个分类中之 Funded debt,含义虽大不相同,但一年以内还本之流动公债,与一年以上之公债,其间界线极为显明。

（二）中国公债之分类

（甲）有确实抵押品之内外债与无确实抵押品之内外债

中国之公债,可以分为有确实抵押品之内外债,与无确实抵押品之内外债。前者有确实担保，按期抽签还本；后者则还本，付息无着。在北京政府时代，无确实抵押品之内外债问题，认为是一个危险问题。盖内债不还，不过对人民损失国家之信用；外债不还，必致牵动国际交涉。从前印度与埃及，均以外债亡国，言之寒心。故北京政府对此问题，非常重视，而一般经济学者，亦特别注意。于是整理之说兴焉。刘大钧先生著"无抵押内外债之分析"一文，载在北京银行月刊第三卷第五号；著者亦有"无确实抵押品之内外债问题"一文，载在《马寅初演讲集》第二集。著者的意见与刘先生不甚相同，因著者在当时不主张加以整理，详细理由见"公债之整理"一章，兹不赘。

（乙）内债与外债

财政学上对于公债的讨论，大抵分为内债与外债的两部分，一因滥举外债，可以招亡国之祸（如印度与埃及）；二因二者之间，有一个特殊的普遍的性质上之不同。此种特性，不限于中国之外债，他国之外债亦同有之。大凡公债之债权债务关系，如仅限于本国人民，其影响所及，不过为国内一种财富与所得上的转移，是无碍于一国经济之繁荣的。若在国外市场募债，则债权债务的关系，推及于外国人民的身上。本国人民之付出，即为外国人民之收入；本国人民之所失，即为外国人民之所得。其影响所及，则为财富之国际转移与国际分配，足以影响一国国民经济的盛衰与荣枯。

在前清中叶以前，我国无所谓公债，更无所谓公债制度，尤无所谓内债与外债之分，其中当然有一个极大的缘故。据邹志陶先生在《民元来我国之公债政策》一文中（载《民国经济史》，银行学会印行），说我国以前的政治思想，不容有公债制度存在。专制时代的政治学说，谓"普天之下，莫非王土"，国家所有的一切，都是皇室的财产。在理论上,皇帝可取用国内的任何财产,而不发生所有权问题。古书上有"食王之毛","践王之土"一类的话,毛是指土地所产的东西,……这就是说我们所食的东西,和行路时所踏的土地,都是王室的私产,而由皇帝赐给人民或特许人民使用的。……在这种思想之下,……皇帝可以取用他所需要的东西,无须借贷。不仅此也,借贷是平等的对待行为,以君主之尊而向人民举债,是使君主与人民立于对等地位,和以前的君权理论不合。若人民成为君主的债权人,可向君主讨债,而君主亦负有偿还义务,岂不大损君主的尊严?与至高无上的君权理论不合。这样说法,西文财政教本上亦常见之。但尹文敬先生在《中国战时公债》第八十五页说:"古代制用之道,侧重节用裕民,国家在平时当注意储积,充实府库,以备非常之需,与今日财政学所谓量入为出,收支适合者,已不相同。至于弥补不足的方法,则利用杂税、榷酤、算缗等办法。又如由官铸钱以图盈利,平准均输,官商营业,都能获得一大部分收入。此外还卖官鬻爵,以及告缗之制,网罗富室,勒资入官。至于借用民财,加息偿还,国家以债务人自居,而以人民为债主,则古无此制。"礼记曰:"国无九年之蓄曰不足,无六年之蓄曰急,无三年之蓄曰国非其国也。三年耕必有一年之食,九年耕必有三年之食。"足见平日既有积储,自无向民间举债之必要矣。

(子)北京政府时代之内债与外债

民国成立,承满清政府疲弊之余,复无统一之政府与安定之政局为之后盾,故收支不能平衡,预算有名无实,内外债务日积月累。此一时期(自民元至民十六)可分为前后二期,自元年至三年底为前期,财政以举借外债为主。自四年至十六年为后期,是军阀割据时代,财政以举借内债为主。当时中央财源,以关盐两税为大宗。

租税不足,以内外债的收入弥补之,于是债台日高,还本付息责任加重,而收支愈不能平衡,有时甚且以北方诸铁路收入及崇文门关税,为中央财政唯一的来源。

民国初年(元年至三年底)公债市场尚不发达,故当时财政挹注,以外债为主。计所借外债,有瑞记第一、第二、第三各次借款,克利斯浦公司借款,以及五国银行团善后大借款,其他零星小借款尚不计在内。其中尤以善后大借款之条件为最苛刻,既以关盐二税作抵,复要求盐务稽核权及审计权,而债款用途,亦严受外人之监督,实为资本主义国家对于被侵略国家典型的借款。幸以欧战发生,稍脱国际羁绊。此后财政挹注,除日本方面继续借款而外,都以内债为主矣。

民国三年(即一九一四年)八月,欧战发生,国际资本市场,金融紧张。我国自清季以来,常赖外债以维持财政,至此外国资本亦无余力流入中国。故1914年不但在世界史上为一转机,即在中国财政史上,亦为一重要关键。自此以后,外国投资及国外借款,骤形减少。惟日本在华投资继起,丧权辱国之借款,层出不穷,西原借款,其显例也。同时国内公债,自民四至民十六,亦渐取得重要地位。计北京政府时代所举内债,凡27次,其属于此时期者,凡23次,公债发行总额为628,880,103元,其中无确实担保者颇为不少。又因财政紊乱,年甚一年,人民对于政府,愈少信用,故所举内债,数额亦愈趋微小,终至还本付息,不能履行,政府信用,愈趋动摇而后已。

(丑)中国外债之特色

中国之外债,与他国之外债,性质大不相同,与中国之内债,性质亦大异。凡中国外债所享有之种种特殊权益,皆非中国内债所能享受者。我们若能把外债享有之种种特色列举出来,就可以明白内外债性质之不同了。兹将中国外债之特色,举其荦荦大者,列之于后,并加以讨论。

1. 担保品 欧美各国彼此借款,均无担保品,但第一次大战之后,亦间有用抵押品者,然不多见;而中国向欧美各国借款,必须有抵押品,此是第一特色。

在外国财政学书本上,我们常见外债亡国之说(例如印度与埃及)。将外债与内债对立起来,中国经济学者以及知识分子在过去对于举借外债,往往抱反对的态度,大都受了外国学说的影响。日本在过去,曾处心积虑地欲以借款紧握着中国的经济命脉。著名的西原借款,是一个例子。外债之危险性,大抵仍萦回于吾人的脑海中,在本书不必再从长讨论了。我们要注意的,就是中国内外债不同点之一,是担保确实性之大小。大抵外债的担保,远胜于内债。在统一公债未发行以前,国民政府所有内国公债及库券,种类共达30余种之多,本息之支付,几皆以某种税收为基金。但名称上虽如此,事实上未必尽然。如盐税库券、统税库券、卷烟库券等,顾名思义,盐税库券应由盐税收入项下支付,统税库券应由统税收入项下支付,卷烟库券应由卷烟收入项下支付,实则不然。盐税、统税、卷烟库券等等,皆由关税收入项下拨付,并非由盐税、统税、或卷烟税收入项下拨付。即北京政府时代所发行之公债,如整六公债、春节库券等,亦由国民政府承袭偿付,加其负担于关税之上。关税对内债负担虽如是之重,但关税之收入,对外债赔款,尚有优先清偿之义务。必须外债赔款清偿有余,始得用以清偿内债,故实际上偿付内债基金之关税收入,非全部之关税收入,乃关余收入。故关税收入如有短少,首先受影响者,厥为内债。外债赔款不能拖欠。大部分赔款，名义上虽已退还中国，但仍由中外合组之管理委员会保管监督，指定用途。由财政部之地位言之，外债仍须继续支付，可短欠者惟有内国公债。因此内国公债之担保，其确实性远不及外债之担保，如银贱金贵，关税收入即有短少，不仅内债无法清偿，恐影响及于外债之偿付。故关税改征金币，照市价折合金单位计算，此即海关金单位之由来也（详关税一章）。因关余收入有短少之虑，所有内国公债之本息，不免出于停付之一途。为补救计，不得不从整理旧债着手，或延期，或减息，或二者并用，务使政府负担减轻。借统一旧债之名，行减轻负担之实。此统一公债之由来也（详后）。

但自海关税收被敌人暴力劫夺以后，一切有担保债赔各款之本息，自二十八年二月一日起一律停付。盖自国民政府成立以来，由军事入于训政时期，一切建设需款甚殷，故对于信用，竭力设法维护，尤其对于海关担保债赔各款之偿付，均按期履行，从未愆期；有时因天灾人祸及世界经济恐慌，虽遇税收短绌，不敷拨付，亦经挪垫巨款，按期偿付。这种措施，比较欧洲各国对于所欠美国战债每多停付本息之举，高明多矣。不意自卢沟桥事变，大战爆发以还，我国战区海关税收，竟被日人暴力劫持，数目约在该时国币1.5亿元以上。以我之税收为侵我之工具。劫持之款，全部勒存于日本正金银行，大都为法币，名为存储，实则利用之以套取我国外汇，加强其侵略力量。日人在战区内又复强迫行使日伪钞券及军用票，欲借以骚扰我国金融，降低海关合法税收。然我国对于海关偿债所需外汇，仍由中央银行照数售给，以示维护债权人利益之决心。但正金银行所勒存之海关税收，本为我各关税务司税收存款，但并不依照汇拨，其损害中外执有债券者之利益，为世人所共睹。

我国财政当局迫不得已,不能不有正当之措置。故对于总税务司呈请照旧向央行透支还债办法,不再予以通融,并饬应就各该关所存税款内提拨摊付。嗣后对于海关担保各项长期债务,凡在战前订借而尚未清偿者,当就战区外各关税收比例应摊之数,按期拨交中央银行,专款存充。惟此项拨存办法,原系应付该时非常情势之暂时措置,自二十八年二月一日起施行。如战区各关将已存欠缴之应摊债赔各款,嗣后税收应摊照旧解交总税务司时,自当仍照旧拨付债赔款基金,以恢复战前原状也。

2. 无公私之分　欧美各国间,政府互相借款,须经外交上手续。若永远不还,或用武力解决。政府向他国私人借款,直接向私人交涉,不用外交手续;若满期不还,只可向法庭起诉,以法律解决。若夫中国,则无论向欧美政府或私人借款,一律用外交手续。外人所以用外交手续者,因外人见中国甚弱,借本国政府的势力保护,以取得借款之安全,并取得种种权益。但外人与政府签订合同后,往往不来履行,有将合同上之权益,转售他人,如得高价,即来履行;否则搁置不理,换言之,获了善价,然后才动工,若不能得利,则久不兴工。尤其美国人惯于取巧。故美国私人借款,成功较少。此是第二特色。

3. 以银行为代表　在北京政府时代,各国对于政府借款,在财政上的利益,均以银行为代表,如:

a. 日本代表有三:(甲)正金银行,(乙)台湾、朝鲜、兴业合组之银行团,(丙)中华汇业银行。

b. 美国代表有二:(甲)J. P. Morgan Bank,(乙)Kuhn and Laeb,(丙)First National Bank of New York,(丁)First City National Bank。此四行为一团。International Banking Corporation 独

成一个代表。

  c. 英国代表有二：（甲）汇丰银行,（乙）福公司。

  d. 法国代表有三：（甲）东方汇利银行（Banque de L'Indo Chine）,（乙）Ciredit Lyonnais,（丙）Comptoire de L'Fs-Compte。

  e. 俄国代表为道胜银行。

  f. 德国代表为德华银行。

  各国所以要以银行为代表者,盖各国皆以银行为总司库,将来还本付息,必由银行处置之。此是第三特色。

  4. 借款国之优先权　上次向某国借款,下次关于此项借款,必须先向该国接洽。若该国不借或无款可借,然后才能向他国借贷。此是第四特色。

  5. 势力范围　譬如京奉铁路借款,在沿线 80 英里以内,所有借款建筑,必须仍向原国借款。再如英之于长江一带,日之于南满福建,法之于云南,俄之于东清,皆其势力范围。其有再次借款,必先向各该国接洽。此是第五特色。

  6. 管理权　凡以某项财产或税源作借款抵押者,关于某项之收入,均归外人管理。例如善后借款 2,500 万镑,由英、法、日、德、俄五国承受,又名为五国善后借款,成立于民国二年四月二十六日,年息 5 厘,由五国银行团发售债票,八四实交,期限为 47 年。前 10 年只付利息,自第 11 年起,每年递还总额 9‰ 强,每年应付本息总数为英金 1,455,994 镑,给予银行经理费 2.5‰,每半年交付一次。

  善后大借款,是外债最盛时期（自民元以迄民四年）所借有确实担保外债中之最大者,故有详述之必要。其担保系指定中国政府每年盐务收入之全数。如将来有再用盐款收入抵押借款之时,此项担保应有优先权，倘中国海关收入，除已指作担保之从前债务外，如仍有余款，应默认或商订尽先充作本借款之担保，偿还本息。倘上项有余之关款有足以偿付本息之时，则盐务收入之赢余，应即拨归中国政府办理他项事业。中国政府并承认改良整理盐税征收办法，另行设立盐务署于北京，由财政总长管辖。署内设立稽核总所，聘用洋员，辅助一切。所中设中国总办一员，洋会办一员，管理其事（按实权握在洋会办手中）。中国总办及洋会办专任监理发给引票，汇编各项收入之报告或表册。又于中国各处产盐区域设立稽核分所一处，所中设经理华员一人，协理洋员一人，所有征收及存储盐务收入之责任，由该分所华洋经协理二人负之。所中应用经费，即由盐务税收项下开支，列为用途中最优先之一部分。借款成立以后，所有应还本息，均照合同所订办法，及原订还本付息表，如期实行。并将一年应付本息，匀分为12个月，由盐务稽核总所，在盐税收入项下，按月拨付。但至民国六年，改由总税务司，在关税收入项下按月拨交稽核总所转交各经理银行，从无愆误。民国六年对德绝交宣战，将德华银行原经理之德国部分债票事宜，改托汇丰银行等兼代经理，十八年由国民政府改交中国银行经理。二十八年一月，关盐担保外债摊存办法施行以后，因盐税担保外债，亦是同样情形。为统一办法起见，亦规定盐税担保外债摊存办法，于二十八年一月起施行，本息自该日起停付。

又如芝加哥银行借款550万美金，以烟酒税为担保，但烟酒税早已抵押于法国。法人质问，中国政府无法应付，遂答以一为烟酒税，一为公卖费，其实不过一税两名目耳。依借款条件，美国亦可设稽核总所及分所。但美国因为借款数目太小，不屑为之，故只派一顾问，所以无有实权，每月仅领数千元薪水而已。此是第六特色。

7. 债赔各款均存入外国银行　债赔各款存于外国银行,是很重要的一件事。例如海关收入八九千万元,先分存于德华、道胜、汇丰各银行,后则仅存于汇丰一行。前此并不给存息,后经政府交涉,仅给利息2厘。又如盐税八九千万元,亦分存于英、日、法、美各银行。因现款存于外国银行之故,遂发生银根问题。譬如中国出口货多,外人欠中国者多,现款遂由外商银行流入华商银行及钱庄,则银根宽;反之,进口货多,华商欠外商者多,现款遂由华商银行及钱庄流入外商银行,则银根紧。是中国市面之银根宽紧,乃就国内的外商银行与华商银行间现金之出入而言,并非如外国银根之宽紧,乃就国外的外国银行与国内的本国银行间现金之出入而言也。此在银本位时代是如此,今日是法币世界,情形大不相同了。此是第七特色。

8. 各种特权　例如铁路借款以铁路作抵押,凡关于该路之(甲)购买材料,(乙)建筑铁路,(丙)委派总工程师及总会计,(丁)实行路成后之监督。如京奉铁路及沪宁铁路借款,即属于此类。

铁路借款,以发行债券之方式行之。例如英国银行承揽债券之发行,面额100元,以九折承包;如照九七折卖出,则银行可得7元之利益,若照八九折卖出,则亏1元。债券募足后,即充作筑路之用,路成,提成本总额5%作为报酬。此外承揽发行之银行,又有与中国政府共管之权(Joint Control)。但实际上中国局长,常受外人之牵制,以致大权旁落。在外国之持券人,因路远不克亲自稽核,只有将一切委托承揽银行而已,于是此银行或此公司俨然成了董事,握有全权。此是第八特色。

9. 政治作用　外国借款于中国,均有政治的野心,如西原借款,系日本欲造成中国内乱,以便从中渔利之借款。美国见日本野心勃勃,即谋抵制之方,发起新银行团,由英、美、法、日四国各组银行分团,比国亦加入。后以四分团合组一银团(Consortium),从前之旧代表,仍不解散,各国新银行皆可以随时加入。新银行团之初意,政治与实业借款,均归该团经理(后将实业借款划归各该国直接交涉)。因日本借款多借实业为名,政费其实,所以政治与实业界限不易分开。此约成立四月后,美国新银团代表拉门德到日本,邀其加入。日本要求山东、内蒙、满洲权利除外,方能加入,美国已有应允之意。惟中国以新银团条件太苛,限制太大。加以新银团系四国团结,势力太大,磋商条件,互相牵制,反不如向各国直接交涉之易于成功,故不赞成,新银行团因而未成立。北京政府此时外债既不能借,内债亦难募集,只有滥发纸币而已。此是第九特色。

以上九点,为我国外债之特色,为他国外债所未有。任何国家之公债,皆有内债与外债之分,不过在中国此种界限,特别明显,故有详加研讨之必要。

(寅)内债与外债相互配合之利益

战时经费,既不能专恃外债,亦不能专恃内债,势非使内债之发行与外债之运用相互配合,使发生联系,不足以应付急需。我国在战争时期中,除发行公债以外,历向各友邦接洽举借外债,或以现金还本付息,或取易货方式,即以本国之物资,易取我国需要各友邦之物资。顾内债之发行与外债之运用,每感缺少联系。自太平洋战起,我国加入同盟国,与各盟国休戚相关,我财政经济,已为全体盟国经济之一环。我国在太平洋上之地位日益重要,各盟邦对我之同情与援助,较前更为积极具体化。于是有美国5亿美金借款,及英国5,000万镑借款之成立,不但为数甚巨,且不计息,亦无偿期,条件之优,实属前所未有。其运用方式,是由政府发行同盟胜利美金公债1亿元及国币公债10亿元。前者之全数本息,由5亿美金贷款内拨付;后者之全数本息,由5,000万镑贷款内换成国币拨付。其债券之购买,均以国币为主体,目的在求法币之回笼,并收通货紧缩之效果。此两种公债,分别以外债担保拨充,使外债与内债配合运用,使国币与外币发生联系。此为我国债务上适应特殊环境之措施。

(丙)公债与库券

(子)债与券的区别

国库券之作用,原在于平衡税收之季节淡旺。国家经费,按月支付,而税收则有平淡与旺盛之分。平淡之时,收不敷支,以发行国库券的方法来弥补缺额,俟旺盛之时,再以余额税收来收回库券;换言之,政府于税收平淡之时,发行国库券,以弥补暂时之不足,而于税收旺盛之月偿还之,于是人民负担,丝毫不发生影响。故国库券之发行,不必通过立法院,或任何民意机关。其期限有定为3个月后偿还者,亦有定为6个月者。因此国库券与公债,不能视同一物。公债之发行,增加人民负担,而库券则不然。公债之期限,多在一年以上,而库券则在几个月之内。但在中国,库券之发行,往往失其原来的意义。在宋子文财长任内,为避免立法院之攻讦与责难,往往将公债改为库券,所以库券就是烟幕下的公债,二者实无多大区别;有之,亦不过库券大都是按月偿付本利,而公债则每年抽签还本几次,此外并无多大区别。惟始作俑者并非宋子文氏,在北京政府时代,已有此种现象。北京财政部常以国库奇穷,军政各费,每届到期,无法应付,辄以发行证券周转一时。然而期限恒有短长,利息不归划一,且随时发行,并无定额。按诸近世国家发行库券之公例,及北京政府施行关于国库券之法规,无一吻合。兹将北京政府所发行之库券规则要旨录后,以资参考:

(丑) 关于发行库券的规则

1. 岁计必要时,得发行国库证券;

2. 发行额不得超过预算岁入额;

3. 发行价格不得与票面价格相差;

4. 利息周年计算,不得过7.5%;

5. 收回时期,不得逾一年度;

6. 库券满期,与现金相同,得完纳各种租税;

7. 库券得充各银行发行纸币保证准备之用。

(寅) 在中国库券与公债无甚区别

查北京政府所发库券,类多不照库券规则办理,虽名为库券,实皆系公债性质。兹将北京财政部发行之十五年春节特种库券重要规则录后,以觇其是否与库券规则相吻合:

1. 此次库券定额为银元800万元,名曰十五年春节特种库券。

2. 此次库券利率定为周息8厘。

3. 此次库券按八二折发行。

4. 此次库券前二年只付利息,自民国十七年起,按照附表所载日期数目还本付息,至第六年止,全数清偿。

5. 此项库券前二年利息由财政部专款拨付,自民国十七年起,以向由关余项下业经指定拨充之整理内债基金,年约2,400万,除照历届定案,由总税务司拨付各项公债应还本息及偿还内外短债8厘债券银元部分之利息外,所余之款为还本付息基金,由总税务司保管，每届还本付息时，由总税务司径交经理银行备付。

吾人取以上各项所载十五年春节特种库券之内容与国库券规则所定库券之性质相较，完全不相吻合。其最显著者，即为此项库券，按八二折发行，其发行价格远在票面之下，利率超过法定7.5％之率。然此尚可借口金融市面之紧急，政府信用之薄弱，不得不稍事迁就也。至期间问题与用途问题，则其违法，实无可恕，国库券之发行，以调节本年度中每月收支不能适合为目的，故其期间不得逾一年，否则不合于发行库券之规例。今春节特种库券之期间，可以延至六年之久，且其用途，并不指定以本会计年度预算案内之支出为准，其基金更非以本会计年度旺月之收入为限（国库券之性质，无非预支旺月之收入，以充淡月之支出而已）。凡此，皆足以证明此种库券，皆系公债性质，并非真正库券。今借库券之名，无非欲避免提交国会议决之手续，径交政府发行，而国库券之本意尽失矣。此外如北京财政部所发行之使领库券、一四库券、与四二库券，皆公债也，而政府皆冠以库券之名。

十六年国民政府奠定南京，仍袭北京政府之故智，往往将公债改为库券发行，以避免提交立法院通过之手续。

（卯）用短期库券来吸收已膨胀之通货可乎？

自三十七年开始，物价上涨益甚，财政的赤字益大，于是有若干学者以及上海某报一再主张由政府发行一种短期库券，以期吸收已膨胀的通货。三十七年三月下旬，国务会议不顾若干人士之反对，竟通过发行短期库券条例，月息定为5分，与三月间的市场利率相较，只抵到六七分之一。外国利息以厘计，中国市场利率先以分计，现在（三十七年四月）则以角计，每元月息2角至3角不等。此外尚有一种暗息，利率最高，则系地下钱庄、私人借贷、与中小行庄暗中所流行的放款利率,而证券市场内的"套利"利率,在上海金融市场上亦占有相当重要的地位(按证券套利曾因递交取消而停止)。不过"套利"利率,常在银钱业放款日拆上下盘旋。我们要知道的,市面利率如是之高,而库券利率只定为按月5分,谁愿购买这种库券？社会游资,正从事于大规模的投机与囤积,不易为库券利率所打动,决不肯轻易放弃以商品金钞为对象的买卖,转而购买短期库券。不过国务会议所决定的发行方式,是"由中央银行于公开市场发行",这里面就含有"折扣发行"的意思,可使之符合高利率的本意。照三十七年三月份市场利率计算,一月期的库券,恐须按八折发行；二月期的库券,恐须按六五折发行,或能大量吸收游资。不过政府信用如此之低,而法币贬值又如此之速,能否收到如政府所期之效果,未可逆料。

我们所注意的,不在发行之价格,乃在发行之目的。其目的是在收缩通货,稳定物价,尚谈不到平抑物价。通货发出之时,人民负担无形中已加重,兹以库券收回通货,而库券到期仍须以法币收回,则人民之负担依然存在。无非这种负担,从前以通货形式存在着,今后改以库券形式存在着；外壳虽变,内容仍旧。但政府以短期库券势在必行,还将短期库券条例于三十七年四月十五日提出立法院会议通过。不过立法院于通过时,附以"这种措施,最好只此一次,下次不得援以为例"的条件。

(辰)发行库券原是安定金融的办法,不是稳定物价的办法

原来国库券在公开市场买卖,是安定金融的办法,并非平抑物价的办法。公开市场买卖,最早盛行于英国,目的在维持银根的常态。银根宽松时,抛出库券,收进通货；银根紧缩时,买进库券,放出通货。但在中国,则维持银根的常态,一变而为维持政府证券的

常值。证券价值下落过巨时,买进证券;上涨过巨时,抛出证券。殊不知用公开买卖方法以稳定证券的价格(只有一种),尚属容易;而欲以之稳定一般物价(有多种),必须先透过通货之紧缩,路途迂回,所绕的圈子太大,能否有效,只有待事实之证明,凭空臆测,无补于事也。况发行之折扣如此之大,所有损失,全归国库负担,过去抛售黄金之损失,尚萦回于吾人脑海中,试问于物价发生何种影响耶?抛售黄金,在物价方面并不能收多大的效果,则抛售库券,能在物价方面产生满意的效果,吾不信也。

(巳) 主张发行短期库券者之理由

但主张发行短期库券者,亦有他们的理由。他们以为既用折扣,在市场公开发行,其为高利,当无疑问。如用八折发行,则利率已达月息3角以上。此种利率,或稍低于此的利率,必能吸收一部原用于投机的游资。物价可望稍稳。在物价既已稍稳以后,投机者益感棘手(投机者惟恐物价不波动),因此库券的销路益可增加,而政府即可借此减少发行。在此双重影响下,物价无疑可得其平。不过同时市场利率,或因此又略趋高,因此发行库券问题或吸收游资问题,一变而为利率问题。

论者或以为高利有害于正当工商业,即财政当局亦抱此种意见。他们昧于利息为生产成本之一,而成本复能决定物价之陈腐谬说,屡次举办低利放款,益使燎原之火大张烈焰。在平时币值安定,物价稳定,固应采用低利政策,以减轻成本;但在战时,尤其在通货恶性膨胀不可收拾之现状之下,利率趋高,为必然之结果。此时正当工商业所惧者,非利率之趋高,乃物价之不规则的跳跃。物价稍平,囤积减少,正当工商业原有之困难,可以大减。

以上是主张发行短期库券者之说法。表面上言之成理,但在法币支出之数远超过收入之数的情形下,试问库券能达到所预期的目的耶?在今日的糜烂局面之下,几于无人不囤积,囤积而不居奇,何罪之有?今日的现象,是社会一般轻币重物心理之反映。轻币则不愿存币,随得随用,增加通货流通速率,即无异增加通货数量;轻币即重视物资,多购备用,减少物资周转机会,即无异减少物资供给。如是,一方为已泛滥之通货,增加其泛滥之力量,他方为已缺乏之物资,增加其缺乏之程度。在这种情形之下,而谓能以短期库券来压倒投机,其谁信之?

(午)现在的金融市场与银本位时代的金融市场不同

在银本位时代,市面通货的流通量,大概是季节性的。二月三月之间,旧历新年甫过,银洋存底甚丰,商家活动,尚未开始,故所需之筹码尚称宽裕。到四、五、六3个月,丝茶上市,所需筹码就多,银根逐渐紧俏。至七月各业清淡,银洋用途不多,银根复宽松。到八、九、十3个月棉花、杂粮、豆饼等同时上市,银根复紧,拆息渐高。故筹码的多寡,或金融的变化,完全是季节性的,且由于农业生产的季节而来的。在尔时,如有中央银行在,固可以在银根宽松时卖出库券,收回通货,使金融恢复常态;在银根紧俏时,买进库券,放出通货,使金融活动性能增加。因为在银本位时代,通货是硬货,是用银铸成的,数量上当然受了一种天然的限制,决不致过于膨胀。故用库券在公开市场的买卖,来调剂金融的缓急宽紧,是绰有余裕的。今日的金融市场,大不同了。金融的变化,不是季节性的,更不随着农业生产的季节而来的,乃是发生于财政收支的消长,与夫预算之长期的不平衡。在收入方面,可以使法币回笼的有下列几种工具:1.捐税缴纳,2.物资抛售,3.进口结汇。但在支出方面,可以使法币出笼的力量,远非收入方面的力量所能抵抗,约计之则有：1.军费的庞大支出，2.粮食物资的收购，3.出口结汇，4.金钞收买，5.债券的还本付息，6.行局贷放(三十七年仅农贷一项已达15万亿)。入不抵出，而出入的差额过于庞大，安得以库券销行的方法来改善呢？

(未) 增减存款准备率比较重贴现与公开市场买卖有效

不特此也，在中国不仅公开市场买卖之控制力量薄弱，即重贴现率，亦不易运用，此就中央银行过去之事实可以知之。我们的意见，以为提高存款准备率，以示紧缩；或减低存款准备率，以示宽放，比较公开市场买卖，容易收效。但依三十六年九月一日公布之新银行法第四十八条、第五十七条、及第六十六条之规定，商业银行、实业银行、储蓄银行应缴的保证准备金，系属硬性规定。我们以为与其硬性规定，不如使准备率有一种伸缩性。仿美国1935年银行法之规定，各银行应缴的准备金，可以定一最高与一最低限额，使中央银行得斟酌市场金融情形，在最高与最低准备率之间，自由增减，以为控制信用之工具。当游资泛滥，信用松弛，可以提高存款准备率，以示紧缩；反之，当银根紧俏时，可以减低存款准备率，以示宽放。尤以我国之中央银行，既未能运用重贴现率，亦未能运用公开市场买卖，以控制市场金融，则在存款准备率上用功夫，或能调剂金融之缓急宽紧。查新银行法的内容，受美国银行立法之影响颇巨，如关于各种银行资本的最低额之规定，固是因袭美国上次经济大恐慌后限制各新设银行的办法；即关于联合成立存款保险公司之规定，亦是启发于美国联邦存款保险公司之组织，则我国银行之存款准备率，何独不可仿美国之先例而定一最高与一最低的限额？美国1935年之银行法规定，各会员银行定期存款应缴的准备率，为3%至6%；活期存款，其在纽约及芝加哥二市者，为13%至26%；在60个准备城市者，为10%至20%，在其他各处者，为7%至14%。联邦准备管理局，得就其最高及最低限额，随时斟酌决定，以为防止"恶性的信用扩张或紧缩"之工具。这种外国例子，用以应付今日金融市场的局面，固是力量微薄，无济于事；但立法有永久性，一俟大局安定，建设开始，实行起来，或不致使吾人失望。

（申）港沪投机的猖獗非国库券所能扑灭

内战剧烈，东北、华北、以及华中烽烟炽烈，社会杌陧不安，因而乡村资金，集中城邑；城邑资金，集中都市；关外资金，流入华北；华北资金，流向东南。此类资金移动之后果，不仅形成若干地区资金之偏枯，影响其当地正当产业，抑且增加都市游资充斥之严重性，加甚其经济骚动之程度。其最可注意者，为各地资金陆续经东北及华北大量内逃，是由于东北战局之恶化。至三十七年三月二十四日止，此项内逃资金，已达东北流通券20亿元之巨，结果引起流通券价之狂跌。按流通券与法币之比率，原规定每一流通券合法币13元。至上述之日期止竟跌到4元。这许多内逃的资金，先到上海，购买金钞，或囤积日用品，一部分则逃到香港，变成了外汇，引起香港申汇之暴跌。到三月十一日止，已跌至一一，即上海10万元国币，汇至香港，仅能得1元1角港币。看趋势还要续趋下游；货币的崩溃是经济崩溃之最典型、最具体化的表现。其最堪注意者，为各地资金陆续经穗转港。资金逃避香港，于三十五年秋季，已有此现象，至三十六年，益加显著。银钱行庄贸易公司等，相率在港设立机构；工业家亦因国内经济环境不利，赴港设厂者，日见增多；投机商人亦争挟巨资，赴港或经营房地产，或买卖证券，或收购黄金、印棉、工业原料、化妆品等，走私回国。自三十六年四月以来,广州国家行局汇入汇款,每月平均即在1,500亿左右,连同商业行庄汇款、厂商划款、以及携运现钞之数,每月国内各地资金流穗逃港者,估计不在3,000亿元以下,实际或且远超此数,大都流入不正当途径。但亦有投放于稳健境地者。港政府最近发行5,000万元港币债券,利率低至3.5%,立刻销完。三十七年三月底,又在考虑1.5亿元港币之建设债券。

至集中都市之大量资金,大都为谋币值之保持,但其动机则为寻觅更活泼更有利之出路。此种行动,在三十五年已甚显著,至三十六年益见深刻,酿成集中都市之游资问题。三十六年度上海商业行庄之汇款,出入相抵,全年计入超达165,000余亿元,最后一个月之入超,即达33,000余亿元;实际数目,因运钞关系,恐远过此数。这个大量游资,非事投机,即图囤积:抢购物资,则物资飞涨;抢购金钞,则金钞上腾,使上海经济骚动,辗转波及各地,而全国均蒙其不良影响,故政府有严格限制资金活动之各种措施。不过这种种措施,皆系消极的补救方法,不能根绝游资猖獗的基因。例如取缔地下钱庄,禁止金钞交易等,皆系消极的方法,无非缩小游资活动之范围而已。因为游资在黑市之活动,端赖地下机关以为媒介,故有取缔地下钱庄之必要。至于禁止金钞买卖,则可使已投入金钞之资金,暂被冻结,加以禁锢,非特可以减杀金钞本身之蠢动,亦可利用市场一部分游资之隔离,减轻其他物价所受之威胁。此外尚须阻止埠际间游资之移动,使之不能集中于一处。盖分散则势弱,集中则力强,故于各埠设立金融管理局,专心致力于埠际游资移动之减杀。

但由于整个经济一无彻底办法,仅借重人为的措施,以遏制金钞投机,能收多大效果,实成问题。无论管制如何严密,我们终不能寄以奢望。各地游资，随着战火蔓延，大量流入沪港安全地带。为了寻求出路，自然而然地对着商品金钞进攻。三十六年沪市金钞交易，屡经秘密警察破获，打得落花流水，而其中所谓四大巨头，几乎束手就擒，全军覆没，整个黑市一度销声匿迹，全面陷于停顿。可是进了三十七年的年关，物价日夜奔腾。在此经济动荡的巨流中，东北平津的游资，大量流入沪市，恢复了黑市交易，引起了黑市价格的狂涨。他们的经营方式，因为吃过苦头，已大大地有了改变。禁令公布之后，交易组织迁入地下，应付种种外来环境。虽秘密警察，步步进逼，并深入堂奥，证据取得，实行逮捕，而破案之事，破产之讯，亦时有传闻；但因利益之优厚，远非普通职业所能比拟，操此职业者，大都白手起家，凭着一些平时交往，如人事熟悉，一年半载，莫不腰缠万贯，立地成富，这就引起了业外人的艳羡。他们根据过去的教训，做事非常谨慎，普通破获方式，已不易成功。平心而论，三十六年之金融管制政策，当以扑灭金钞办得最有成绩。无奈四乡不宁，币值日落，大利所在，趋之若鹜，决非治标的封铺拉人所可奏效。虽巢穴一经破获，金钞依法没收，只能多少减少活动的范围而已；若言扑灭，等于梦想。

　　在如此严重的局面之下，当局尚不思以安定币值为根本之计，而徒欲以国库券来吸收游资，以为安定金融稳定物价之工具，无怪其费力多而成功少也。这种大量游资，岂易为国库券之利率所打动，岂肯轻易放弃以商品金钞为对象，转而购买短期库券乎？况今日的银根，似乎已与物价金钞背道而驰，故常有银根松时，物价稳定，而银根紧时，物价反起涨风的现象。如太拘泥于"银根松时，抛出库券收进通货；银根紧时，买进库券放出通货"之旧的呆板方式，便难收稳定物价之实效。短期库券的发行，以稳定物价为最终目的，这证明了库券的买卖，不应置重于市场银根的松紧，而应完全着眼于稳定物价之上，足见物价之升降，已与银根脱节，其原因完全在人民对法币心理上的变化，非徒发短期库券所能挽救。倘战争烽烟蔓延不已，即将美国所有黄金移置中国，亦无济于事也。

第四章 公债(续)

二、公债之整理

(一) 无确实担保内外债之整理

(甲) 在北京政府时代

民国十二年,北京政府有鉴于财政濒于破产,借贷无门,非整理无确实担保之内外债,不足以图存,于是有财政整理会之设。十四年之关税会议,始拟定三三三一之计划,就是在关税自主以前,在过渡期间内可以增收附加税,以所收之数十分之三,充作抵补裁厘之用,十分之三充作整理内外债之用,十分之三充作建设经费,十分之一充作行政经费。此项增收之关税,约略估计,可达1亿元之数(银元数),则整理内外债之基金,可达3,000万元。财政、交通两部经管之无确实担保外债,尚欠本息,截至民国十四年底止,共计792,000,000元,其中属于财政部者为407,156,308元,属于交通部者为384,910,000元。嗣后交通部归入整理案之债额不过2.5亿元,财政部归入之外债为3.5亿元,此外财政部尚有无确实担保内债约2.6亿元,一并加入整理,三项合计,共8.6亿元。关税特别会议决定整理之数,以8亿元为限。债额如此之巨,而还本付息之基金,不过3,000万元,莫怪债权债务之间,要起极大的争执,结果定了五项整理债务之原则,五项整理债务之范围,五项整

理债务之办法,分别述之于下:

(子)整理债务之原则

1. 整理计划,应包括中华民国中央政府所欠之全体无确实担保外债。

2. 整理债券在过渡期间,应以关税附加税每年收入之一确定部分为担保。实行关税自主后,应由关税中每年提出相当之确定数目为其担保。但外债用金币偿还,而中国海关之税收是用银币,金银之间比价,时有变动,故提出之数,无法确定。

3. 加入整理每一债款之原条件与其债额,应于整理以前公平调酌,以便平等待遇。

4. 每笔债款,经调酌之后,应与同种货币同一数额之整理债券交换。整理债券,应按票面价额作价。所有加入整理案各债之原有合同抵押品及一切附属利益条件,均应交换,收回作废。

5. 整理债务之利率及其还本付息办法,应在上列第二项原则之范围内设定,并须酌留余地,以期确实照行。

(丑)整理债务之范围

依整理原则第一项之规定,整理债务,应以财交两部直接负责之无担保及无确实担保之内外债务为范围,包括以下各项:

1. 财政部直接订借之债务,如系外债,须曾经外交部长正式照会关系国公使备案。

2. 中央机关订借之债务,经财政部承认负责偿还者。

3. 中央机关之债务,曾经财政部承认保证,而该机关已不复存在,或停止营业,无从索偿者。

4. 外国政府或私人之赔偿要求于某日以前提出,并经外交部及财政部正式承认者。

5. 交通部及其附属机关之无担保及无确实担保债务,照中央政府之意见不能以其收入整理者。惟无论如何,交通部归入整理之债务,不得超过2.5亿元之数。

原则第三项比较重要,它说:"加入整理每一债款之原条件与其债额,应于整理以前公平调酌,以便公平待遇。"此条所以如此规定,因为归入整理之各债,各有历史,政治借款与实业借款,当然要分别轻重,不能平等待遇。法国以担保不充分之债应优于全无担保者。所以于整理之前,要加以公平调酌。此外尚有种种不同之点,如期限有短长,折扣有大小,则待遇之分歧,当可预料。兹将种种不同之点列之于下:

1. 利息之高低不一　自大体言之,外债以7厘之利息居多,而八九厘以上者则甚少。大概美英利息低,而法日利息高。美国之借款利率,一次为5厘,三次为6厘,两次为8厘,其整理之法,当然不能一律,必先经公平调酌后,方可一样待遇。

2. 期限之迟早　借款满期之迟早不同,而订约之期限亦有长短,其未到期者,似可稍缓。

3. 抵押品之性质不同。

4. 目的不同　例如日本人借款于中国之安福系,原欲以借款手腕操纵中国政权,乃日本借款之特殊目的。又如汉口埠头借英国三妙尔公司之款,以修筑商埠,目的正当,实为必须偿还之急债。

5. 经手人之不同　例如中法间借款多由中法实业银行经手,于中法实业银行未复业前,不必亟亟。

所以整理之方法,不能一概而论。但要整理,终不出于下列三个原则:(甲)化散为整,(乙)减重利为轻利,(丙)展长清偿期限。此三者为中国方面之利益。(丁)担保确实,即以海关二五附加税为担保(详关税一章),使外债基金稳固,此乃外人方面所得之利益。

关税会议中很有人主张予以差别待遇,但有人以为各债之原条件与债额,既经公平调酌,则不平者已平,岂可再事计较,节外生枝？若长此争执不已,不仅受歧视之债款落空,即优待之债权,亦同受其累,岂不两败俱伤？故决定一律平等待遇,不加歧视,其办法如下：

(寅)整理债务之办法

1. 凡列入整理之借款,其债额经调酌核定后,应一律平等整理,不得歧视。旧有合同函件凭证债券息票,以及其他凡有关本金利息,担保之文件,与相关或相因而生之政治经济利益条款,自归无效。

2. 整理债券,应于旧债凭证交出后,交换发给,其货币种类及数额,应与原债务货币及其审定之债额相同。其尾数或以现金偿还,或用其他方法处理。惟用银两计算之债务,应一律按平色换发银元债票。

3. 整理债券之期限,应为三十一年,由实行过渡附加税之时起算。前五年利率应为3厘,由第六年至第十四年应为4厘,由第十五年至第三十一年应为5厘。还本应自第一年还起。

4. 整理债券之还本,应由中国政府用抽签方法行之。

5. 某年以后,中国政府有权于还本付息日期,将尚未偿还之整理债券全部或一部,按票面价额赎回。

(卯)整理债务之基金

依整理原则第二项之规定,整理债券之还本付息基金,应以过渡期间之关税附加税一确定部分充之。倘将来逐年还本付息之数目,实际上不敷用时,中国政府得延缓拨付该年应拨之还本基金。关税自主之后,中国政府应按还本付息表每年所需之数目,逐年由关税项下,拨足数之款为基金。如因税款短绌,则自主后前五年之间,得展缓还本。惟自第六年起,应按还本付息表所列之数目,逐年拨还。至三十一年满期时,如因展缓还本之故,债券未能全数收回,应于两年内悉数偿还。

以上是北京政府整理无确实担保内外债务之计划大要,但未及实行,而北京政府已倒。

(乙)在国民政府接收北京政府遗下的债务整理案之后

十六年国民政府奠定南京之后,接收北京政府遗留下来的债务整理案。十七年召开之全国经济会议与财政会议,亦有整理国债,提高债信之提议。十八年一月遂有整理内外债委员会之设立,以行政院长、监察院长、及外交、工商、铁道、交通、财政各部部长为委员。十九年十一月十五日,该委员会召开各国债权代表会议于南京,到者有英、日、美、法、比、意、及荷兰等七国代表。会议之重要决议有下列四项:

(子)整理铁道交通各债务之原则

1. 凡各铁路自能负担之债务,应由各铁路自行清还之。
2. 向来由盐款付还各铁路债务,仍由盐款支付之。
3. 凡用铁路名义各政治借款,应由财政部负责整理。
4. 凡铁路债务铁道部无力单独担负者,应由财政部尽力协助之。
5. 整理交通部旧债之原则,应与铁路债务相同。

(丑)中央各部院债务,由委员会计划整理,各省区债务及非债务之损失赔偿等项,另案办理。

(寅)另造整理债务应发公债总数表,使财政、铁道、交通、及其他各部院之债,皆可收纳其中。

(卯)所有内外债之利息,应于起债时减低利率,不加复利。

二十三年四月政府又决定范围四项:

(子)旧财政部于民国十四年关税会议时承认整理之债务,由财政部继续承认整理。

(丑)各债权者从前开送账单内关于地方债务,及机关债务欠薪并赔偿损失等,仍由各省及各机关自行拟定清理办法。

(寅)铁道交通两部所列债务,已经确定整理办法者,仍照该办法办理。

(卯)铁道交通两部所列债务,间有还本付息,虽未能按照合同履行,但尚有相当担保者,此项债务,在未有根本解决办法以前,由交通铁道两部会同财政部商议整理办法。

自上述原则及范围决定后,国民政府即开始整理,截至战前止,其已经整理就绪者,有津浦铁路借款、津浦铁路德华银行垫款、湖广铁路借款、陇海铁路借款、平汉铁路正金银行借款、津浦铁路续借款、道清铁路借款、广九铁路借款等等,共49种,大部分是铁路借款。经此整理之后,还本付息之负担,减轻甚多,而国际信用亦提高不少。中国债券在外国市场上之价格,亦逐渐上升。不料二十六年抗战军兴,整理工作因此停顿。截至三十二年止,我国尚欠外债本息约英金140,345,112镑,美金844,031,836元,日金215,605,859元,法金322,980,281法郎,比金170,096,303法郎,荷金37,012,543盾,德金232,800马克,港金1,076元,关金7,250,020元,库平银25,098两,国币21,693,053元,共计折合国币(三十四年五六月币值)31,312,921,081元。①

（丙）当时余对于整理的意见

对于北京政府时代之无确实担保内外债，著者在当时不主张加以整理，理由很简单，特述之如下：

在北京政府时代，军阀专横，穷兵黩武，虽竭全国之财源，难填无底之饷窟与私人之欲望，以致国贫民病，高筑债台。且纷乱如麻，整理莫由，成为当时之一大问题。贫穷之政府，当尽押尽，借债无门，除卖国而外，别无筹款之法。彼有识者忧蹈埃及、印度以外债亡国之覆辙，主张如何整理，为国家计，固未可厚非，独惜其未虑及将来之大害耳！盖不加整理，则外资无从投入，内债亦难借得。如果一旦加以整理，则债额日增，饷糈百出，军阀更可展其杀人之伎俩，助长政府之罪恶，借款与政府者固罪不容于死，而主张整理者，亦不能辞其咎。整理即间接增加政府之罪恶，此鄙人之所以主张不整理之意也。

关于整理的方法，各人主张不同。法人宝道主张无论内外债。一律以二五附加税整理之(二五附加税，详关税一章)。美国商会主张先整理外债，有余然后整理内债。北京财政部以此主张太偏，不可实行，因外债不见得皆是正当的。如日本之西原借款，包括交通借款、矿林借款、吉会借款、满蒙借款、高徐借款、及参战借款等，共计七项，为数1.5亿元之巨。日本明知中国安福系用于战争，故意助长中国内战，彼乃从旁攫取利权。举凡不正当之内外债，皆有强盗的质素，决不应因其为外债而特别优待之。内债亦非尽是不正当的，正当之内债，据若干人的意见，当然应整理清偿。

---

① 赵在田著：《我国外债之研究》，经济汇报第十一卷第六期，中央银行编印。

余不主张整理者,还有一个原因。尔时北京之各银行,其苛刻程度,实较犹太人还高,该时张弧长财政,以董康为短期债款审查委员会委员长,博"财政公开"的美名。不意董康办事不苟,将各银行借款黑幕和盘托出。据董康之报告,利息有达八九分者。其盘剥的方法约略如下:

(子)折扣　如债款 10,000 元,只交 9,400 元,此之谓九四交款。

(丑)汇水　借款作为在上海成立,由上海汇至北京,故要汇水几百元。

(寅)兑换　银行交付之款有用外币者,如日金或法郎;以外币折合规元(上海尔时用规元银),以规元折合公砝(北平用公砝银),复以公砝折成银元,层层盘剥,获利不少。

(卯)利息　以上三项合计,再加以利息,为数甚巨。

借款于政府者有若是之大利可图,故北京银行林立,而政府亦因自民八年以来,无外债可借,只得受其要挟,直至十三年,此项零星借款已达 1 亿元以上,未始非银行助桀为虐铸成之大错。

总税务司安格联曾提议发行 9,000 万元内债,以盐余作担保。但盐余须归他掌管。北京政府因此层太危险,未从其议。此后各银行组织一团体,名之曰盐余借款团,与政府公开商议偿还之方法。

"盐余"一词,乃指政府盐税收入 9,000 万元中,除去抵押外债外,所余之款项而言。如有盐余 300 万,政府以此作担保向银行借款;银行不知政府有无盐余,或有盐余,是否曾作基金,不敢轻信,要求洋稽核签字证明。其实盐余乃中国所有,本可自由处分,以无信用之故,遂非外人证明不可。设盐余不足担保或无盐余时,外人

601

不肯签字,北京财政部乃商通外国银行之买办,由买办出面证明。以此方法,向银行借款,有时未见有1元盐余,因而成无确实抵押品之内债。至张弧请董康整理内债时,董康将内容尽行宣布,凡利率在三分以上者,认为违法,尽不承认。但已经审查合格之内债,均给以九六公债。

九六公债因发行之数量而命名,既如上述,其中日金部分为39,600,000,极确切可靠,因有盐余作抵押品,而盐余又先由日本正金银行扣除。国币部分之56,400,000,极不可靠,因在关税切实值百抽五未实行以前,名义上以盐余作担保,实际上已无盐余之可言,不过北京政府设一骗人之局耳。即切实值百抽五实行后,所增收之关税,归纳于关余之内。关余为整理案内各债之基金,抽签还本须按一定之程序如下:(甲)金融公债,(乙)军需公债,(丙)整七公债,(丁)金融公债第二次抽签,(戊)整六公债。

至于无相当抵押品之外债,虽不如无相当抵押品内债之糟,整理起来,亦有数种困难,非经调酌,不能一致待遇。但有恶意之政治借款,余以为绝对不应承认。

(二)国民政府对于内债之整理——统一公债

为整理内债而发行统一公债,虽属平时财政范围,然与战时财政亦未尝无关,似有研讨之必要。故特提出讨论,分六点述之如下:

(甲)统一公债发行之原因

表面上之原因,显然为财政收入短绌,关税年年减少,政府支持为难。据银行周报所载,我国自二十年至二十四年关税收入概况,逐年渐减,其数如下:

民国二十年　　　　　　　　370,000,000元

民国二十一年　　　　　　　326,000,000元

民国二十二年　　　　　　　352,000,000元

民国二十三年　　　　　　　334,000,000元

民国二十四年　　　　　　　315,000,000元

故民国二十四年收入,较之二十年实短5,500万元(银币)(以下仿此)。短少之原因,初因东三省失去,继因受华北影响,殆属毫无疑义。过去国民政府所有内国公债及库券种类共达三十余种之多,本息之支付,几皆以关税为基金,名称上虽未必尽然,如盐税库券、统税库券、卷烟库券等,顾名思义,盐税库券应由盐税收入支付,统税库券由统税收入支付,卷烟库券由卷烟税收入支付,实则不然。盐税、统税、卷烟库券等,皆由关税收入拨付,并非由盐税、统税、或卷烟税等收入支付。即北京政府时代所发行之公债,如整六公债,春节库券等,亦由国民政府承袭偿付,加其负担于关税之上。关税对内债负担虽如是之重,但关税之收入,对外债赔款,尚有优先清偿之义务。必须外债赔款偿付有余,始得用以清偿内债。故实际上偿付内债基金之关税收入,非全部之关税收入,乃关余收入。故关税收入如有短少,首先受影响者,厥为内债。二十四年七月起至同年年底止,关税收入每月亏短400余万元,外债赔款不能拖欠。大部分赔款,名义上虽已退还中国,但仍由中外合组之管理委员会保管监督,指定用途。由财政部之地位言之,仍须继续支付,可短欠者,惟有内国公债。故财政当局不得不对本国债权人公开声明,各债权人如不赞成延期减息,结果惟有出于停付。上海债权人对政府发行之统一公债,旨在缓期还本者,发行宣言,表示赞成。此种大债权人之中,或有大投机家插足其间,正为政府所欲加

以取缔者,故不得不曲意逢迎,宣言赞助,亦避重就轻之道也。查二十四年度预算收支约9亿余万元,表面上收支两数适合,实际收入短少1.5亿元,而施行之结果,自二十四年七月起至年底止,半年期间,即亏短1.5亿元,则全年合计不敷3亿元,不得不有一个弥补方法。

补救方法,首在加税。理论上加税之有希望者,为1.关税,2.盐税,3.统税。但事实上均甚困难,关税加高,不但牵引外交问题,即对国外贸易影响亦大。况加税后,私运之风,恐将益甚;关税收入,或至得不偿失。盐税负担已甚重,每担盐售价常达10元左右。云贵缺盐省份,每担更贵至二、三十元不等,人民颇多淡食者。每担盐之成本,不过几角,再加以若干之运费与杂费,为数亦至有限。盐价之最大部分,均系租税之所加。若再加征盐税,不但私盐愈益充斥,税收愈益短少,而人民将更不堪负担矣。至于二十四年的统税,中国厂商奄奄一息,亦无能力负担加重之租税,政府又不能对外国厂商单独加重其统税之负担。若单独加重华厂之负担,更足削弱其对外厂商竞争之能力。故加税办法,实行不通。不得已而思其次,惟有借外债。若借外债兴办建设事业,犹可说也;若为弥补预算经常费之不足,则危险甚大,决非良法。即用外债以兴办建设事业,苟有成功希望,日本必出而反对。二十四年下半年对英美借款商议之进行,日本无不从中阻挠,功败垂成,困难可知。故再思其次,惟有内债。但内债本息基金每月已亏短400余万元,举办新债,亦非易事。最后办法,则发行纸币,以补预算之不足可乎?或谓二十四年十一月四日所以停止硬币行使,非无相当作用焉。惟纸币政策之施行,得力于客卿者不少。客卿虽尽力赞助,但有顾虑者三点:1.管理人员之操守问题,2.预算之平衡问题,3.中央银行之独立问题。欲使纸币政策有良好效果,必须管理人员富有道德,预算收支适合,中央银行脱离财政部,成为独立机关。客卿对此三点既鳃鳃过虑,尚可发行纸币以补预算之不足乎?

由此观之,举办新税,发行内外债,及利用纸币政策,各有困难,而财政之亏短,又不可听其自然,不得不从整理旧债着手,或延期,或减息,或二者并用,皆有减轻政府负担之作用。统一公债,即为无办法中之办法。借统一旧债之名,行减轻负担之实,对旧债利息,虽不减轻,而各债偿付期限,则一律延展。据报告,统一公债未发行前(二十五年二月一日),政府每年偿付外债本息约1亿元弱,内债本息1.9亿余万元,合计2.9亿元左右。依统一公债办法整理后,全年支付公债本息减至2.3亿元,每年可少付6,000万元,即每月可少付500万元左右,此数与关税亏短之数,足可相抵。此即统一公债发行之原因也。

(乙) 统一公债不减息之理由

统一公债既为减轻政府负担而发行,其原意本欲将延期与减息同时并用,但经各方讨论之结果,始决定单用延期办法,不再减息,盖减息利少而害多也。著者对于减息亦不赞成,有四项意见,当时在京沪各报发表。现在尚可补充为五项。或谓外国亦有减息办法,我国何尝不可采行。要知外国自外国,中国自中国,各有特性,未可强同。英国于1931年放弃金本位,以复兴工商业。1932年2月以后,英国中央银行利率自6厘减至2厘,政府所有20亿镑战时公债,常年利率5厘,售价无不大涨,盖亦资本化作用(Capitalization)之结果也。英国政府遂利用机会,发行年利3.5厘之新公债,以收换旧公债;年可省利息1.5厘,确为显著之事实。故吾国亦有人提议仿行,但著者期期以为不可,请申述其理由:

（子）减息足以动摇慈善团体或学术团体之基础　公债为各项事业基金之良好投资物，各国皆然。我国各慈善团体及学术团体基金，投资于公债者尤多，其利息之收入，皆有一定用途。此外如孤儿寡妇，不知管理财产，或惮烦劳不愿管理，又不愿存入外国银行，每以其所有投放于公债，衣食所资，未可或减。故政府倘遽行减低债息，影响实大。在外国公司债甚为发达，倘因公债减息，债权人不愿投放时，可以易购公司债，以资救济。我国公司债极不发达，政府减息以后，几无法可以救济也。

（丑）减息足以招致银行业之损失　如现在上海各银行存款合计有二十几亿元，有定期者，有活期者，有零存整付者，有整存零付者，种类不一。往往契约期间甚长，其利息皆早已订定。未满期前，不能自由减低利息，其所订利息之标准，每以其投资所得利益为根据。而各银行投资于公债者，为数不少。若政府一旦宣言减息，银行收入由是大减，其约定支付之利息，则不能由是减低，其损失岂不大耶？

（寅）减息之利益不如延期之大　公债之清偿，原则上息随本减。例如有人负债1万元，年利6厘，10年还清。第一年应付利息600元，还本1,000元，第二年利息即减为540元，则本金可以多偿60元，合为1,060元。第六年利息适为300元，则本金可还1,300元，余均类推。可知公债之利息逐年减少，本金之偿还可以逐年加多。若政府减低利息，所得之利益并不甚大，若延期还本（如改10年为20年），则每年所还之数，必大减少，故与其减息，不如延期。

（卯）减息足以扩大外国银行之存款　当时在华外国银行竞争吸收存款，如汇丰、花旗、麦加利等皆是。三月期存息曾提高至

7厘,为外国银行从来未有之高利吸收政策。倘有华人存款,彼实欢迎之至。或谓有5万元之存款者,足以博其一笑;存10万元者,彼将与之握手;存20万元者,彼将请其吃饭,非无故也。当统一公债发行之前,我政府如减低公债利息,银行之存款利息必随之减低。华银行存款利息减低,华人存款有不移存外国银行之危险耶?为渊驱鱼,为丛驱雀,愚孰甚焉。

然则该时外国银行何以肯出高利以吸收华人之存款乎?此可归因于货币政策。二十四年十一月施行新金融政策以前(即废止银本位,改用法币),谣言纷起,外人资本早已逃避一空。至新政策施行以后,外商银行现银存款总额达4,500万元,中国政府虽经几次交涉,卒未移交。但现银又不准行使,形成固定资金,寸步难移,无异冰结,遂感活动资本之缺乏。乃不得不设法将近期汇兑陆续出售,换得法币,一面以高利吸收华人存款。因此之故,统一公债之利率,不能减低也。

(辰)无减息之良好环境　一二八之后,政府曾行减息延期一次,似可据为先例。但二十五年无彼时之良好环境。一二八时上海几在罢市状态,交易所亦停拍债市,80余元市价之公债,骤跌至30元,本金能否收回,须视战争之进展状况如何为断,不能预知,更无人计较利息矣。此一二八时利于减息者一。彼时尚在战意浓厚之时,人民为爱国心所冲动,民族存亡所关,敌忾同仇,义无反顾,区区利息,何足道哉。此一二八时利于减息者二。再者,二十五年并无战争之刺激,虽国势之严重不下于一二八,然外表上尚称平静,人民同情心之强弱,迥然不同。此一二八时减息可行,二十五年则难也。

(丙)统一公债发行之办法

旧内债有30余种之多,有称公债者,有称库券者。库券是有限期的,公债库券又各有多种,不可不称为复杂。库券大都系按月偿付本利,公债则每年抽签,还本几次。就财政学理言,公债与库券截然不同。公债系政府预算不足所发生之长期债务,库券则在一会计年度内,因税收尚未到期,而政府急待支出时所发行之短期债务。例如我国政府预算收入7亿元,支出9亿元,不足2亿元时,借债弥补,分若干年清偿。清偿资金之来源,最后不外出于增加旧税或创设新税,此为公债之本质。若在一会计年度内租税收入,上半年仅3亿元,下半年有4亿元,而经费支出上半年即需4亿元,下半年3亿元,收支两两对照,全额虽足相抵,然上半年不足1亿元,下半年则余1亿元。政府为求适合计,上半年可发1亿元库券,以资融通,以下半年多余之收入清偿之,此为库券之特质。故公债足以增加人民负担,库券则否。各国惯例,公债必须经立法机关通过,因立法机关代表人民,有监督财政之权也。库券则可由行政处分,不必经立法机关之通过。我国库券种类特多,时期又长,名为库券,实等公债。当初系财政当局为免去烦重之立法程序,假借名义,便宜行使,遂使公债与库券本质之区别,不复存在矣。二十五年政府将公债与库券同样整理,惟债券到期之年月长短不一,应如何延法,俾各方均得公平之待遇,实费斟酌。如爱国库券二十四年十一月即将期满偿清,若春节库券须至民国三十七年方告满期。倘不问一切,同样以一种统一公债(譬如以期限二十四年之统一公债)偿清,则持有爱国库券,未免吃亏特大,故未采用,此一法也。第二法则可按到期之远近,一律加倍延期,如2年后期满者,延至4年后偿清;10年后期满者,延至20年后偿清,如是似较公平,然与发行统一公债之目的不合。盖延期之结果,公债库券仍不能统一,仍有30余种之多,不过将各债券各延长一倍之清偿期间,而各债券之种类与名称一仍旧贯,如爱国库券10个月满期,展为20个月,其为爱国库券如故也。春节库券12年后满期,展为24年,其为春节库券如故也。统一之意义岂不全失,故亦未采用。不得已采用第三法,即为现行之办法。依到期之远近,分成甲、乙、丙、丁、戊五类。凡在3年内到期之公债或库券属甲种,展期至12年,以甲种统一公债偿清之。5年内到期者属乙种,展期至15年,以乙种统一公债偿清之。7年内到期者属丙种,展期至18年,以丙种统一公债偿清之。10年内到期者属丁种,展期至21年,以丁种公债偿清之。12年内到期者属戊种,展期至24年,以戊种公债偿清。如是既可免去第一法之不公平,亦可免去第二法之复杂性,较可差强人意。若谓为绝对公平,则犹未也。如春节库券12年后满期,再延长12年,就比例言,不过一倍。爱国库券仅差10个月,延长至12年,其延长比例达十四五倍,以此例比,岂可谓平,亦无办法中之办法耳。统一公债年息6厘,每6个月还本付息一次。

(丁)公债减息之要求

统一公债利息虽未减轻,然主张减息者大有人在,以工商界主张尤甚。彼辈以为当时(二十四年底)利息之高,多由于公债利息优厚,致使一般银行相率投其资金于公债投机之一途。在经济不景气发生以前,地产、标金、公债三者,均为投机之最好目的物,吸收银行之资金不少。自经济不景气深刻化后,地产价值日跌,投机家视为畏途,不敢问津,尚有标金公债以经营。自新金融政策施行后,标金市价已随外汇之安定而钉住Pegging,极少变动。投机之目的物又失去其一。银行界遂以公债为唯一之目的物,对于工商业界之要求融通，不值一顾，致使工商业告贷无门，艰困万状。故要求政府减低放款利息。然欲银行放款利息减低，非使银行存款利息减低不可；欲使银行减低存款利息，必须减低公债利息。公债利息改低，不足引诱银行业之投资；银行业亦不致提高存息，为吸收存款之竞争。公债种类又已简单化，投机之成分亦大可减轻。盖旧公债种类既多，条件各异，市价涨落极不一致。苟十八年裁兵公债涨价，二十四年金融公债跌价，即卖出即期裁兵公债，买进远期金融公债。未到交割时期前，如裁兵公债回跌，金融公债回涨，又卖出金融公债期货，买回裁兵公债现货。一进一出，裁兵公债如旧保存，而获利已不少。即使届期金融公债价格不能回涨，实行交割，仍不失为良好之投资物。裁兵公债则已以高价脱售矣，利益未尝不存在。此公债投机所以盛也。统一以后，公债种类既减至五种，彼此条件除到期日外，均属相同，故价格不致有大变化，已不合投机之目的。如是银行业自肯将其资金之一部分投入工商界，回复其营业之正轨。国内工商业得低利资金之融通，与外人竞争之力量可以加强，其利益岂不甚大云云。此说似亦言之成理，持之有故。然天下事利弊往往互见，商人取巧，层出不穷，有未能一举而廓清者。试回头一看，即知其未尽然。如未整理前公债利得常年可达一分七八之多，票面百元年利 6 厘之公债，每可以 60 元购得，表面利率已合一分。若中签以后，本金立可收回百元，较之购买时又溢出 40 元。平均计算，约合利率七八厘之多。倘第一年购得，第二年即能中签，其利益且达七八成之高，银行虽以一分二之高利吸收存款转购公债，犹有大利可获。工商业放款之利得与保障，断难与之比拟，宜不值其一顾也。虽然，公债利得倘减至一分，银行存款利率自不可不减至 7 厘或 7 厘以下，然又安能使银行不以 7

厘利率吸收之存款,投放于一分利得之公债乎？况该时上海投机美国之物品或证券者,颇为盛行,又安知不因是而更加甚乎？低利融通与工商业之目的岂必能达到耶？故工商业希望减低公债利息,可使银行界转移营业之目标,理论上未必尽然,事实上银行界又不承认因购买公债之故,始对工商界不肯放款。常以工商业放款无确实保障为口实,亦未尝无偏面之理由也。况操纵金融之责任,应由中央银行负之。倘健全之中央银行能早日成立,将全国商业银行之准备金设法集中,自可实行贴现政策,未有贴现政策不实行,而能操纵市面之金融者也。至于对工业之长期贷款,尤非商业银行应为之事。倘工业欲得长期资金之融通,理应首先提倡资本市场之设立。吾国至今日止,只有金融市场,尚无资本市场,故公司债券无法推行。若以金融市场中之商业银行担任公司债券,易使游资冻结,市面周转不灵,反使金融市场之利率提高,真所谓南其辕北其辙也。不特此也,如工业界欲向银行融通,自己必须脚踏实地。倘内部管理不良,或改良不力,徒责银行界不愿投资,殊属偏面之词。一言以蔽之,公债投机,自当设法制止,使银行业务渐入正轨。但谓公债投机取缔之后,即可使商业银行投资工商业,则希望未免太奢焉。

（戊）公债减息之办法

公债减息之办法亦有多种：

（子）提高公债价格　如票面百元6厘公债,市价60元,则年利合1分,倘将市价提高至90元,则实利不足7厘矣。纵使中签还本,溢出本金不过10元,平均计算,所加于利息之数目自甚有限。故提高市价,足以减低公债利息。但提高办法有一危险,即市价一旦提高,多须尽数卖出,则提高之利益,恐尽归于做多头之投机家,社会不能得到直接之利益,岂非庸人自扰乎?

(丑)减低票面利率 如票面年利6厘减低至4厘等。上述英国5厘战时公债以3厘半新公债换回,即其一例。但中国当时不可行,且强行减低,其结果势必将国内资本赶往外商银行,贻害更大。二十五年初,于统一公债进行之时,华人购买先令、美元、港币汇票者甚形拥挤,即将其资本逃往伦敦、纽约、或香港也。亦有购买英美公司之股票者,故银行对此项营业甚为忙碌。如此逃去之资本,乃真正逃往外国,较之被在华外商企业所吸收者,其情形之恶劣,又进一步。中国今日万端待理,正需利用外资,佐我建设,今苟强行减低公债票面利率,反使中国资本为外国所利用,岂政府之本意哉?

(寅)延期偿还 事实上,延期偿还,已可减轻政府负担年达6,000万元,既如上述。减轻利息,远不若延期所得利益之大。就理论言,减低利率,足以压小公债之市价。如市场利率不变,公债利率6厘,市价60元时,倘利率减至4厘,依价值资本化(Capitalization)之法则,市价即有减低至40元之可能。若延期偿还,依将来资本之现值(The Present Value of Future Capital)计算法,公债利息有减低之势。所谓将来资本之现价计算法者,如依6厘利率计算,现在借出1元,一年后可得本利和1.06元。反言之,一年后之1.06元,其现价为1元,则一年后之1元,依比例推算,其现价为9角4分3厘强。借出1元依6厘复利计算,两年后可得1元1角2分4弱,即两年后之1元1角2分4弱,其现价为1元。若两年后之1元,依比例推算,其现价为8角4分6弱,又较二年后之现价为低,较一年后之现价为更低。四年后之现价为7角9分9强,又较三年后者为低。可知债务偿还日期愈久者,其现价愈低,盖人心重视现在,轻视将来之结果。普通借贷利率,长期者常较短期者为高,期限愈长,利率愈高,即所以平衡其现值。今公债一律展期,而利率表面上虽不减,但因期限延长,实质上已有减低之效果矣。

(己)统一公债之真正用意

三十几种旧公债库券中,本金总额计11.2亿元,但所发统一公债则有14.6亿元,溢出3.4亿元,再加复兴公债3.4亿元,两共几达7亿元,可供政府之支配。若谓为复兴经济,既有3.4亿元之专发公债,统一公债又何必溢出如此之巨?倘为弥补预算之不足,又无须如此巨额。且复兴公债,依常理言,应先有复兴计划及预算,然后可以昭示世人以信用。今未闻有何计划,遽先发行公债3.4亿元之多,必别有用意可知。所谓统一,所谓复兴,恐系掩饰之辞。依余推测,或者备以抵抗敌人侵略之用欤?(公债在抗战前发行。)查欧战前,参战兵士之消耗金额,每人每天平均20元。中国生活程度较低,将士能刻苦耐劳,假定为10元一天,又假定作战将士为50万人,则对敌作战时,每日消耗亦需1.5亿元*。若抵抗半年,需9亿元,尚不足2亿余万元,不难再发公债或用加税方法,予以补足。若增发纸币9亿元,则抵抗时间可延长至一年。以中国人口之众,幅圆之广,在战争时期,膨胀9亿元之纸币,原非难事。故著者虽不明战略与战术之究竟如何,就经济论,我政府在二十五年倘有抵抗决心,最后之胜利必属于我,可以断言。盖日本为新兴之工业国,其工业产品以中国为最大销场。一旦对中国作战,中国如抵抗一年,又对于日货亦公然加以抵制,其经济生命至为脆

---

* 原书数字有误,应为500万元。——责编,1999年。

弱。反观中国，以农业为基础，有自足耐久之能力，以此例彼，优劣判然。故尔时由著者观测中日战争之前途，颇可乐观也。二十五年之发行巨额公债，或即为战争之准备欤？

（三）省公债之接收与整理

民国三十年第三次全国财政会议议决，分全国财政为国家财政与自治财政，取消省级财政，故省公债当归中央整理。在此以前，各省地方为举办建设事业，弥补政费起见，发行省公债，计十四省，共发行 38 种之多，总额达 41,774 万元。其中包括广西、陕西、山西、河南、西康各一种，江西、广东各二种，甘肃、安徽、湖南各三种，湖北四种，浙江、福建各五种，四川六种，依照国民党八中全会及第三届全国财政会议之决议，均须由财政部接收整理。财政部乃于三十年十月，成立整理省公债委员会，负责办理，规定自三十一年一月起，各省不得再发行省公债。所有已发行而未售出之余存债票，一律缴国库保管；其用于抵押之债票，亦令移缴。至各省省公债之本息基金，均改由国库拨发。惟三十一年前债票应付未付本息及其他普通债务，仍责成各省自行偿清。计已经财政部接收之省公债 38 种，总额 41,744 万元，经加以详细分析研究，其中大部分系用之于抵押品，而可认为实际发行者，计 204,816,804 元，除历年已中签还本者外，截至三十一年底止，合计尚负债额 173,677,547 元。

此 38 种省公债之中，清偿手续，极不一致，清偿年限，亦有长短，利率亦有大小；况其中有一部分债票，仅用之于抵押品，未曾实际发行。故实负债额，不过 1 亿 7 千几百万元，遂发行民国三十二年整理省公债国币 1.75 亿元，利率周息 6 厘。债票循清偿年限之短长,分为四类,计第一类5,200多万元,清偿年限为民国四十年十二月;第二类计6,600多万,清偿年限为民国五十年十二月;第三类计4,100多万,清偿年限为民国六十年十二月;第四类计1,400多万,清偿年限为民国七十年十二月。原有之各种省公债,照此整理办法,分别予以调换收回,名目划一,信用提高,而清偿手续亦趋于简便。①

---

① 尹任光著:《十年来中国之公债》,中央银行经济汇报第八卷第九、十期,三十二年十一月出版。

第六篇　地方财政

第六篇　憲法新論

第一章 地方财政

一、何谓地方？

财政收支系统，自三十一年一月一日，依照《改订财政收支系统实施纲要》划分以后，自治财政系统，向以省地方为单位者，改为以县市为单位。后来所谓"地方"二字，系指省级而言，视县级为省之附庸。职是之故，地方之重要税源，悉归省有。由于此种错误观念之存在，自民国二年财政部颁布划分国家税地方税法草案以还，地方财政之在中国，自始即注定错误。故十六年国家收入地方收入暂行标准案及十七年重加厘定之国地收支标准案，皆因循此种观念，削县而注省。自三十一年起，一变此种作风。前此以省为地方对象，今则以县市为地方自治单位，合乎近代政治制度之趋势。不过据现在的县地方税收实际情形观察，中央已陷地方于附庸之地位矣。兹姑认县地方为有独立性之自治单位，举凡地方之管教养卫诸要政，均为实行新县制之中心工作，不容或缓，而一切事业，更非财莫举。新政实施以后，县事业费，殆千百倍于往昔，其中尤以国民教育、国民兵团、保甲三项经费增费最巨。凡此各项经费当以地方自筹为原则。盖经费之自给自足，为完成地方自治之必要条件。唯我国县地方，原无独立财源，原有各项规定收入，就目前状况而言，殊难适应。

二、关于县市自治财政之各国立法例

县市之自治财政,各国立法例,大抵须受上级政府之指导与监督,而上级政府对于县市政府之监督与指导,大抵分为下列四端:

(一)设计地方财政兴革——自治财政,理论上之原则,固在于因地制宜,但因时代之变迁,不能不顾到时代之需要,则因时制宜,亦不能忽视。上级政府只能提纲挈领地订定几条原则,至详细施行办法,应交由见闻较切的省财政厅拟定,送呈上级政府,核准施行。

(二)编制县市预算前审核县市之行政计划——无论何级政府之预算,必须根据行政计划而编制,否则不切于实际。欲使县市预算之能否实施,必须事前严密审核其行政计划。审核之职责,应由省财厅负之,以副其指挥监督之使命。

(三)循环视察地方财政之兴革——法律既赋予县市地方以独立之财权,省财厅自不能干涉地方财政之实际收支。但此项地方财权利用是否合理,影响地方自治前途至巨,上级政府不能漠然视之。诸如地方旧税之整顿,新税之推行,中饱之剔除,陋规之革除,以及乡保造产之进展,公有款产之清查,公营事业之创办,凡此种种,皆已达到怎样程度,均须由省财厅随时派员循环视察,造具报告,督促改进,以期自治之早日完成。

(四)审核决算考核行政效率——此为最重要的工作,行政计划是否精密,地方政务是否切实推进,均可从决算中觇之。决算是按年办理的,从决算中我们可以知道决算中所列数字是否与预算数字相符合,各种动支款项是否合理,决算内所报告的政务,是否已达到预定计划之目的,各项执行方法,应否改善,凡此诸端,动与市县完成自治之迟速,息息相关。故全省县市之决算及报告应由省财厅详加考核,分定功过,实施奖惩,以图县市行政效率之增进。

三、依纲要县级预算之编制执行与考核

在县各级组织纲要上规定之预算编制、执行、及考核,与目前县财政之实际情形相差过巨,这又是一个实际问题。依纲要县级预算之编制,是首由乡镇公所编制其财政收支,由乡镇人民代表会议议决。议决之后,呈县政府审核;县政府审核后,再编入县概算里边。县概算由县政府议定,经县参议会议决后,于会计年度未开始前6个月呈送省政府审核;再由省政府转呈中央核定,正式成为预算。在中央未核定前,省政府可以令县遵照审核数目先行开支。县级概算之内容共分三部分:1.总说明,2.岁入,3.岁出。总说明项下是说明上年度预算情形,本年度行政计划及收支计划,以及下年度之预定计划。岁出及岁入两部分,又分经常与临时二门,各门财政收支系统之收支项目为一款,例如屠宰税是款,款下分项,项下分目,目下分节。每一款项目节,均须列入上年度之预算数,及本年度之概算数。上年度与本年度之增减数,并与备考栏内予以必要之说明。此就县级预算之编制而言也。

预算之执行,先由县政府按核定之科目制成每月份经费分配表,作为县各机关每月支出之根据。倘若动用准备金,须另案办理,呈请上级机关核准。追加预算当按追加预算程序办理。最理想的财政,是各机关依照月份分配表,核实撙节支用。

在中央关于预算之执行有三计与三联之制,各县亦循此方针

处理。关于财务行政,是由县政府第二科办理;监督方面有县会计主任、县财政委员会、县参议会、及省审计处;财物征收,由中央机关或省在县所设之征收机关办理;财物保管,由县库代理。四权独立,收互相牵制互相合作之效。所有支付款项,均由第二科依预算所列签发支付命令,由以上负责监督之主管机关首长及县长盖章之后,到县库领取。经征机关亦依征收命令,将征收之款悉数移交县库。以存款方式存于公库生息,另行通知县会计记账。所以若能严格执行,则很多弊病及问题,都可迎刃而解,可惜未能依法执行。

考核是重在审核其效果,依照一般支出规定,须获得合法之凭单,于法定时间将报销书册(支出计算书、收支对照表、单据贴存簿等等)送审计机关核销。一经核销,支付责任即可免除。在会计年度终了后,还要根据每月支出计算书,收支对照表,造具总决算送议事机关审核,并送审计机关复核公布。

但目前县财政之实际情形,揆诸各级组织纲要之规定,相去不可以道里计也。以下各节可以证明。请论县财政之实际情形。

四、县预算中的虚收实支实收虚支与虚收虚支

老老实实说,中国向无县市预算。民国二十年始有所谓预算章程,为地方预算之根据。但预算章程所规定之地方预算,只限于省市,县预算不与焉。民国二十三年第二次全国财政会议订定办理县市地方预算规程要点之后,二十四年度各省县市预算,始得继省市预算而成立。但所谓预算,无非是一种应付工具。从表面上

看,莫不收支平衡,实际上是收不敷支,致有虚收虚支,虚收实支之弊病。盖编制之时,无确切的决算,与翔实的统计以为依据;即有统计资料,亦未经合理的整理与分析。故预算并未依照实际情形编列,其能使收支适合者,无非出于臆断,勉强凑合而已。故县预算非但不能将一切收支显示于预算,以表现财政之全貌,且不能尽其控制之责任。至欲从预算上窥见地方在一个年度内所定之施政计划,更谈不到。查其致此之原因,最重要者,厥在县地方预算决定之权,操之于省府,故编制之时,非虚列收入,必减列支出,以求表面上的平衡,而免省政府之驳斥。至于收不敷支之原因,其最重要者,有如下列第五款之所述。

五、县财政收不敷支之原因

(一)通常估计岁入,必先顾人民负担能力,而后再以最近三年的平均数为依据,而中国县政当局大抵不照此通例编列,多数以应征额为标准。例如计算田赋附加,即以附加率合应征额计算,捐税附加,即照比额伸合。应征额与比额往往难如所期,每有短少,则县地方预算岁入之不足额,自不待言。此其一。

(二)实际收入,固不合乎预算,而支出亦与预算所列相差甚远。其故在预算之外有多少支出,换言之,即有多少支出,不列入预算,则所谓预算,已失其意义。预算之作用,在乎控制收支;必使无预算外之收支,财政方能谓已上轨道。但额外之支出如何产生,亦当加以探讨。大抵现在有不少省份,省方利用其权力,责令地方当局任用某某人,举办某某事,县当局不敢有所违逆,只得俯首听命。但支出则为预算所未列,只得作预算外的开支。有时省方有紧急费用，无法筹资，责令县方照某某比额悉数提解。县方苦于款无着落，只得作额外之支出。此种风气，早已有之，尤以自七七事变以来为甚。情急智生，于是移用公款，出售公产，以求弥补于一时，而所谓苛杂与摊派，亦应运而生焉。

上级机关应办之事，而以一纸命令饬下级机关办理者，谓之委办事业，但经费则令下级机关自筹。中央对省，省府对县，均有类似情形发生。例如国防工事、飞机场、公路之类，是我们所常见者。命令之来，急如星火，限期完成，克日报上，致下级政府，不得不于原有经营事业中，尽量挪移，使原有事业因而停滞或缩减。夫交办事业，原为地方政府分内之事，但其发动之权，不在下级，而在上级。上级可以任意令下级政府从事于其所指定之事业，并代拟定计划及预算，强其执行。至于是否合乎地方需要，是否为地方财力所许可，则概置不问。尤甚者，中央各部之间，省府各厅之间，彼此并无联系，不能互相合作。步骤既不一致，事业自相冲突。各部或各厅对于省、市、县直接行文，单独发令，各行其事，因而地方行政无完整计划，但能应付支离破碎之各别政令。地方财力之虚耗，自所不免；地方行政之紊乱而无效率，亦为其当然之结果。地方经费之支用无度，地方财政之难有通盘计划，亦以此为其一大原因。历年以来，虽常颁"上级政府委托下级政府办理之事，必需予以足用之经费"之令，但事实上则绝鲜其事例。今后之问题，则为如何确实遵守此一原则。上级政府，绝不可以事委诸下级政府，如必须如此，则应赋与足够之经费，庶几地方财政秩序可以不紊，而地方财政之健全可期。

自抗战胜利以来，县之责任又加重，百废待举，如公路之修复，水利之兴建，军属之优待，官廨校舍之重修，军粮军糈之运输，均为迫不及待之任务,动需巨款应付,仓卒饬办,经费多责自筹。此种意外庞大支出,自非县预备金所能救济。县则责之乡筹,乡复转令保甲摊派。加以急迫顿繁,不肖者又从中作弊,遂致人民额外负担,反较战时为重,其痛苦亦较苛杂为甚。

（三）通常未编预算之先,必确定次年度之施政方针;依照方针,计算岁出,确定一个全盘的预算。但吾国各县地方政府,编制县预算时,每受专款制度之束缚。例如教育经费、建设经费、警察经费、甚至自治经费,各已指定税收,专款存储,以充各项固定之用途,不能自由流用。故于编制县预算之时,不能酌盈剂虚,截长补短,已失其统筹统支之意义,更不能保持完整之状态。各项专款,各拥其财源,形同割据。编制预算,各行其是,毫无统属,而核定之权,又操之于省府各厅处,不相联络。专款收入丰者,必膨胀支出以罄其财源;收入啬者,必虚列收入以求其平衡,而审核者囿于一隅,各守其岗位,核实为难,故所谓县预算,实是各种独立预算的汇集,不是以统收统支为原则的真正预算。此其三。

（四）各县支出之未尽合理,尚不止于此。县虽为自治单位,目前基础未立,内政部所订十四项中心工作,无一而非急待举办之要政。上则主管机关林立（如民财建教各厅）,各为本身业务发展,时有分歧繁复之指示。主持县政者既不能重此轻彼,复无先后缓急之权,结果不量能力,上令遵办,款项均分,因而经费之支配,不能作一通盘合理之打算。中央所订预算分配比例,亦无法遵守。以少数之经费,用于多数之事业,欲求其收支相抵,乌乎可？以有用之经费,置于不能有用之事业,是直浪费公帑。此其四。

综以上所述,自治财政,必须确定支出原则。为增强县市财政统筹力量起见,凡自治财政系统之收支,均应由县市统收统支,俾能调剂盈虚，截长补短，使地方自治迅速发展。至费用之支配适当与否，人民身历亲切，感觉自较敏锐，自能尽其监督考核之责。

六、其他预算外之支出

此外尚有不少预算外之支出，其最普通者，莫如田赋征收经费、警察经费、教育经费、甚至于自治经费。田赋于三十一年以前，原系省地方之税源（广东等省例外），田赋之征收费，自应列于省预算之中，而各省预算皆无此项科目，不啻纯预算性质。现今各先进国家，皆采用全额预算之制度，纯额预算已为人所唾弃，以其不能收统收统支之效故也。田赋之征收经费，各省大都不服之于正赋，责令各县随正税带征，理应列入县预算中。其所以事实上不列入于县预算而作为预算外之收支者，则因法定征收费之过于微薄，收不敷支。若令各县将收支分别列入，收不敷支，为数必巨，省方自不能不任劳代筹弥补，此省方所不愿为也。其列入预算之县份则又往往只列大数，不列细目，所筹经费由主管征收人员支配。因此，浮收勒索，剥削乡民，而浮收之款，悉归中饱，并未列入预算。此又预算外支出之一端，亦是预算不能统收统支之一例。近年来警卫经费之列入于县预算中者，大都以核定者为限，其未经核定而摊派或勒收之款，皆不见于预算，此又一端也。此外如教育经费之取之于募捐与集谷，自治经费中之乡镇公所款项，多半采用自收自支的方式，其为数若干，无从统计，要皆预算不能统收统支，完全失其控制作用之又一端也。影响所及，言收入则浮收中饱，言支出则浪费无度，小民固被剥削，公帑亦被侵蚀，诚为县地方财政之一个严重问题。

七、新县制下管教养卫四项支出的比较

县地方的工作以管教养卫四字概括之。管的重要支出为行政经费；教的重要支出为教育经费；养的重要支出为经济建设、保育救济、卫生治疗等经费；卫的重要支出为保安公安经费。关于管的经费，一方面因为县行政机构的扩大，和乡镇保办公费的统支而增加了，一方面因物价剧涨，公务员除薪额以外非有额外津贴，不能维持生活，影响行政费支出数的庞大。这两种情形愈是激烈，行政费所占的百分比愈益加大。假令县行政机构不再扩大，物价剧涨的因素完全消失，县行政经费仍有普遍提高之趋势，因为一般说来，县公务人员的待遇过于微薄，而公费也觉得太少。

至于教育经费的增加，是各省近年来实施新县制以后的新现象。除湖南广西因过去国民教育基础较好，增加经费较少外，其他各省实施新制后之增加数，均超出实施新县制前的数额，尤以川黔两省为甚。但历年物价剧涨，此种增加，大多是表面上的。养的经费亦有此缺憾。若把湘桂川三省近年的县预算来看，经济建设支出，卫生治疗支出，保育救济支出，均稍有增加；但一究实际，所得结果，适得其反。因为历年物价变动甚剧，若把此三者的预算总数和除以当地物价指数，那么历年均在下降，无可否认。

现在全国欲以新县制替代旧县制，所谓新县制，就是以推进自治事业（管教养卫）为职责。自治事业是自治团体的公共事业，主要的是公共福利的促进，和公共经济的发展，可以管教养卫四字概括之。关于管教养卫的经费，不但于县市预算中见之，即各级政府预算中亦列有此项经费。依三十五年六月十八日立法院通过之财

政收支系统法(此法是就二十四年七月二十四日国府公布之旧案加以补充)第四十一条之规定：关于教育文化、经济建设、卫生治疗、社会救济及移植等支出，凡有全国一致之性质，或为一省或院辖市资力所不能发展或兴办者，归中央。凡有全省一致之性质，或为县市局资力所不能发展或兴办者，归省。凡有因地制宜之性质，或为县市局资力所能发展或兴办者，归县市局。至事务范围如何划分，另以法律定之。县预算之下，不另设乡镇预算，故乡镇支出，包括于县预算之内，依原法第四十二条之规定，应占县市局预算 50% 至 70%。自此以后，上级政府，委托下级政府办理事务，其必需经费，应由委托机关负担之(见第四十三条)。但法律虽如此规定，一查过去的实际，经济建设、卫生救济等事业，在县事业中很缺乏基础。除架设电线设立模范农场外，很少有其他建设可言。地方税源，是以经济建设事业来培养的。若不加以深切的注意，收效就有限了。至于县地方的卫生事业，则依照二十九年五月行政院颁布《县各级卫生组织大纲》规定，县的卫生机关，在县有卫生院，在区有卫生分院，在乡镇有卫生所，在保有卫生员。依此标准规定，便和现在之实际工作相距甚远。现在的县卫生事业，因为设备不易，人才缺乏，多系因陋就简。在县城设一卫生院所，当然无多大成绩可言。所以今后的县卫生事业，当然要大大地扩大，卫生经费也要增加不少。若言县地方保育救济事业，在过去更是基础薄弱。有些县份在名义上虽有救济院、教养院、孤儿院、慈善会、育婴堂等等组织，但一因经费不足，二因办理不甚认真，所能救济的与保育的真正有限。

就二十六年度各省县主要经费所占县总预算百分数来看，各省的县公安保安费所占百分比极不一致。云南各县达 49%，几占全预算的半数;广西仅为0.34%;四川、河南都在10%以内;江苏、浙江、安徽、湖北、湖南等省在10%与20%之间;江西、山西、陕西、广东等省在20%与30%之间。其所以相差如此之巨者,原因不一而足,下列二点是其最显著者:

(一)有些省份没有把县地方保安经费的全部列入预算。地方保安经费,大部分以摊派方式筹得之,一切收支由保甲长负责,所以县预算中所列的虚数,与实际所化的实数,相距甚远。

(二)有的省份把县保安经费列在县预算中其他项目内,所以保安经费的数字减少,别项经费的数字加大。大致说起来,现在全国各省没有一省的县预算是将保安经费完全列入的。乡镇保甲的自卫经费,多是采用临时摊派方式,而且所摊派的数字,是庞大的。

其实公安与保安性质不同,公安费是指警察经费而言;保安费大都是指国民兵团经费而言。现在全国各县大多数都有国民兵团组织,在军政部系统之下,负责维持地方治安,似与军事统一不能分开。其组织与职责,是全国性的。所以保安经费,理应从全国性的税课收入项下支出,改由国库负担,比较合理。倘能依此办理,县财政的负担,自然减轻了。所有经济建设事业,保育救济事业,卫生治疗事业,都可以设法推动了。这三项事业,连同教育文化,为县地方事业的主干。依照财政收支系统法的规定,这四项事业的经费总额,在省区或市县不得少于总预算额60%。但现在县预算中所列的四项经费,离此标准太远了,因为县行政经费与县保安经费所占的比例太大。所以在县预算中最易使人目眩者,厥为政务与保安两费,几占支出总额80%以上。是故民脂民膏,悉供俸禄饷糈之用,而地方应有之福利事业,几等于零。倘能把保安费从保卫经费中划出,推交国库支出,则一切县事业经费可以充实不少,而县自治的推进,也许有些希望。至于公安经费(警察经费)在县支出中比起保安经费少得很多,自然照旧列入县预算。

八、地方财政其他的缺点

地方财政其他的缺点,除以上所述各种外,尚有下列几种:

(一)营业税未能发挥大效果

我们在别处已经说过地方税收,除屠宰税一项,收数尚属可观外,其余各项如营业牌照税、使用牌照税、行为取缔税(现改称娱乐捐及筵席捐)均是空洞。营业税初尚决定为中央税收,三十五年始由行政院分令财部及各省市(院辖市)自三十五年九月份起交由地方办理。营业税虽系一个大税源,但非最普遍之对象。盖居住于县市中者,虽以工商业占大多数,但以其他方式居住者亦不乏人。营业税仅取诸经营工商业之居民。其余一般住户,如做投机生意者,如放高利贷者,如囤积居奇者,如从不固定之职业以谋生活者,同样享受市政公益,如卫生(清道在内)、道路、警卫、工程、消防、路灯之类,但并不缴纳营业税。其余不做此种事情的一般住户亦然。他们有享受公益之特权,并无丝毫纳税之义务。营业税确是一个大税源,但欲使市县税制完全合理,而且非常普遍,则此税实不能发挥最大之效果。

(二)整个县市财政制度缺乏完整精神

复考三十五年度财政收支系统修正案,规定自治财政之税源划分办法,亦不无可议之处。按其规定系兼采:1. 税源划分制,如屠宰税与契税全部划归县地方;2.共有制,如土地税为中央、省与县地方三级共有之税源,中央得30%,省得20%,县得50%;及3.分给制,如中央拨给县地方遗产税20%。虽曰可集三种制度之大成,惟各种制度均各有其精神之所在,强为配合,难免零碎割裂,缺乏完整精神,与以前之财政收支系统法弱点相同。三种税制配合定来,可谓应有尽有,而使款项之收拨手续,更趋复杂而繁难,不但费时误事,恐将愈加紊乱。加以补助金制度运用不良,益增地方政府之依赖性。有了这样的补助金,地方可以不去整顿税收,因循敷衍,得过且过,而地方财政之精神尽失矣(详《中央税与地方税之划分》一章第四节(三)项"补助金")。

（三）审计机构尚未遍设于全国各县

县地方财政之紊乱,还有一个重大原因。我国审计制度之于今日,已灿然大备,然亦不能无缺,因审计机构,仅有两级,而工作范畴,要贯注到全国各地。在中央有审计部,在各省地方有审计处或审计办事处,而县市一级,机构与人员,独付阙如。故县地方所用审计方式,仅有事后之送审制度及抽查两种,并且由各省审计处兼管。近两年来,各处办理县财务的抽查,全国共计247单位,但是不及十分之二,已耗费不少人力财力。即以送审言,各省审计处,常为此项工作所困。"福建省推行县地方审计,已有相当年代,但一考其事后核销之经费,相差尚远。照三十五年十二月底的统计,在三十四年以前,占全部预算千分之九;三十五年占全部预算3.3%,未送审计处审核的县市预算,占96.7%……所以县市地方审计,历年以来,不易普遍执行,其原因在于机关众多,事务繁复。在省的中央机关,有248单位,省级机关有137单位,县市地方机关有5,710单位,比中央与省级之合计数,多了14倍,而乡保等国民学校单位,尚不在内。"

九、田赋征实归县市接收可以使县市财政趋于平衡否？

田赋归中央接管,实于中央财政无大裨益,而于市县财政,则发生了不少恶影响。盖中央财政依赖田赋收入的成分比较地方小得多,例如三十三年后方各自由区征实,约5,700余万石,对于整个国家预算无大关系。若全归市县接收,大致可以充实自治财政。再因县政府收入可随粮价之涨落而比例增减,与其随物价涨落而增减支出之比例,恰相适应,收支可期平衡。因为在中国经济社会里,粮价的涨落,可以影响一般物价。倘中央以征收的粮食,合理地配给各县,或能直接安定市场粮价,也可以间接安定一般物价。粮价如能再领导物价,则县财政之收支自然趋于平衡。

但话又要说回来,粮食问题,固为物价问题的核心问题,但这里所谓核心者,有其限度的。即粮价在商品市场上可发生刺激作用,都不是决定的或领导的作用。短期商品市场的波动,可能由其他物价上涨刺激粮价上涨,或可能由粮价上涨,刺激其他物价上涨,谁因谁果,殊难分辨。若从长期趋势观察,以上海市为例,自二十六年以迄今日,粮食指数上涨,常在总指数水准以下,硬说沪市粮价领导物价,实有过分之嫌。粮食生产期长,对市场感应性较钝,在长期趋势中,粮价变动常落在工业品的后面。年来上海粮价涨势,不仅在总指数之下,亦在工业品指数之下,其他的地方更不必说。故粮价虽跟着货币购买力的低落而上涨,若实际计算粮食的购买力,则反形跌落。至于产粮的成本,则通货膨胀,利率上腾,征兵征役,又影响劳力减少,致工资增涨。其他有关粮食生产的种子、肥料、牲畜、农具等,经战争破坏后,普遍缺乏,至农民必需的日用品,几无一不比农产品涨得快,涨得多。农民要靠惟一生产的粮食来交换,实在不值得。由此可知"县政府的收入可随粮价的涨落而比例地增减,与其随物价涨落而增减支出之比例,恰相适应,收支可期平衡"这一个打算,未免过于乐观。

使县财政收支平衡,确是刻不容缓之举。第二次财政会议时代,已有此种认识。广西省于民国三十年三月省政府委员会议决定土地税契税全部拨作县地方独占税源。江西省二十九年六月省务会议决定该省田赋附加全额(省附加在内)及契税全部划拨归县。广西办法较财政收支系统法及县各级组织纲要中所规定者,更为前进。江西办法,在田赋方面,恰守县各级组织纲要之规定(附加全部归县),契税则纲要中原未明白列入县收入内,乃能毅然划拨归县,与广西削省益县的精神如出一辙。又查云南省于二十八年清丈完毕后,省政府将耕地税(即田赋)全部划归各县。贵州省在二十九年度以前各县县预算向无田赋收入,但自三十年度起,各县预算已列有土地陈报后田赋六成。换言之,即县市所得田赋占全部60%。黔滇两省充实县财源之用意,与桂赣两省正复相同。倘中央不于三十年度将田赋收归中央接管,则田赋契税全部划归县有,将成为普遍的趋势。故吾人对于主张改制者,诚有始作俑者,其无后乎之感。

十、地方事业何以要归地方民众自己去办?

抗战胜利以来,人民心理受了很大的刺激,一般的知识亦有相当的进步,社会经济生活日趋繁复,人类欲望亦渐次提高,于是地方公共事业如教育文化卫生等公共福利,均成为不可忽视之工作。第此类繁杂工作,又非国家所能一一兼顾,亦非个人能力所可企及,必赖群策群力分工合作以图之。一方面固须由政府提倡于上,同时亦须由人民自动地组织于下,以自治方式加强政府之力所不及,以满足公共欲望之迫切需要。倘在财政方面能逐渐做到自足自给,一切地方事业全由地方力量来维持与发展,则地方自治事业更能突飞猛进。如此办理,在理论与事实上,均有自筹事业经费的必要。尤其在中国农村社会里,民众心理,用捐税方式拿出钱去让政府办理公共事业,如救济院、卫生院、或养路队等,总不如自己组织育婴堂、养老院、施药所,或修桥铺路等等会来得高兴。这就是不信任官办而喜欢自捐自办。这是全中国普遍的心理。因此不妨顾全事实,利用民众心理,尽可由地方民众自己去决定如何筹措其事业经费,政府只站在指导、辅助、监督、推动的地位,不仅在预算上,减少了一大笔的支出,且可免去民众的怀疑,还可在民众和谐的情绪中完成许多事业,更可走上地方自治的道路。

第二章 地方财政(续)

一、县财政之五项税收

市县财政,与中央财政及省财政各居一级,称为财政三级制,但市县财政从未奠立基础,其应兴应革各端,因缺少的款,只是纸上谈兵,每苦无从实施。盖昔时所谓县市财政,其收入来源,不出四项:1.省附加税,2.摊派,3.苛杂,4.省补助。此四种税源,或与法令抵触,或须依赖省款,均非正常收入。自三十一年收支系统实施纲要施行以来,完全由市县支配之税收,计有五项:1.屠宰税,2.土地改良物税(房捐),3.营业牌照税,4.使用牌照税,与5.行为取缔税。但此五项税课收入,仅屠宰税较有收数,余均空洞。因此有"因地制宜税"来补救,逐渐形成苛捐杂税,扰及民众。今后如能切实整理田赋,以可靠之田赋全数为基本收入,自可废除一切苛杂。

为什么除屠宰税外,余均空洞?照财政收支系统法之规定,营业牌照税,谓戏馆、旅馆、酒馆、茶馆、饭馆、球房、屠宰户、及其应行取缔之营业的牌照税,依其营业资本额或全年营业总收入为标准,划分等级税率,按年征收。使用牌照税,谓舟车肩舆牌照税,及其他因使用地方公有财产而征收的牌照税,依照驾驶种类及载重数量划分等级按季征收之。行为取缔税,谓筵席、电影、戏剧、及其他应行取缔之行为按价加征之税,由顾客负担,营业人代为征收,按期报缴。这三种税,各县在实行新县制以前,原来已有不少类似性质的征收。惟多系各自为政,征收标准税率均不一致。三十一年新县制实行以后,为充实财政计,遂普遍推行。但这三种税源多属城市,故在市收入中颇有可观;在一般的县收入中,大都无关重要。富如四川省,在三十一年度各县市概算中,营业牌照税,列20,000元以下者有97县之多,无收入者竟有16县。使用牌照税列5,000元至10,000元之间者11县,列5,000元以下者59县,无收入者45县。就广西三十年度县市概算而论,营业牌照及行为取缔两税在5,000元以下及无收入者占全省80%以上。就四川省三十一年县市预算而论,营业牌照税在20,000元以下及无收入者约占全省81%,使用牌照税在10,000元以下及无收入者占全省88%,行为取缔税在5,000元以下及无收入者,占75%。从这百分数字观察,可知以上三税,除都市繁荣地方外,大多数县份或无此收入,或虽有亦甚微薄,在县预算总额中实无足轻重。

　　如以上所述,县市向无独立税收,在二十八年以前,完全依靠省附加税、摊派、苛杂、及省补助来维持。二十八年颁行县各级组织纲要,划屠宰税及房捐为县税,至此县始有独立税源,以县收入充县行政经费及事业费,县财政收支始渐有正轨可寻。及至国民党五届八中全会决议,改订财政收支系统,分全国财政为国家财政与自治财政两大系统,自治财政系统,除县原有之屠宰税及房捐(即土地改良物税)外,复增辟营业牌照税、使用牌照税、及筵席暨娱乐税(行为取缔税以名称不好听,改为筵席暨娱乐税)为县之独立税,并以国税中之土地税(田赋复收归国有)、营业税、印花税、遗产税按成分给县市,县之税收,始较充实。但就五项独立税而论,除屠宰税一项,历史较久,征收区域较为普遍外,房捐在过去仅在若干较大之城市开征,尚不普及,其余三税均属新创,无多大收入,已如上述。

(一) 屠宰税

屠宰税之所以有起色,则因此税原系采取营业课征制,即仅就屠宰牲畜出售之营业课税,税源甚狭。为充裕县财政起见,允宜扩大范围,故财政部废除营业课征制,改为消费课征制,即凡屠宰牲畜,均应课征屠宰税,以适应需要。依行政院公布的《屠宰税征收通则》,为富于弹性起见,规定屠宰税率应按屠宰之牲畜时价征收 2% 至 6%。照此规定,屠宰税收入将随牲畜屠宰时价格而变动。在物价高涨声中,对县财政裨益不少。例如四川全省各县人口约 4,640 万,以每人全年消费猪肉平均 7 斤计,合共消费 32,480 万斤。按三十一年中各县猪肉价格平均以 7 元估计,计共值 22.7 亿余万元。假定按价征收 5%,全省屠宰税收入可达 11,300 万元。除去征收费用,当亦在 1 亿元以上。分配下来,大县当在百万元以上。查川省各县三十一年度屠宰税概算数,在 150 万元以上者凡 22 县,最高者如泸县竟达 277 万余元。故此税在今日的县收入中,已成重要的支柱。

屠宰税是县地方税收项目中最大的一部分,通常占地方总收入的 80% 至 90% 以上。在清末已经开始征课,但为省收入的项目之一,县地方只能带征附加税而已。民四颁布屠宰税简章九条,并实行修改,征收方法渐归一致,而税率仍极参差。盖原定章程虽规定税率,但各省征收之数,有超过者,仍照旧征收,以致税率高下不一。此税既属省税,而省市对于税率当然有自由增损之权,于是课税范围,税率高低,与征收制度等,益呈分歧混乱之现象。自"县各级组织纲要"颁布之后,屠宰税一项全额,划归县财政收入范围之内,但不得再有附加。这个转变,极为合理。屠宰事实多发生于乡间各地。况现行之屠宰税是消费税性质,直接征诸养户及屠商,征收手续简单,不涉苛扰,不致影响其他物价。故其税率可以随时伸缩,归县征收,最为适宜。

屠宰税系着落于肉食消费者的身上。在抗战前,税率尚不甚高,平均猪一只征税4角左右,羊一只3角左右,牛一头1元左右。税率如此之低,决不致影响肉价。抗战以后,省级财政取消,屠宰税竟成县自治财政的支柱。胜利以来,物价益加波动,税捐随着物价而逐步上升。

屠宰税本身,原是一种特别营业税。三十年第三次全国财政会议,把营业课征制,改为消费课征制。营业课征制课税的对象,并非牲畜本身,屠宰商亦非纳税主体,其主体实为商铺,就是营业本身。不过"营业"二字,殊属空洞,不易捉摸,不得不有具体的标的物以为对象,所以屠宰税以被屠宰之猪牛羊只数计算。在理论上讲,既采用营业课征制,当以出售的牲畜为对象,其未售出者,当然不在课征之列。但在实际上讲,出售与否,极难证明。其结果,对自宰自用之牲畜,会引起争执。现在明白规定"凡屠宰牲畜,无论自用或出售,均应征收屠宰税……"自属普遍明确。所以自宰自用之牲畜亦在征课之列。因此实际上往日称为营业税的屠宰税,已变质而为消费税,而营业课征制,事实上早已变成消费课征制。不过消费物品容易散失,匿漏之数,中饱之多,成为县税制中之严重问题。尤其在广东,大部分的税收落于承包商之手(详见摊派一节)。在乡间猪只随时可杀,如何防止逃税,是一件难事。牛羊数量较少，容易稽查，逃税数额亦较少。若欲认真整理税收，"养猪登记"办法，似仍可以推行。

屠宰税法硬性规定不得招商包征，征收时由经征机关于已宰牲畜之白肉上加盖印戳以为已纳屠税之凭证。然屠宰牲畜，无日不有，而课税对象，除城市以外，零星分散。况我国乡民屠宰猪只牛只，不必假手于屠铺屠商，故欲免除偷漏，至感困难。经征机关欲以少数之人员从事广大地区之征收工作，实是不可能之事，而代征制遂因运而生。屠税对象既过于零星，而屠宰行为又易于消灭，一经消灭，稽查甚难。加以人手不敷分配，对僻远地区只得行代征制。但代征制之流弊，亦甚显著，代征与包征，实不分轩轾，致有"明征暗包"之称。近来各县对屠宰之包征制度，有行一巧妙方式，使上级无法察觉者，即交包定额后，由承包人在经征机关内挂一稽征员名义，每天带据出征，或给收据，或不给收据，形式上似为自征，实则包征，明征暗包，其弊尤大。

（二）土地改良物税（房捐）

其次为土地改良物税，大概指房捐而言。房捐向为地方税，其收入虽不算大，但在地方税捐系统中，却占第二位，仅列在屠宰税之后，倘加以整顿，税收定有起色，可断言也。整顿之法，不外编查与核算。先言编查。可以按期将房主、租户姓名登记，并将房屋之大小（楼房抑平房），间数之多少，建筑之优劣，以及房屋之位置（在冷僻地区抑在繁盛地区）等分别登载，再由地方政府订定各级铺房每房之标准租价。在住户可以分甲、乙、丙、丁等级，各若干元，在铺房亦可分甲、乙、丙、丁等级各若干元，即可根据清查之结果，及标准租价，估定每户之租额。如有押租，则押租之息金，亦应并入租价计算。同时如地方上已设有地政机关,自当与之联络,以免疏漏。

至于自建自住之房屋,自无租额可言,估计亦不容易。如照标准租额估定,未免失之过高,但亦不能低过标准租额之半数。如以标准租额为最高点,以半数为最低点,取得最高点最低点之平均作为自建自住房屋之实际租额,推行上似觉方便,于政府于房主亦觉得轻重适当。

征收房捐,有两种标准以计算税额:1. 依据房价,2. 依据租价。若依据房价,是属财产税性质;依据租价,则属收益税性质。如市场利率为一分,则照房价征收1%,与照租价征收10%,在房主似无多大区别。但在市场利率继续上涨,而各地大小城市无一不在闹房荒之际,房租之外有押租;押租之外,又有顶费或挖费,而房租之高又骇人听闻。在此情形下,在政府自以按租价计税为合算;且税额亦可随租价之涨落而增减,适应纳税人之纳税能力。若按房价计税,不仅房价须随时估计,即在租价剧烈涨落,影响房价变动甚速之情形下,所纳之税,不能与纳税人之能力相适应。不特此也,按租计税,有具体之租约为计税之根据,而税捐亦由房客先行垫付,再由租价中扣抵。房租就是昔日通行之挨户捐,与从前上海租界工部局所征收之巡捕捐相仿佛,挨户征收,极为普遍。而房客代付,不直接感觉痛苦,而税务人员亦觉方便,税款亦可按期收到,实一举而数善备。若按房价计税,则不但房价须随时申报,估价亦形棘手,而税款由房主直接缴纳,当不无痛苦之感,推行上亦不无多少阻力。上海市收回经年,而房捐之收数特少者,职是之故。

房捐由县市征收,大概系根据于财政学上之利益主义。城市内之商店与住户,因受警卫之保护而得之利益不少,故对地方政府应缴纳房捐。但课征地方税,是否全以利益原则为依据,已成疑问。能力主义,既可适用于国家财政上,何以不运用于地方财政上。但主利益说者,以为地方税之客体,多为不动产(如房屋之有房捐),而不动产须受地方警力之保护,遂认为地方税应按受保护利益之多少为比例。此种推论,殊欠准确。利益原则只能局部应用,不能推而至于一切地方税捐。课征某种地方税,固可根据利益原则,不能谓所有地方税都可援用这个原则。比较进步之欧西各国的地方政府,大都兼用能力主义,有择一足以代表纳税人能力之产业,课之以税,而不征及其他者。如目前英国之制,仅以占有的不动产之常年租金为课税根据。此种方法甚欠正确,因占有的不动产之常年租金,并不足以代表纳税者之全部能力,且亦不能表示其总财产之准确指数。

(三) 营业牌照税

依现行税制,一切营利事业,除向中央缴纳所利得税外,尚须向地方政府缴纳营业税与营业牌照税。依现行税法,营业税为省县各半之收入,营业牌照税为县市独立税源,全部为县市收入。过去在营业牌照税未修改前,营业税是对一般营业所课之税,营业牌照税是对应行取缔或管制之 30 余种营业所收之规费(名虽为税,实则规费)。二者性质迥异,对象不同(参照《摊派与贪污》一章第七节规费与陋规之区别)。故以营业税为省县之税,以牌照税为县市税,亦无不可。况在三十一年至三十六年这个时期,营业税属于国家财政系统,归中央征收,由直接税征收机关主办,而牌照税系属自治财政系统,归县市地方收入,由县税征收机关征收。故事实上有分征分解之必要。但三十五年恢复财政三级制,营业税改属于地方财政系统,且与牌照税一律改由县税征收机关征收,因此先前分课分解之理由已不复存在。

(四) 使用牌照税

使用牌照之税额,是硬性的规定,其征收之对象,分车船肩舆驮兽四种。兹将征收之数额列后以资比较:

(甲) 车

 (子) 人力驾驶者,每辆全年最高不得超过国币 2,000 元。

 (丑) 兽力驾驶者,每辆全年最高不得超过国币 5,000 元。

 (寅) 汽车——原定由中央统一管理,得免征使用牌照税。但实际上,上海之汽车,仍照以前工部局征收"车捐"办法收取使用牌照税,并非由中央统一管理,法律本身已失其控制效力。

(乙) 船

 (子) 人力驾驶者,每只全年最高不得超过国币 4,000 元。

 (丑) 机器驾驶者,每吨全年最高不得超过国币 500 元。

(丙) 肩舆　每乘全年最高不得超过国币 2,000 元。

(丁) 驮兽　每只全年最高不得超过国币 4,000 元。

以上各种使用牌照税额,均系硬性规定,最高者全年不过 5,000 元,最低者全年仅 500 元。以今日(三十六年九月)之物价指数而论,这种规定已极其滑稽之能事,不仅所收之数,不足以偿所耗人力物力之工本,即要找一张票面 500 元的法币,亦是不易办到之事,课税无异赔累,行政等于儿戏。若改使用牌照税为规费,依车、船、肩舆、驮兽等之重量、用途、价值、及吨位,或其制造条件为收取规费之标准,则规费之范围,可以扩大普遍,而收入亦有增加之可能,不但有成,而且合理。

(五)筵席捐及娱乐捐

这两种捐税,骤视之,似含有节约的意义,故当初名为行为取缔税,但一经细考,大谬不然。譬如戏剧电影之欣赏,是生活上合理的需要,而宴会酬酢,亦为社会上不可忽略之交际,所谓礼尚往来。此种正当行为,如亦须加以取缔,重课税捐,似有背乎正当娱乐之意义,与夫轻视礼节之重要。故改行为取缔税为娱乐捐及筵席捐。但此两税,不分贫富,课以同一之税率,亦不免违反公平的原则。况税是由消费者(即顾客)所负担,商人不过尽其"代征"之义务。在表面视之,商人似乎是局外人,税率之高低与他无甚关系,对于其所经营之业务,不发生何种影响。其实不然,此两种税捐是从价征课,其税额之高低,与基本的售价成正比。如基本售价大,其税额亦大。两者之总和更大,不免影响其营业。若将基本售价减少,税额亦小,二者之总和亦小,自可招徕顾客,但恐不足以抵偿其必要之费用,亏折堪虞。故过高固不可,过低亦不智,折衷之道在求一非常全理的售价。但困难重重,商人对于代征税率,时有请求核减之呼吁,未始没有理由。盖高税率未必能产生高税额也。

二、地方税收在法律规定之范围内何以应予地方以斟酌实施之权?

现在已踏进民主时代,中央集权将一变而为中央与地方均权。虽中央对地方仍须予以指导与补助,但不必遇事干涉,使地方受到种种束缚,不能积极推进。我们以为县有之六项税源,如田赋、屠宰税、房捐(即土地改良物税)、营业牌照税、使用牌照税、及筵席与娱乐税,应设法增添其弹性与机动性。譬如上述之六项税源,在中国 2,000 多县市之中,能全部实行者,恐为数无几。在若干地方,至多只能择其最合于实际需要者,实行一种或二种。以福建省而言,如田赋屠宰税等,税源较为大宗普遍,但不产稻谷及山岳地带,各县田赋收入,极为有限。又如沿海县份,屠宰为渔类冲销,收入较之内地为低。内地各县,人口稀疏,村落星散,其房捐则不若沿海各县。至都市与穷乡僻壤之营业税,亦大相径庭。即营业牌照税、使用牌照税、与筵席娱乐税等,亦莫不皆然。所以吾人主张在此五六项税源以内之税课,地方应有斟酌实施之全权以适应特殊之环境,中央不必再作硬性的规定。如某县耕地甚少,而建筑物特多,则可重征土地改良物税或房捐,少课田赋。倘地方有奖励开辟荒地之必要,田赋竟可豁免。反之,如土地多而建筑物少,则可反其道而行之。在若干县地方,市面清淡,商店不多,则营业牌照税决无起色,尤恐得不偿失,即有收入,亦是零星细数,故简直可以停办。同理,内地城市车辆甚少,车辆使用牌照税,亦可免征。这两种税收,数目零星,手续繁重,不如集中力量举办丰富之税源。至小汽车之税额,中央已由 5 万元提高至百万元。在内地未免太高,在京沪未免太低,税负极不公平。至于筵席娱乐二税,在若干县份,根本没有娱乐场所,与盛大之宴会。偶有一电影院或一娱乐场,就要它纳税,不仅税收有限,且不啻剥夺人民最起码的娱乐。但在繁华都市如上海者,一席千万,一舞数千万,化钱者犹无所吝惜。在此场合,若课以极重之税,亦觉得公平,与有钱出钱,多钱多出之原则甚相吻合。因此对于地方税源以及税率,中央不能作硬性的规定,一切由地方斟酌当地实际情形,自行订定。一旦提经地方民意机关通过,就可实施,不仅税源有适当之弹性,税率有机动性能,即地方税收可以充分增加,避免苛杂之再起,摊派之叠出,而老百姓亦无复再有诛求无厌之痛苦矣。所以中央对地方宜放宽尺度,增加地方税之伸缩性,以收因地制宜之效。但今日中央对地方之财政权,控制极严。除修正财政收支系统法规定之中央税收,地方政府不得重征或附加外,所有各项县市及省县共有税之征收范围,标准税率,均经限制,开源重感困难。

三、营业牌照税与使用牌照税实是规费性质

营业牌照税与使用牌照税实在是规费性质,英文称之为 Fee。征收规费有依补偿主义者,即政府所征收之数,以足够补偿政府所耗之费用为限。亦有依报酬主义者,即所征收之规费,当视当事人所受利益之多少而决定。利益是抽象的观念,其具体的代表,莫善于营业资本额。盖营业资本额愈大,政府予以保护的利益亦愈大,故规费之缴纳,当随其资本额之大小而增减。按现行营业牌照税之规定,其纳税固以资本额为标准,分别等级,而为征课,但发给牌照,视为一种取缔性质,为强制性之税捐(惟税有强制性),实有不当。其实发给牌照,纯粹是市政管理性质,所收之费以足够补偿政府所耗之费用为限,数目过于零星,作为规费则可,列为有强制性之税课,则与其原来的性质,大不相侔。况一旦改为规费,可以免受营业牌照税范围之限制,可以扩大征收,即新增各业,亦不得以违反基本母法之规定为借口,拒绝缴纳。凡属在市县中经营之工商业,均须为开业之登记,呈经主管机关核发营业牌照,视其资本

之大小缴纳规费。如此办理,于法理不相抵触,征课可以普遍,而收入亦可大大地增加。

四、全部土地税归县两种牌照税归省的主张

学者中有主张将全部土地税(包括田赋地价税与土地增值税)划为县级的主要收入以舒解县财政的困难者。据他们的意见,许多土地较多较好的县份,有了这全部土地税,很可能应付其必需的全部支出(详见中央税与地方税划分两章)。目前由省统一议定田赋科目,评定地价税则,田赋征收实物(县只得五成),是不能使各县适合其应有的需要与公平负担的。同时他们主张把使用牌照税与营业牌照税一并由省征收,亦不无相当理由。目前以县市为范围的使用牌照,多少使使用者受到地区的限制,或感觉不便利。使用公共道路的肩舆驮兽及人力行使的车辆,似乎关系不大。至于机器行驶的车辆与使用公共河流的船只,就感觉麻烦。虽然法律上有准在别县领照,可暂停本县的规定,亦是不方便的。若改由省辖的税务机构发给统一的牌照,可以在省内各县市通行无阻,则使用者称便,不妨将税率提高,以期税收增加。至于营业牌照税,由征收营业税机构合并附带办理,更觉合理简便,对于省财政帮助,是有极大的可能性。

三十五年十二月国府公布修正营业牌照税法共十七条,修正税法与原税法大有出入。原税法之征课,均限于特定之30余种营业,含有限制其开始或寓禁于征之意义。修正税法则规定:凡经营商业者,均应课征营业牌照税,则其对象与原税法殊异,而与营业税完全相似,已失去对管制或应行取缔之营业课征之性质。所

有营业既均在征收牌照税之列,而课税标准又与营业税相类似,则牌照税实际上已成为营业税之附加税或补助税,而二税复归同一之征收机关征收。本书既主张营业税全部划归省有,则牌照税何独不可划归省有?两税既系同一性质,经过同一征收机关,登证之手续,同为按年换发,二者在证照内所载明之事项,又完全相同,其停业转顶让与时,换发新证之规定,又甚近似,则合并一种税目征课,是为合理之事,亦为改革税制之良好途径。况合并一种科目征收,而将全部税收归省所有,可免分征分解之烦,不仅可以简化手续,减少征收费用,亦且可以避免复税之嫌(因牌照税全为营业税之复税)。不亦一举而数善备耶?不特此也,在征收程序上,同一申请人,同一营业,同一征税发证机关,可以予纳税义务人以不少便利,则与亚当·斯密之便利原则又相符合。只要在技术上稍有修正,则合并一科,必无困难。即有困难,亦限于下列二种:

(一)课征标准之不同 营业税以营业总收入为课征标准,其不能以营业总收入额计算者,始以资本额为课征标准。在牌照税则硬性规定按资本额课征。如二税均按资本额计算,则问题简单。只要将二个税率合并,按年算出,以十二个月等分征收之(营业税按月征收)。如营业税按总收入额课征,则计税技术上不无困难。现行之营业税,照营业总收入计算为原则,每6个月查定一次,按月征收。若将牌照税按资本额算出,以12个月等分,并入营业税征收,亦无不可。若索性把牌照税取消,把营业税税率提高若干,以资弥补,亦无不可之理。盖真正含有管制或取缔性质之牌照税早已不存在矣。其取消不自今日始。

(二)课税制度之不同 营业税采比例税制(Proporational taxation),而牌照税则采分级税制(Graduated taxation),二者税制

647

不同,制订新税率时,技术上稍有困难。不过仔细一想,牌照税既已失去管制或取缔之性质,似无分级课征之必要。且牌照税原就资本额按年征收千分之三,税率甚低,而级距又甚短近,分与不分,无关重要。

若牌照税仍有保留之必要,则二税可以同据征收,仿田赋串票分填"征实""征借""省县公粮"三种数目之方式,以一据分填营业税与牌照税二笔税款,就无问题。且同据征收,则营业税以总收入额为标准,牌照税以资本额为标准,亦皆不成问题矣。

五、从国税中拨给县市之税收

综以上所述,市县五项独立税收,除屠宰税外,均不足道。此外尚有从国税中拨给市县之土地税、营业税、印花税、与遗产税四项。三十年将全国财政分为国家财政与自治财政两大系统,嗣经财政部拟定《财政收支系统实施纲要》,经国府公布,于三十一年一月一日实施。兹将该纲要要点录后,以资比较:

(一)财政收支系统——实施纲要

(甲)国家财政 包括原属中央及省与行政院直辖市之一切收入支出。

(乙)自治财政 以县与市为单位,包括市县乡(镇)之一切收入支出。

(丙)国税收入分配于市县者,依下列标准:

(子)印花税:按纯收入额20%拨给市县。

(丑)遗产税:按纯收入额25%拨给市县。

（寅）土地税（土地法未实行以前仍称田赋）：省收入部分归中央，原属县市收入部分依旧。在征实时期，市县收入部分，由中央参酌原收入价金额拨给之。

　　　（卯）营业税：按纯收入额 30% 至 50% 拨给市县。

　　　（辰）契税：除省收入部分悉归中央外，市县收入部分依旧。

　　　（巳）屠宰税：从营业税中划出，完全给与市县。

　（丁）所得税完全为国家税收。

　（戊）市县补助金，由中央核定拨给之。

　　所以自三十一年一月一日起，财政收支系统改为二级制，省级财政之支出，完全由中央负担；省级原有收入，分别划归中央与县市，而收入最丰富之三种税收，田赋、契税、营业税，向归省有的一部分都划归中央。如此改制以后，县市之重要税源遂形成下列情形：

（二）三十一年后县市之重要税源

土地税或田赋　　由中央划拨一部分。

营业税　　　　　由中央划拨 30% 至 50%。

遗产税　　　　　由中央划拨 25%。

印花税　　　　　由中央划拨 20%。

五项自治税捐　屠宰税、房捐、营业牌照税、使用牌照税、筵席及娱乐税等。

　　由上列项目，可知县市直接征收之税源，仅有五项自治税捐。其余四项，如田赋、营业税、遗产税与印花税，均赖中央配给。换言之，是以县市所不能控制之分给制来补助。就制度论，已具备先天贫乏之因素，亦与建立县财政基础培养与扶植县财政税源之至意，大相背驰。况田赋与营业税分配部分数字，须视各县市之税收情形而有多少不同。其余印花税,本来收入不旺。遗产税开办不久,徒有其名,收入实属有限。至五项县税中之各项税收,大部分税源枯涩,纳税单位分散,征收困难,费用浩大。以此财源而欲发展县地方事业,固不可能,即以之维持推行政令之必需机构,亦感困难。此种制度,在战时固可勉强适应,但胜利以后,百端待举,实乏推动能力,无足取者。

欲使自治事业充分发展,宪政基础早日奠定,县市财政,不得不大大地加以改革,而省级财政,因一度并入中央税制,亦无独立税源,不能适应各省之实际情形与需要。于是改制之议复起,恢复三级制。但所恢复者,并非战前之三级制,因在新制度之下,县级财政远较以前充裕,其分配情形如下:

(三)三十五年后新制度下县市之重要税源

田赋　　　　50%。
营业税　　　50%。
契税　　　　全部。
遗产税　　　30%。

原有五项自治税捐。

三十五年新制度下省级税源。

田赋　　　　20%(中央得30%)。
营业税　　　50%。

如此分配县级财政,虽如涸辙之鲋,稍沾润泽,无如复员之后,庶政殷繁,地方建设事业之百废待举,乡镇保甲制度之亟须加强,在在需款支应。故若干县份,收支仍感无法平衡,加以物价继续上涨,商业日趋于不景气,因而国民所得减少,购买力薄弱,市面萧条,税收当然大受影响,即有增加亦决不能如物价上涨之速。结果改制后之县级财政,对于支出无法控制,而对于收入,又无法增加。故县级财政之窘迫,不因改制而改观。我们在讨论省级财政时,已经说过,从前中央以所得税之一部拨给地方,近来将此项删去,不再提起。所得税是富有弹性,而地方事务,日益繁复,若不恢复所得税之分给制,地方财政不见得大有起色。但分给制的作用,亦有限制。在分给制的方法上,收支的手续,异常繁复。中央政府对支出的数目,一时无法算出,必须等待相当长的时间。地方政府在本年度所应分得的岁入数目,一时也难以估计。在此状况之下,地方政府欲编制一个准确的预算,戛乎难矣。即使勉强编成,亦失掉了规范的作用,如此一切行政计划的拟定,很难着手。

综观上列各要点,这种国地收支的划分,虽重新确定了省的地位,恢复了省级财政,然仍是中央集权的三级财政制度。且证之实际,原有财政收支系统法难以解决的问题,如预算编制如何使之准确,如何使各县平均发展,省县财政如何使之充实,还是急待解决的问题。

此外县以下的地方组织,如区乡镇之类,亦当有确定的税源。不然,地方自治何从办起?区乡镇各级单位的经费,如何筹措?收入何从取得?我们无从查悉。大概终不得不出于摊派。富庶地区与贫瘠地区,因富源之不同,致发展不能平衡,必如何方可使趋于平衡。但划分单位愈小,负担愈难均平。

六、中央对县市之补助金

自治财政具有特殊环境。凡落后之县市,均急待发展,而发展需款。若从地方本身来开辟税源,几为绝不可能之事,无已,惟有出于中央补助之一途。财政收支实施纲要内中央核实拨给之规定,原在调剂盈虚,使全国各市县自治得以平均发展。英人卫勃氏(Sidney Webb)曾著补助金(Grants in-Aid)一书,谓全国各地区域,理应平均发展,至少使之达到全国性的最低限度,则补助金制度尚矣。譬如某一地区居民,因为贫穷所迫,不讲卫生,致发生传染疫疠,虽当地居民无法逃避,只得忍受,而国家亦必限制其迁徙自由,并加以彼等所不愿接受之预防工作。同一理,如某一地区道路特别败坏,教育水准特别低下,国家不能袖手旁观,听其自然。盖道路破坏,阻碍全国交通;教育腐败,使当地儿童因愚蠢而陷于罪恶,全国人民交受影响。故地方固须予以自治之自由,但绝对的自由,与举国人民之福利,不相吻合。故各地对于国家文化,必须维持全国性的最低限度。如某地素称贫苦而负担又重,欲令其提高文化水准,惟中央补助金是赖。故补助金制度,可以使全国各地平均发展。

但《财政收支实施纲要》,对于中央补助金分配标准,并无确定原则。将以各地面积之大小为准乎?抑以人口之多寡为准乎?将以财富丰啬为准乎?抑以地位轻重为准乎?收支不能平衡之县市,往往为贫苦之地,而中央所重视者则为富庶之地。故全国2,000县市虽皆为自治单位,但其文化水准,生产物资,大有差别,苦无确实统计可以参考。但高低之别,总不下十倍或数十倍,如何削富注贫,实施纲要并无确定原则。我们可以指出的,是县际间收入额的差异很大。从县收入的总额来看,例如广西三十年度各县岁入概算书,最高者为最低者的14倍,次高者为次低者的12倍。从湖南省三十年度县岁入概算数来看,最高者(衡阳)为最低者(东安)的34倍,次高者(湘潭)为次低者(通道)的7倍。从四川省三十一年度各县岁入预算来看,最高者(泸县)为最低者(北川)的13倍,次高者(安岳)为次低者(城口)的9倍。从上面所举桂湘川三省的县收入总额来推测其他省份的县收入总额,其间相互差异的程度,都不会小。在县财源如此贫乏的现象之下,加上县际间收数悬殊的现象,我们可以判断,要使全国各县平衡发展,非有上级政府统盘筹划不可。但实施纲要并不提及。贫瘠边远县份的本身收入,既极有限,挹注之道,固不得不仰给于中央的补助。然自治财政,绝非国家财政之附庸。若因接受中央补助而失其独立精神,殊非人民之所期望,且与均权原则亦不相侔。但查市县之五项独立税收,除屠宰税一项尚有相当收数外,余皆空洞。欲充实自治经费,惟中央之分给制与补助金是赖。岂非已陷市县于附庸之地位乎?

自财政分为国家财政与自治财政两大系统之后,田赋收归中央接管。原来田赋附加税,随正税同归中央接管,则原来省县田赋正附分配的比例不复存在。且自第二次全国财政会议以来,一般人士所盼望的充实县收入,建立县财政基础,以及法令上所已允许县地方税源在田赋契税两者的应有权利,亦因此而不存在。倘徒以非县市所能控制之分给制与补助金来补救,亦与过去建立县财政基础,扶植县财政税源之至意大相背驰,且忽视了近年一般的趋势。三十一年度,各省县岁入预算,田赋收入一项,大概都是奉命依照上年度原列数字编列,但物价变动剧烈,上年度预算数字在今年度的预算中已形同实异。

七、所谓"因地制宜"税

县为自治单位,其组织是否健全,影响宪政之推行至深且巨。

但地方自治团体是公法人,有举办自治事业之权利与义务,惟自治事业之完成,除赖有合理的自治区域和健全之自治制度外,必须有充足之财力,故地方财政制度是否完善合理,为地方自治建设之本。在三十五年改制以后,县级财政虽如涸辙之鲋,稍沾润泽,然如何使县级财政充实,使县预算收支平衡,还是急待解决的问题。依照三十五年修正财政收支系统法附表一,收入分类表丁项县市局收入第十条:"特别税课收入"之规定,并根据财政部三十五年九月代电"各县如确有因财政困难,收支不敷,在不与中央或地方法定税课抵触或重复之原则下,得因地制宜,开辟特别税课"之指示,凡地方有特殊税源足以开辟者,得视各县实际经济环境,分别开征特别税课,报请中央核准实施。此项特别税课,有称为"因地制宜"税者,这个名称似有问题,盖开征之先不但须因地制宜,亦且须因时因物而咸制其宜。如浙江省已核准开征是项特别税课者,有十县之多,惟对象各不相同,性质亦互异,如浙江杭县以鱼、麻、水果为对象,昌化县以山核桃、木材、白炭为对象,镇海县则以诵经礼忏、迷信行为为对象。

此项特别税课为一省单行之地方税捐。于三十五年改制之前,浙江原有一种警捐,亦是浙江一省单行之地方税捐,改制后即行停征。兹停征未久,又有地方单行税课之出现,似有审慎办理之必要。省县当局应顾念民艰,致力于法定税课之积极整顿以裕支用,而中央当局尤不应一面废除苛杂,一面又启苛杂开征之渐。但据举办者的意见,复员以后,庶政殷繁,地方建设事业,百废待举,若干县份,预算仍无法平衡,不得不从理财做起,而理财原则,不外乎开源与节流。节流固是重要,而开源亦是应循之途径。况此项单行税课受了不少束缚,非可任意开辟,而束缚之最重要者有:1.

必须经参议会一类的民意机关通过,2.不得抵触法令,3.不与中央及地方税课重复,4.不得对人民生活主要必需品课税,5.不得设卡拦征,暨征收物品通过税。吾意在二十三年召开之全国财政会议,主要目的在废除苛杂数千种之多。当这种种苛杂开征之初,举办其事者亦曾有过如上所述一样的花言巧语,以为搪塞,故盼当局予以审慎考虑,借宏废除苛杂之德意焉。

财政收支系统法第十一条规定:凡中央税,地方政府不得重征,并不得以任何名目征收附加税捐。一切货物税为中央税,地方政府不得征收,并不得阻止国内货物之自由流通,一面又规定地方政府可以开辟因地制宜税,剜肉补疮,错综复杂,支离割裂,影响于整个税制,近闻厘金又开始征收于华北,是阻止国内货物流通之开端。因有上节所述之重重束缚,因地制宜之税很不易寻觅一个合法的途径,除非地方情形许可开辟,而不扰民,可以试办外,是应该设法避免的,否则很容易回到过去苛捐杂税的紊乱状态。

欲解决县地方财政之困难,不如将货物税划归省有,因为货物税征课以地方特产为对象,是中央侵入地方税源之一例。兹中央既征收货物税,省地方自不能再课复税,而省县营业税因受中央货物税之影响而减收。若将货物税划归省有,而省之二成田赋还诸县地方,不亦交受其益乎?不过就目前中央税制之重点而言,中央税制偏重于消费税,并不向所得税方向努力迈进,则欲其放弃货物税移转于省地方,无异缘木求鱼。

第七篇 其他问题

第十篇　其他問題

第一章 税务机构的调整

一、对于税务机构的一般舆论

今日国内工商界对于中央征课的所得税、过分利得税、特种营业税、印花税、及地方所征的普通营业税与营业牌照税等,众议纷纭,怨责丛集。综观各方意见,共同之点有二:1. 认为税类繁复,新增与修订频繁,无从预知应有之负担;2. 稽征苛扰,使生产者与营业者备感困难。于是有人主张把所有新税暂缓举办,不妨把现有税目归并就简,税率亦宜斟酌,课征对象,从宽订定,务使正常生产与营业有利可图,使游资有导纳正轨的机会。

就归并税目调整税率言,近年财政当局为争取收入,厘清系统,税目相当增多,其间错杂重复,自所难免。就与工商业有密切关系的说,如普通营业税与特种营业税,税源税质,完全相同。徒以所属财政系统不同,割裂分征,增加课征技术的困难。普通营业税与营业牌照税,同属地方财政系统,前者属省市(院辖),后者属县市(省辖)。最近营业牌照税课征范围,亦已扩大,其性质除按资本额计税分等征课外,几完全与营业税相类。如三者能合并统征,只须税率及征课标准上,稍有更动,而负担不变,则征税机关与纳税人,均可同受其利。统一机构之理由,尚不止于此。财政学者与经验丰富之税务人员,尚有下列几个要点提出,以为统一征收机构之理由。

（一）现在各地征税机关，有海关、盐务局（曾改专卖）、区税务局、以及县之征收处或税捐局五个。同一物品，此机关要税者，彼机关亦要税。商民办运一项货物，往往要向二个机关缴税，复要受各该不同系统机关沿途之查验，难免有留难阻滞之处，病民害商，无异于昔日之厘金制度。

第三次财政会议决议，对于中央各税，应有一个统一经征机构，规定以县市为单位，由中央设立税务局，经征国家税，并代征地方税，但未实行。现财政恢复三级制，情形虽已不同，惟征收机构统一，可使纳税人便利，减少征收费用，符合财政之原则。故各项税收，如无特殊原因，应予统一稽征，不必每税专设机构。其有地方性之中央税，可交由地方征收机构征收，以免鞭长莫及之弊，而收相辅联系之效。

（二）若干次要征收地点，因经费限制关系，无法设立征收机构，致税收脱漏甚多，库帑损失，当必可观。统一征收之后，可以在次要地点增设机构。

（三）统一征收机构实施后，于人民则减少缴税机关，除去许多繁难；于政府则可节省经费，福国利民，诚两利之道。

（四）征收直接税，需要间接税之材料补助。例如征收纱布商人之所得税，在该商未肯将账簿呈供核算时，须用侧面方法，估计其所得额及利得额。统税局所登记之该商运输纱布数量，乃估计税额之最好材料。但此项材料之利用，非先统一征收机构不可。

以上几点足以说明统一机构之重要，言之娓娓动听。但在反对方面，或谓合并征收，因税源已经划分，加以牌照税有取缔性质，不易实现。但这些都是行政问题，不难解决，只要把税源划分制改为分给制就是了。归并之后，究由中央抑由地方经征，税收上中央省县市应各得若干，皆系行政上的技术问题，应不难解决。舆论如此，特志之以供参考。

二、征收机构之种种弊病

三十年召开之第三次全国财政会议，有"统一征收机关，改进税务行政"的决议，首先对于以往征收机构的种种弊病，表示不满，其所指出之弊病大致如下：

"查我国现行税捐，无论中央地方，多多有专设征收机构，以致百户小城，机关林立，不仅过耗征收费用，与经济原则不符，且机关太多，实予人民以不良之观感。第二次全国财政会议时，曾决议'统一地方征收机构'一案，由部转行各省，参酌实施。现仍有若干省未能彻底遵行，致使税务行政，呈支离破碎之象。因其组织散漫，管理不一，营私侵蚀，弊窦丛生，人民有额外之负担，政府蒙非常之损失。为彻底整理税收计，自应统一经征机关，分区设置统一稽征机关，于中央设置管理机关，此种原则，自属最为合理。"

三、财政部拟订的统一征收办法

财政部遂根据上项的原则，参酌各税的特殊情形，拟订了下列的各种办法：

（一）以县市为单位，由中央设立国税局，经征国家税，并代征地方税，其逐步推进之程序，则为：

（甲）经征营业税、屠宰税、房捐、及省县一切其他捐税。

（乙）田赋正在办理土地陈报、地价调查、科则改订之整理期间，暂由中央专设机构征收，整理工作告成时，再作并入。

（丙）契税与田赋同。

（丁）开征土地税区域之地价税、土地增值税、土地改良物税等，均由国税局征收。（按三十年之财政会议取消省级财政，归并于中央财政，并分全国财政为中央财政与自治财政。）

（戊）国家其他各税，按性质分期交国税局征收。

（二）国税局统归国税署管理，一面征收国家税，一面代征地方税。

（三）国税局经征各税，其税款由纳税人直接缴库。属于中央或地方之税款，分别径缴国库或县市库。其非县市税款缴国库，再依预算拨发或按法定分配成数拨入县市库。

（四）国库一切人员，以经考选训练合格者为原则。

四、中央税务机构依然分立

在省县方面，于三十一年八月财政部分布了一个省税务管理局的组织，和一个县市税务征收局的组织条例。这种税务管理局和县市税务征收局，即是原计划中的所谓国税局。自条例公布之后，贵州等省均已依照进行改组，尚称顺利。依常人推测，必先统一中央税务机构，而后再将统一工作推及于地方税务机构，未有中央方面不先统一而地方方面可以收到统一的实效者。即名义上负了统一之名，实际上仍是一些改头换面的工作。财政部主管货物税的税务署，与主管直接税的直接税处，依然分立，各自为政。有一时虽在报上看见署处合并而为国务署之消息,但始终未见有实际合并的事实。于是第三次财政会议关于"统一征收机构"的决议案,已落了一个空。这是中国"会而不议,议而不决,决而不行,行而不通"的老毛病。

财政部召集某次财政会议时,除将收支系统法修改外,最重要之决议,即实行"简化稽征"。所谓"简化稽征"者,简单言之,即为简化"稽征手续"。根据这个原则,征收手续必须力求简单,必须先扫除"公文世界"之陋习,并尽量减少查账之烦,以便利纳税义务人,并减轻国库负担。但"简化稽征",并非废止查账,非绝对不去查账,而是利用一种简单确实的公式以替代查账的烦琐,并补救查账的流弊,同时亦可求得查账的效果。换言之,"简化稽征"之任务,是避免查账之流弊,但须发挥查账之效能。所不解者,此项原则,是财政部所定,但非财政部所愿实行,因为实行起来,要打破多少饭碗。盖根据此项原则,直接税署与税务署必须首先合并,必先简化人事与机构,而后方能简化税务行政。但此项简化计划,自孔祥熙长部时起,至最近止,仍无实行之模样,根本无实行之决心。最高之税务行政机构既不能相互让步,统一合作,以增进行政效率,焉能使下级机构首先倡导哉?故在今日而欲统一征收,无异痴人说梦。

在下章我们要把中国的贪污情形说一说,现在我们要先补充一些。如欲澄清中国的积弊,非把税收机构通盘调整不可,否则系统不能单一,职权不能明晰,而行政效率亦不能加强。不过调整归并之事,亦不能盲目为之,如被调整之机构,属于不同的系统,则必先有完密的准备,而后方可办理合并,否则必呈现纷乱现象,徒捐国帑,在过去,因为准备工作不甚充分,调整的结果,往往只裁并一部分而保留其另一部分；有时原机构虽已裁撤，因准备工作不充分，仍有另设"清理处"或"保管处"之必要。

五、调整为名任用私人

此外对于调整工作，还有一个极大的阻碍，就是这种工作，对于税务人员所发生的影响与结果。我国一般的通病，是往往以裁并调整为名，将旧用人员裁汰或降调，一面就乘机任用私人。此举足以影响旧人之心理。彼等为维持个人生活，势必百方阻滞改进工作之推动，不利于税务之整顿。况系统不同的税务人员，其学历与资力，大有差异，因而其待遇亦有参差。直接税机关的工作人员，多数经过考试与训练，而货物税与营业税机关的工作人员，则多未经考试与训练，在归并时，必深感调度的困难，因而更易引起未经考训的工作人员之恐慌。他们觉得经济生活与服务地位，均无保障，似宜以新训练的方法，提高其能力与学力，使其与今后经考训所取的人员融为一体，不再有所歧视。如他们无违法渎职的行为，不应无故撤退或无故更调。

六、税务机构裁并之经过

合并税务机构之主张，是第三次全国财政会议之提案，颇为一时舆论所赞同。三十二年至三十四年，此项主张曾付诸实施，但各省施行经过，并不一致，步骤亦不整齐。全国各省市之直接税局与货物税局，均先后裁并，改称税务管理局，统一办理直接税货物税及地方税之稽征事宜。但负实际征收责任之直货二税分局虽在贵州江西等省，同时合并，改称税务征收局；但在四川广西等省仍照旧分设，在湖南则先合而后又分，在浙江，税务管理局于三十二年就浙江直接税局改组成立，而各地税务征收局则未合并改设。当时之直接税仍由各直接税分局及查征所稽征，货物税仍由各货物税分局稽征，地方税仍由各地方稽征。三十四年夏季，为加强各税稽征以专责任起见，复将直货二税重行划分，各自设局主办，然区分局之单位与人员总数，反较两税合并时期为少（理由详后）。但沦陷十余年之东北九省收回以后，又把直货二税由同一征收机构办理，最近因时局杌陧，经济凋零，收少支多，不得不从事撙节，又有少数省份实行合并，设置区局（即合二省或三省设置区局），例如浙江因战事转进关系，仅留浙南半壁，税源较啬，乃与福建合为一区，共设闽浙区直接税局，并于闽浙二省境内，分设直接税分局及查征所。改组未几，抗战胜利，全省重光，乃于同年十二月与福建分立，成立现时之浙江区直接税局。今日又有人主张将直货二税征收机构一律裁并，甚至有主张将关盐二税之机构同时裁并者。一般舆论，亦表同情，而代表民意之机关，亦复异常注意，一若所有税务机构，有非裁并不可之势。裁并之目的在撙节开支，充实国库，光明正大，无可非议。主张合并者之理由，虽甚充足，而且动听，其主张不合并者之理由，亦不能一概抹煞。爰把双方意见陈述于下，以备研究财政者之参考。

(一) 主张裁并者之理由

（甲）如在同一省市之内，直货二税各有机构，自成系统，则重床叠屋，浪费难免。合并之后，人力集中，开支节省。况今日之最大危机，可归因于通货膨胀，而通货膨胀，发生于财政赤字。撙节开支,是减少财政赤字之重要途径。故谋国之忠者,未有不主张税务机构之必须合并也。

(乙)国家之税务行政,不宜分歧,则划一行政之体制,自为主办财政者所应深切注意之事。虽推行税务行政,有因地制宜或因时制宜之必要,然大体上行政体制,终贵乎一致。合并征收之办法,既适用于东北九省,何独不能推行于内地各省?

(丙)机关分散,管理难周,监督不易,因此过去税政往往不上轨道。若能集中办理,管理简单,控制便利,稍加严密,浪费之减少,可以预卜。

(丁)从纳税人方面观察,纳税固为人民应尽之义务,而纳税方便,亦为纳税人应得之权利。故亚当·斯密列便利为租税征收四大原则之一。机关林立,甲税之登记甫毕,乙税之调查又来,使人民忙于应付,心理上自然发生一种厌恶观念。倘能裁并骈枝之机构,划一手续,予纳税义务人以不少便利,于税收上自能有种种良好的影响。

以上四项,是主张合并者所提出最易动听之理由。他们并举货物税征收机构之调整为例。民国四年北京政府开办烟酒公卖,设立全国烟酒公卖总局(后改烟酒事务署),各省份设烟酒公卖局(后改烟酒事务局),并酌量各地产销情形,划分区域,设置分局。但当时全国政令尚未统一,因此烟酒公卖,不能彻底施行。迨民国十六年国民政府成立,十七年颁布卷烟统税条例,于财政部专设卷烟统税处,各省设置卷烟统税局。二十年开办棉纱、火柴、水泥等项统税,又将原有卷烟统税处扩大组织,改为统税署,并将各省卷烟统税局分别合并,设置各省区统税局,而十七年六月开办之面粉特税,亦归并办理。

烟酒税,另设有烟酒税处;印花税,另设有印花税处。二十年二月,将印花税处与烟酒税处合并,改组为印花烟酒税处。各省设有印花烟酒税局。二十一年七月,复将统税署与印花烟酒税处合并改组为税务署。二十二年四月,又将原由赋税司主管之矿产税划归掌管,并裁废矿产税征收专员制度。此抗战以前调整机构之情形。

二十九年直接税处成立,五月间将印花税一部移交直接税处接收。十一月税务署开始调整其附属机关之组织,减少机构级数,实行两级税制。自三十年六月第三次全国财政会议议决,根据国民党五届八中全会之决议,统一征收机构后,三十一年七月财政部即将货物税与直接税征收机构实行合并,亦采两级制,各省设税务管理局,各县设税务征收局。及至三十四年一月,行政院会议议决调整税制简化机构后,财政部以货物直接两税性质既有不同,而合并亦不彻底,又将两税征收机构重予分开。

(二) 反对裁并者之理由

(甲) 直货两税性质不同,划归一个机关办理,窒碍难行。直接税是对人课税,征收对象是工商企业与个人,散布于城镇乡全面。货物税原是出厂税与出产税,是对物课税。征收对象,是集中于产地及运输孔道之产物,可谓税源集中于点与线。征收之对象与地点互异,故二者无法划归一个机关兼征,以免顾此失彼之弊。此根据过去合并征收时所得之经验而言也。

(乙) 避难就易,人情之常。征收货物税手续简便,而征收直接税则手续非常繁琐。以遗产税为例,遗产税法颁布以来,主管机关准备开征,且已着手推行,无如各种条件欠缺,收效不著,而耗费精力已不算少。若以一个征收机关兼办二种性质不同之税捐,势必使征收人员注重其易者而忽视其难者。过去之经验,可以证明此项推测之准确。三十年第三次全国财政会议决定取消省级财政,营业税由中央接收,交直接税署兼办。查营业税之征课,系以工商业之营业总收入额为标准;如有特殊情形,则以资本额为标准,计算之手续简单,收起之数,往往超出预算。譬如上海市在过去征收营业税,系实行查估办法,而查估办法之手续,由财政局印就各种应填写之表册,发交各商号及同业公会,由商号与同业公会分别填具后,送交财政局;财政局即凭此表核定各商店应收之营业税。手续异常简单,比较所利得税之征收,其难易真有天渊之别。因为所利得税之征课,因税制之不合理,不但得不偿失,且时常引起纳税人之反抗。造假账,增开支,种种逃税方法,不一而足,结果费力多而成效少。但征收机关以收税之多寡邀功,所利得税之费力大而收效少,是人所周知的,不如以全部精力对付营业税。故营业税之收数往往超过所利得税的收入数倍至数十倍不等,尤以较大之商场为然。在小县市之中,所表现者,几为营业税所独占,所利得税税收,微不足道。此固由于营业税之税源比较普遍,而在内地人民缴纳所利得税之习惯尚未养成,而稽征所利得税之技术问题,亦未解决,故各征收机关于不知不觉中,养成依赖营业税忽视直接税之惰性。直接税税收虽有短绌,不难截长补短,抽多填少,利用营业税之溢额以为弥补。至三十五年二中全会及财粮会议先后决定恢复财政三级制,复将营业税还诸地方。虽税收上不无损失,而体制上与责任上则反有改进。自此之后,欲有所表现,非聚精汇神于直接税之课征不为功。

(丙)理财之道固在乎节流与开源并重,但节流终不如开源之重要。欲提高行政之效能,增加税收之数目,须恃积极的开源。裁并征收机构,从消极方面看,固可撙节开支,但积极方面亦必因此而受到恶劣的影响。以一个机构主办两种性质不同之税收,注意力不易集中,技能殊难专一,遗漏与疏忽,在所不免。故现代企业之进展与事业之繁荣,莫不以细密的分工与严密的合作为必要条件。此为经济学上之基本原则。直货二税之分设专局,即本于此项基本原则。若不顾一切,强为裁并,使一人兼办数事,则精力有限,应付不遑,必影响于税收。譬如个人经济,节俭固是美德,但过于节俭,又不免妨碍其身心之健康;直接降低其工作效能,间接减少其收入之来源。这种经济,谓之假经济,并非真正的经济,决非推行税征应循之途迹。

（丁）吾人已言之,积极的开源,胜于消极的节流,但在中国开源亦不是一件容易的事。所以所谓开源,是指可开之源而言。所得税是现代先进国家已开之源。中国在过去专恃消费税（关、盐、统）的收入以充国用,使税负着落在贫民身上。如欲纠正这种不平现象,似应加强直接税征收机构之组织,置重于全盘中肯之远大方针,不应注意于枝枝节节之合并问题。从大体着眼,作全盘打算,于改进税政,方有效率之可求。故裁并机构,未必定是可节之流;而严密征收直接税,定是可开之源。若置可开之源于不开,而不可节之流必欲节之,不免本末倒置之嫌。

以上是反对合并者之四项理由,比较主张合并者之四项理由,可谓针锋相对。但无论何方之理由充足与否,终不宜举棋不定。若时而合并,时而划分,朝令夕改,彼此参差,使一般人堕入五里雾中,莫知适从,终非应有之举措。制度既未确立,各级税务人员各存五日京兆之心,莫能安心服务,对于税政之推行,反不免无形松懈。其下焉者深恐一旦不幸被裁，失业堪虞，不免铤而走险，乘机敲索，莫怪贪污案件之迭出耶！

七、征收机构应如何统一——统一于何一级政府？

统一征收机构之目的，在 1. 严密组织，2. 集中人才，3. 节省经费，与 4. 增加行政效率，以便于稽核监督。不过统一应采何种形式，是值得研究的问题。有主张并入县市政府组织之内者，有主张于各县市设立税务局，直隶于省者，亦有主张自中央以至省县市，建立一征收机构系统，独立于省县市行政组织之外者。兹将三种主张分别述之于后，以供参考：

（一）征收机构并入县市政府组织之内

县市范围，虽不及国家之大，而事务纷繁，真所谓"麻雀虽小，五脏俱全。"县长身兼百职，已觉应付不遑，以之综理税务，深恐利少害多。况全国 2,000 余县市，办法分歧，治丝益乱，故划归县市兼管，决不是办法。赋税之中，其有全国一致之性质者，更不宜化整为零。当然，在征收技术上，不无与县市机关取得密切联系之必要，但税政本身，自可独成系统；不然，不仅税政无法推行，而县政亦不免受相当妨碍，不可不慎也。

（二）各县市设立税务局直隶于省

省是否为中央与县市地方之衔接机构，抑为一独立行使省政之单位，迄无定论。将来订定真正的宪法时，必有一番争执。以今日之情形言,省无行政上之实权,一切遵照中央之意旨而行。以如此无权无能之省府组织,出而负荷整理全国税政之责,决不能收良好之结果。非对税政漠视,妨碍整理,即有一筹莫展之感。

(三) 自中央以至省县市建立一个统一征收机构系统

这派人的主张,以为建立一独立之征收机构系统,统征国地各税,征诸历史之教训,旁考各国之成规,实为合理之组织,亦为政治上之必要措施。如将财权分隶于各省县市,未有不形成割据局面。财政与行政权有密切关系,行政权之大小,须视财权之集中与否以为断。如税政独立,则各省县市地方不能任意征收税款,他们的政权,不致因财权而扩大。故欲奠立中央政权之基础而使之坚固,非集中财权,别无良法。他们并谓统一财权于中央,除巩固政权外,尚有下列三种利益:

(甲)"便于财政整理——近年以来,各省整理财政,废除苛杂,颇能在中央整个政策之下,渐具规模;行政统一,亦日趋巩固;收效之原因,中央对于各省财务行政人事之调度,实与有力焉。惟自抗战以还,迫于事实需要,各省多有举办法定以外收入者。为谋整理并防止重蹈以前覆辙,陷财政于紊乱起见,实宜将财政与税政重加调整,使税政人员,得处超然地位,专心负责整理,以赴事功。近十年来,主计审计制度所发生之效果,足资借鉴也。"

(乙)"便于新制之推行——新赋税系统之建立,新兴税源之整理,在在影响收入。又征收制度之改革,牵涉多端,如能建立独立机构,以避免行政机关之掣肘,则推行必较便利,易收事功。"

(丙)"健全征收机构——现在各省县征收机构之紊乱,已如上述,税制失调,负担不平,皆缘于此。亟宜仿效我国邮政电报制度,使全国有统一处理之机构,以收指臂之效。"①

由中央设立一个统一税政机构的议论,倡之于民国三十年。是时中央召集第三次全国财政会议,把省级财政取消,划全国财政为国家财政与自治财政,实行两级制,目的在防止各省形成割据局面。但行之不及五年,觉得中央大一统的梦,是不容易做成的。本书言之綦详,兹不赘述。三十五年恢复中央、省、县市三级制,但省之新地位,远不如民国三十年以前旧地位之高;省之税收只有田赋二成,营业税五成,此外一无所有。中央在收不抵支之时,尚有发行权可以运用以度过难关。在省则昔日之发钞权,已被取消,借债(发公债)亦须经中央许可,不得擅自乱发,足见中央对于省地方仍存戒惧之心,徒陷省地方于一蹶不振之地。不仅各省之经济建设,受到阻滞,即省地方行政亦无法推动,实予社会经济发展以一大打击。本书已指出中央大一统的政策,已归失败。大一统的结果,是大紊乱(省为谋生存计,各自筹款)。苛杂之重现,摊派之普遍,皆缘于此。虽然,我们并不以为国地税政有绝对划分之可能,在若干场合,他们的联系非常密切。将来实行全国土地测量,非仰仗于中央之统盘筹划不为功。此乃有全国一致性之措施,若划归地方分头进行,则工作之完成,不知延至何年何月也。至于田赋,本书主张完全划归县市地方,似无重劳中央代征之必要。况以过去之事实而言,往往有"中央吃省地方""省地方吃县市地方"之侵蚀情事,如此情形,已无人不知,何必自投于中央之怀抱,任其宰割耶? 因此之故,吾人不主张由中央建立一个独立的统一征收机构系统。即今日之所谓宪法,已明显地规定行宪后的政治组织,既非偏于中

---

① 刘大伯氏著《改进税务机构之商榷》,载财政评论第六卷第五期。

央集权,亦不偏于地方分权,乃是采取一种中央与地方均权的制度。地方决不肯将自己的税收交中央征收,来受中央的牵制。

八、由中央控制的统一征收机构能否节省经费增加便利

三十六年八月,行政院通行整饬县政,调整县级财政,明定烟酒税酌拨地方,于是有烟酒税改由地方征收之议,就调整所得,酌拨若干,以补助省县地方经费。现行之烟酒税,是归并于货物税征收。三十年七月颁行国产烟酒类税暂行条例及稽征暂行规程,改由产地一次征收,通行全国,其税制始与统税相吻合。如此办理,既可以免重复课税之弊,亦可以在集中之地派员一次征收,以便商利民。但此法虽不无优点,而缺点亦不少:1.土烟是农产品,生产、交易、以及存储,均在乡间办理。土酒是农产副品,酿户零星散漫;二者究不能与制产集中、易于管理控制之各项统税货物可比。且土酒产量决定于年岁之丰歉,时有因荒年歉收停酿之情事发生。2.烟酒产制既散布于乡间,管理监督,至不容易,以不熟谙地方情形、不懂地方言语之工作人员来担任调查与征收,所得结果自不能尽如人意。况上级机关,不在同一地点,管理上更觉鞭长莫及,疏忽拖延,在所不免。不肖员司,遂可上下其手,作伪舞弊,不免治丝益乱。如商请地方协助,则地方以中央税收与本身无关,多抱袖手旁观之态度。因此逃税漏税之风益炽,国库损失更大。3.因烟酒之生产过于散漫,故稽征所耗之人力物力,为数甚巨。现在之货物税,包括统税、矿税、与烟酒税三种,不过烟酒税收,在货物税总收入之中,不过10%,而烟酒税稽征费用在全部稽征费用中竟等于

35%左右。足见收少支多,是否合乎经济原则,不言而喻。且在若干地方,烟酒即几为惟一之税源,其他两种税收所占百分比甚小,故全部稽征经费几全为征收烟酒用去,而此类机构,因为经费之限制,不敢深入乡村,否则所耗人力,更不可计算。4.如征收机构由中央统一控制,不免于稽征技术上发生种种困难,例如乡村酿户停酿或减酿,若完全依照法令办理,而予以封缸与毁灶,开酿之时,必准予启封与登记。如此认真办理,不免窒碍难行。若一律免予封缸与毁灶,则有违反法令之嫌,且易予奸商以蒙混取消、逃税漏税之机会。若烟酒税划归地方征收,则以上所述四种缺点,皆可补救,因为:

1. 税源易于控制——烟酒产制虽散漫,然可以利用县市地方之原有组织如保甲长警察局等,担任调查及稽征工作,则以上第一个缺点可以补救。

2. 地方政府熟谙当地情形——中央统一机构,因与地方情形隔阂而不能办之事,地方政府能优为之。况税收既归县市地方征收,地方以利害切身,无不努力推行。

3. 稽征费用节省——将烟酒税从货物税中划出,改归地方征收,则原有货物税之范围,因而缩小,可以把征收机关分别裁并,以节省糜费。约略估计,所节省者,当不下于五分之一至三分之一。

虽然以烟酒税交由地方征收,固可收以上三种利益,但亦有不可完全交给地方之理由:

1. 现行之烟酒税制度,已达到一税之后通行全国之地步,创制时之紊乱情形,已不复重见于今日。若再开倒车而划归地方,不免又呈分歧混乱之现象,使若干年来努力整顿之结果挪同虚牝。

2. 货物税中之薰烟叶及洋啤酒,已列入统税范围之内。若烟酒税划归地方，而薰烟叶及洋啤酒仍归统税，由中央征收，则界限不易分明，纳税人不免有无所适从之感。且产销不在同一地点，难免不重复课税，而票照之分歧，更是意中事，查验稽核，两感不便。

3. 烟酒之制酿，非各县市皆有，即有之，产量上亦有多寡之别。产量多者税收随之而多，产量少者税收随之而少，无产量者根本得不到什么收入，则烟酒税划归地方之后，仍有苦乐不均之弊，而地方亦无平均发展之可能，仍须仰给于中央之补助。

九、调整征收机构的两全之道

所以征收机构，既不能由中央统一，亦不能归纳于地方政府组织之内，势必求一两全之道，中央与地方可以两得其益。其道维何，即以烟酒税为中央税，由财政部委托地方代征，一切仍依原有税法税制办理，一面从烟酒收入项下，每月或每年提拨百分之几，充作中央补助地方经费之用。如是一面可以避免税制之紊乱，一面可以节约经费，且仍得地方之协助，达到充实国库之目的。

最近俞鸿钧部长于国民大会财政施政报告中，即已发表《行宪后国地税收划分方案》，把中华民国之税课分"国税""省税""县税"三级，货物税中，国产烟酒税（即土烟土酒税）的纯收入 40% 拨补贫瘠县市，但贫瘠县市未必定是产酒产烟极多之区，故征收烟酒税的工作，未必由财政部委托县市地方代任。

第二章 摊派与贪污

一、摊派

(一) 摊派制之缺点

在过去的时代,有所谓"包商承办制度",实名异实同之变相摊派。我国营业税及直接税之所得利得诸税,创办历史不久。前者营业税之举办,不过十六年前之事。民国二十年厘金裁撤,在各省举办营业税,以为抵补。后者直接税之举办,为时更不足十二年(民二十五年开办所得税)。当营业与所得二税开办之初,各地商会企业团体同业公会等,均纷纷要求不必调查账目,而愿与政府商议,决定每年每月摊派负责缴纳。此种"官商商议摊派"办法,在地方上整理税务多年的人员,应付折冲,几经费力,而终不予接受,坚持必须照章办理者,亦即在求适合公平原则而已。盖摊派之缺点,不一而足。摊额过低,则高于摊额之税款,归于乌有。即所收超过原额,悉归包商中饱,政府仍无所有。摊额过高,则低于摊额之税款,必巧立名目,税外苛索,以重苦纳税之民商。羊毛出在羊身上,必高抬物价,以转嫁于消费者。是政府与民商交受其害,惟承包者获利而已。

(二) 何以商人要求摊派

但各地商会同业公会,为什么要求改用摊派方式?为什么拒绝查账？其根本原因在恐惧财务人员泄漏被查商号之营业秘密。征收人员于执行职务时，所得关于商民之秘密，有守秘之责，不得泄漏，否则国民固受其害，而国家之信用，亦将为国民所怀疑也。例如直接税局的征收人员，检查商店账册，所得关于各商店之营业秘密，若经泄漏，则引起其他商家之剧烈竞争，而使其营业受严重损失。同时各商店鉴于征收人员之泄漏秘密恶习，必联合拒绝查账，或拒不以其真相示人（如今日各商店之造假账已成公开的秘密），岂不有碍于今后征收事务之进行耶？

（三）包征制用于屠宰税

但包征的办法虽拒绝用于营业税，却已用于变相的营业税——屠宰税。屠宰税原采营业课征制，为营业税之一种。现在改用消费课征制，已变为消费税了。在财政法规上，早已严禁包商承办制度，而一般研究财政的专家，亦一致地反对。在二十三年第二次财政会议时，有下列的重要提案。屠宰税，应由征收机关直接征收，不得承揽包办。故包办制，是悬为厉禁的。但在广东虽有财政厅三令五申禁止包征包解的办法，可是各县税捐征收处真正能够遵照实行的，真不可多得。"公然承包，明委暗包，或辗转承包的，到处流行。这些承包们，目的在求营利，而且常为地方上的恶势力所专断把持。在其一手掩盖之下，税额当然无法增加。亦有由县税捐征收处的人员自行冒名、换名、或托人承包，任意上下其手，降低税额，或与承包人相互串通，从中渔利，侵吞分渔的。"以广东全省各县（市）税捐征收处来说，能够讲得上全县市自征的，恐怕百不得一。有不少县份是全数由承商报解；本省机构所任用的征收人员，则徒挂虚名，无所事事。但有时因分布在县境内各乡镇市集的分处及征收站,有人力不敷之苦,而县处责成收起比额又甚严,不得不采取分包制度,转包于人,借资应付。因此虽屠宰税法明白规定"不得招商包征",可是困难很多。屠宰场即不能普遍设置,散居乡村的养户,并不需要多少的技术,随时可以操刀屠杀。要征税机关各处随时自征,势必雇用大批人员,支出庞大,扰及乡民。在过去各省在城镇中多派人自征,在乡间则委托保长乡长代征。虽流弊在所不免,但若予代征者以若干公费,同时实行养户登记,或可减少流弊。包征制应该废止,但派人在乡间点只征收,未免近乎理想。

屠宰税在法律上应由征收机关直接自征,不得认额包缴。但我们已说过,实际上能够自征的,在广东恐百不得一。有不少县份且全数由承商包解,而报解之弊,一言难尽。县税捐处对所属各分处站的税收控制,依据财政厅的规定,是用比额的办法来限制他们。此种比额的规定,并没有一定的依据。省财政厅固可以核定其比额;县政府亦可根据情形,定一个比额,责成县处解足;县处亦自定有比额,责成各分处站要如数征足。不过县处所定之比额,更无合理之根据,往往因人事关系,以定其高低。分处站人员与县处主管人员,有直接关系者,降低其比额;其无关系者,加高其比额。比额的高低,既凭情感与关系决定,各分处站方面当然有不平的怨声。到了月底,举行征收工作汇报时,只好任意报解若干,或者索兴不参加工作汇报。县处方面,对其比额的解足与否,莫可如何,且因比额数字失却价值,征收人员更加漠视。

各分处站征收员月底来县参加工作汇报之时,例须先到县库解足税款。但各征收人员以所报税额甚少,到县城之后,多避匿不到县处,仅预先探知其他分处站的数字;取得参考资料之后,始决定本处站的数目以报解。他们所带的县屠宰税票,在乡镇是不填用的。回到县城之后,临时补填税票,至一定成数,写好缴款书,制表送处,就算了事。此事有二点值得吾人注意:1.大部分税收落在征收人员之手,使县财政收入短少。2.县税捐经征人员,应一律禁止其经收款项,采取自行纳库的办法,由纳税义务人径行报解纳库。

(四) 包征之弊多于利

故在过去屠宰税多采用包征办法。在此项制度下,征法简单,征收费用减省,按期缴纳,收入确实,预算较为稳定。此包征制度之利也。但包商以包税为业,必须有利可图,方肯承包,势必取于纳税人者多,缴于征收机关者少。若不能照定额收起,则久欠不缴,追究甚难。且包商不免假征收机关名义,各处搜索税款,易遭纳税人之反感,失去人民之拥护。

包征制亦用于筵席税的征收,有利亦有弊。筵席税系向消费者征收。惟消费地点分散各处,消费时间亦不一定。征收机关,若派员一一亲自征收,事实上是不可能。且筵席价目亦不预定,不易查核,而营业账册,又可伪造,征收人就多舞弊之机会。在此种情形下,有人主张采用包征制,以为征法简单,收入可靠。若同时采突击抽查法,派员驻店数日,查验包征之税是否确实,则包征之流弊,或可减去不少,且可根据所查事实,酌定下一次包征数额。

包商承办之恶习,竟推行于田赋征实,因为他与粮食储运问题有关,亦足为粮政之弊害者。包商所承办者,是粮食起征后之加工手续。粮食加工,大体由中央规定谷折米成色标准,由粮食机关包商承碾,中饱舞弊,至堪惊人,公家损失,颇属不赀。按田赋征实原系以征谷麦为原则,用意在于谷耐久储。但若干地方军粮交拨频繁,省县二级公粮预算仅配一年之用,且多随征随拨,存储时间,不致过久。与其征谷增加运费、及途中舞弊机会,不如改征碾米。依实际情形而论,粮户所缴之米,成色较收谷之加工米为高,且粮户缴米,既可得米糠之利,又减少运输费用及其损耗,缴纳踊跃,故收米县份征收情形多较收谷县份成绩为佳。以公家论,收米之容量既已减少,则收粮人员及仓储运输诸费,至少可以减省一半。故为便民除弊起见,应由田赋及粮食机关视各地军粮公粮拨交数量与时间,妥为规定征米县份。

(五)摊派与苛杂孰利?

我们已经说过,地方收入,无从核计;地方支出,无从确定;信手抓来,随手用去,不能实施有效之管制,遂听其自然,无力纠正。近数十年来,农村经济受国际贸易之不良影响,与夫帝国主义之不断的侵略,日趋于崩溃。国人昧于国际形势,咸归咎于苛捐杂税为之厉阶,发而为减轻田赋附加及废除苛杂之呼吁,逐渐演成为一般舆论。此二十三四年间之事也。国民政府知其事之严重性,遂严禁田赋附加,并绝对不准擅增苛杂。自兹以后,无人敢冒天下之大不韪,轻议加税,或妄增苛杂。地方财政陷于收入无着、支出无节之歧途,不得不另觅途径以图自救。摊派遂应运而生,浸假成为地方财政收入之正宗。

然田赋附加与苛捐杂税,比诸私相授受无法控制之摊派,其间利弊得失,概不可以道里计。"昔日之附加与苛杂,立有专法,颁有明章;征收有定制,有定额,有定时;征解有准则,依固定秩序;支用有确定用途,遵章报销,依法审核。浮收侵蚀中饱之情,间或有之,实无巨额。持平论之,所谓苛杂,谓其流于琐细则诚然,而谓其为苛扰,则未必尽是。今日之摊派则异于是。征收无定章,收取无定时,无定数,支用无定则,摊派总额,决于缙绅豪门之把持地方政务者。每户摊派额之多少,非依财产及富力,但依各个人社会势力之强弱,而其负担全由弱者承之,绅商豪富,社会闻人,但在社会上有一分势力,使县乡人员有所畏忌者,往往无任何负担。此派额之不公者一也。收得之后,究有若干,无人加以严密稽核,而被经征人员中饱之数,颇有可观。此征收之有中饱者二也。报公之款,用于何途,何者当用,何者不当用,一惟主管者之意决之,小民不敢过问。其中侵蚀中饱之数,又复可观。此支用之不尽实者三也。以此而与附加苛杂比,此不逮彼远甚。"可知摊派之亟应革除,实为一般舆论所要求。但我人于实行之先必须详加考虑。盖摊派之存在,源于事实之需要。收入无着,而支用无节,复不许以正式捐税救其急,而在朝之人,又不愿从事减政,则为自救计,惟有出于摊派之一途。上下蒙混,知其弊而置之不顾。乡镇保甲有事,苛派于民;县市有事,征之于乡镇;省府有事,责征于县市,而令县市有所贡献。故为一劳永逸计,必须通盘筹划,清理病源。若地方税收依然有限,不足以应现时之需要,则摊派之不克立即废去,亦无可否认。所以厘订税制,以裕税收,为事实所急迫要求。税制不立,摊派不除,任何税制,纵有缺点,比之摊派,总胜一筹。国家既须向国民征取财力,则宁取赋税,使地方财政无须再仰给于摊派,则摊派不禁而自绝。不然者,纵三令五申,日夕言禁,摊派之为摊派必如故也。

　　三十六年第四次全国财政会议恢复国省县三级财政,将财政收支系统重新改订,其目的在求地方财政之自给自足,不再仰给于摊派。行政院长宋子文氏之演辞,说明此意。他说新订的财政收支系统,其目的是在求地方财政的自给自足,日本虽然失败,但大家切勿以为中国便已脱离战争状态。共产党的骚乱,破坏交通,正严重地妨害国家行政。新财政收支系统实施后,地方当局不能再自立名目,对老百姓作种种之摊派,中央亦决不随便向地方要钱要物,如此方可使老百姓得到安息。宋氏之言词,固然冠冕堂皇,非常动听,但在施行后,此一"再改订"之财政收支系统,果能即达到此一目的乎?以余个人之观察,此一目的不但尚未能达到,且宋氏直辖之直接税局亦已仿行摊派矣(如上海之营业所得税是以摊派方式征得之)。

(六)各式各样之摊派——要钱、要物、要力、要命

向地方要钱要物要力要命——纳税、完粮、劳动服务、和服兵役,都是人民应尽的义务,而他们应享的权利:选举、罢免、创制、复决的权利,和言论出版集会居住等自由权利,不但一事不办,且一字不提。即他们根本所最需要享受的国民教育的权利,他们从未享受到。但是现在政府向人民要钱,除了国家规定的以外,尚有许许多多的陋规,层出不穷的恶例,一到农村社会,"天高皇帝远",县府及乡镇公所的公务员以及军警保甲人员,更凶猛地向老百姓欺侮敲刮。军队过境,要睡觉的稻草,马吃的豆粮,留驻的保安队,要草、要米、要油,借台、借凳、借床。派驻的警察所因警员待遇菲薄,伙食要求津贴,制服棉大衣要地方供给。人民自己组织的自卫团所需要的一切弹药枪械服装伙食等等,当然由人民负担。乡镇公所保甲组织,都是地方自治机构,一切开支,也以自治经费名目,向老百姓摊收。大员过境,招待费要人民平均认摊,乡镇保长过生

日,也要人民集资庆祝。

公路通过的村庄农民,除吃汽车灰尘,一点利益都享受不到,可是筑路的时候要征工,这是劳动服务;路坏了,又要他们去修筑,也是劳动服务。开河、平路、除垃圾、筑公房、造公林等等,都可随着县政府乡镇公所里办公人员的意志,任意征集劳力。

田赋征实的征收储藏,运输分配,都发生着严重的弊病,老百姓缴送实物,很有辛酸的事实。实物体积重,面积大,须由老百姓雇工雇船送到征收衙门挂号,依次缴纳,好像秩序井然。其实其中大有巧妙文章。他们使用的大秤,老百姓不敢与其计较,你要和那般征收员计较斤量,分辨秤的大小,他们就一"搁"不睬你。搁一天就要付一天雇工和雇船的损失,不得不吃亏一点。最后胜利,一定属于征收员的。如果你的米谷品质不好,那更使你倒霉,给你原物原船退回。这样一来,老百姓更吃了大亏,所以谁也不敢送坏的米谷去。所征实物,一旦奉令出售,都由米商出面,而田粮处大小职员,廉价分购,然后待机高价售出。

现在农村的国民学校设备,大多是摊派的、征募的。校舍修建要收修建费;教师束修,除学费外,还要收尊师费、补助费、卫生费。体育活动、图书设备、杂费支出等等,都要逐项向儿童摊派收费。收费如此庞杂高昂,穷苦子弟,安得入学,与中山先生在地方自治开始实行法里所说,"凡在自治区域之少年男女,皆有受教育之权利,学费书籍与夫学童之衣食,当由公家供给,"大相径庭。

八年抗战,人民对于战争厌倦极了。此时应与人民休息。但自政治协商会议破裂以来,征兵更严厉进行。以政治基层组织不健全,就发生了许多弊病。大家认为好一点的乡镇长,就将无业游民地痞流氓充作壮丁,或则摊集"壮丁金"(摊派之一种),购置壮丁,冒名顶替,编送入伍。于是"兵贩子"活跃乡里,洽售伪壮丁。如此莠民,编入军队,不是把军队素质一落千丈吗?坏一点的乡长,就借此征兵法令,敲诈勒索,大发其财,永不依照法令抽签、征丁,老是派了自卫团,深夜捕人,大肆勒索,弄得昏天黑地。更以戡乱战事剧烈,征得壮丁,不依征兵法令,加以训练,即送前线担任运输通信挖壕等工作。于是各地的壮丁,刚刚在编造名册,各地农村壮丁均已潜逃避役,影响农耕,莫此为甚。穷苦点的,夜宿戽水棚中,或小船里面,以防深夜捉人,有钱的当然出外逃避。

可怜的老百姓,金钱税完了,东西征完了,气力服尽了,只剩一条穷命,还要东逃西躲,恐怕随时随地要被捉去,充当壮丁。他们只有二条出路,一是上山做强盗,一是向左转,参加共产党军队。这不是"山穷水尽疑无路,柳暗花明又一村,"乃是"日薄西山奄奄一息"的死气重重。

以上所述,尽是陋规,有的比陋规还要厉害若干倍。辛亥革命,余适留学美国,在宴会席上,遇甫经中国司法部派来美国考察司法的一位法官。余问以种种陋规,已被革除否?渠答以革命既成,还有陋规吗?语气中含有轻视留学生不懂国情之意。不料距辛亥三十七年之今日,陋规不仅未除,反而变本加厉,贻害社会,真不知伊于胡底。但常人往往把陋规与规费混为一谈,殊属错误,不可不辨。

(七)规费与陋规之别

陋规是一种不正当的收入,亦是一种违法的收入。规费是一种事务收入,是政府为特定人的利益做了某种事务,而向其收取一种报偿。政府的收入,可分为三种,一强制收入,二经济收入,三事务收入。租税，是属于第一种，为财政目的而征收的，无论纳税义务人愿意与否，非缴纳不可。故租税是有强制性的。国营事业之收入，是属于第二种，亦为财政目的，但不如租税之有公法上的强制性质，它是本于私法上的自由买卖。如中纺公司之收入，招商局之收入，扣除其一切开支外，尚有盈余，应缴入国库。或谓国营事业之收入，绝对无强制性，亦有语病。往年之盐专卖，是政府的独占事业，本于私法上之买卖行为。政府不收盐税，只于出卖时，改收盐价，所谓寓税于价。盐既归政府专卖，则人民非吃官盐不可，非强制而何。所以经济收入，一定要本于私法上之自由卖买，置重于自由二字。至于第三种之事务收入，是政府为特定人之利益做了某种事务而向其收取一种报偿，称为规费，在英文谓之 Fee，无异向特定人收取一种手续费。例如商业登记费，是属于规费范围，应由特定人或受益人（即开设店铺者）缴纳。依二十六年六月二十八日公布之商业登记法、与商业登记施行细则之规定，商业登记，应由县政府为之，由县政府发给登记证后，方准营业，并按其资本额征收登记费。如有变更转让继承者，应换发登记证。歇业时，报请撤销登记证。如不依法登记者，处以罚锾。

又依三十三年二月十一日国府公布之营业牌照税法，三十三种特定营业应向政府缴纳牌照税，纯粹是管制或取缔性质。此种特定营业可分为二大类：一应行取缔之营业，如娱乐业，包括舞场戏馆球房等，茶馆迷信品业等；二应行管制之营业，如牙行业、典当业、理发浴室业、饮食、茶馆、旅馆业、屠宰业等。对此二大类营业征课之营业牌照税，实含有限制其开设，及寓禁于征之意。这二类营业人既向政府取得政府所管制或取缔各业之营业利益，自应向政府纳税，而所纳之税，实应列为规费，含有特殊受益与特殊报偿之意在内,与租税性质完全不同。故规费是为行政目的非为财政目的而收取的。因为地方政府为管制或取缔起见,对某某特种营业发给执照(即牌照),纯本于行政上之需要,当无财政目的含于其中。

不过三十五年十二月国府公布修正营业牌照税法,将课征对象完全变更,不再限于某某特定之营业。依修正税法第三条之规定,凡经营商业者,均应课征营业牌照税,则其对象,大为扩大,与前法之性质迥异,不复有管制或取缔之意义含于其中。行政目的一变为财政目的矣。

或谓租税是强制收入、公法收入、与经常收入,而规费则不然。此说似是而非。凡商业非经登记不得开设,登记有登记证,亦必缴纳登记费。若谓登记费不含有强制性,未免过于牵强。此项登记证,由具有公法上的资格与权力之县政府发给,非任何人可以发给。若谓其非公法收入,亦不甚对。不过商业登记证,于商业创设时发给,登记费于发给登记证时缴纳。以后如无转让继承变更,则该登记证永远有效,可以说商业登记费不是经常收入。但营业牌照税法未修正前之牌照,是年发一次,有效期间为一年,翌年必须换领,可知营业牌照税亦是一种经常收入。因此以(一)强制,(二)公法,(三)经常三种特性来分别租税与规费,似不甚妥。吾人只能说租税收入是基于财政上之需要,而规费之收入则基于行政上之需要,比较妥当多矣。

二、贪污

(一) 贪污之形形色色

什么叫贪污?贪污就是财务人员接受或攫取不正当之金钱或

财物以自肥之谓。这种财物或金钱直接间接取之于国民或取自国库。取之国民者,谓之索贿;取自国库者,谓之侵蚀。

各税之征收,都有弊病。以货物税论,积弊最深者,当推烟酒税,统矿税次之。其积弊之造成,或由税务人员之需索,或由产销商人之要求,多系朋比为奸。如走私卖放、大头小尾、买卖印照、货照不符、旧照重用、纳照不给照、勒索手续费与查验费、回笼、吃桶、吃刀、以多报少、以甲报乙、提存放息、挪款经商等等,形形色色,不一而足。标新立异,颇有较厘金过之而无不及之概。因之国库蒙损,难以数计。今后不欲整理旧税则已,如欲整理,首需祛除积弊。积弊得除,税收自增。所以今日有二句很普通的口号:"举办新税,不如扩大旧税;提高税率,不如祛除积弊。"盖提高税率,每易促成商民之反响,非特无益于税收,反而鼓励走私,刺激物价,于国于民两无裨益。故征诸事实,提高税率,不如祛除积弊。

(二)刑法对于贪污之处分

财务人员于其执行职务时,予行贿者以种种便利,取得贿赂以为报偿,此种贿赂有枉法与不枉法二种。刑法第一百二十一条规定:

公务员或仲裁人对于职务上之行为要求期约或收受贿赂或其他不正当利益者,处7年以下有期徒刑,得并科5,000元以下罚金。

犯前项之罪者,所收受之贿赂没收之,如全部或一部不能没收时,追征其价额。

此条规定,是对付不枉法者。譬如田务征实之最大弊病,是征收人员之故意挑剔留难,以遂其敲诈之预计。纳税人深恐此种恶习重现,贿赂征收员,求其勿挑剔留难,暗中多收。在征收员并不枉法,而纳税人行贿,亦无意外利得。又如通过税的征收员,受运输商之嘱托,将其货物快快放行,因他的货物受时间性之限制。若税局多方留难,不能如期达到目的地,或变盈余为亏蚀,故不惜牺牲,行贿征收员,请其勿留难,及早放行。不留难,是征收员职务上应尽之责,并不枉法,然所受之贿赂,应予没收。"不能没收其全部或一部时,并追缴其价额。"而对于其受贿之行为,则依刑法治罪。

又刑法第一百二十二条规定:"公务员或仲裁人对于违背职务之行为,要求期约或收受贿赂或其他不正当利益者,处3年以上10年以下有期徒刑,得并科7,000元以下罚金。"

"因而违背职务之行为者,处无期徒刑或5年以上有期徒刑,得并科1万元以下之罚金。"

"犯第一项第二项之罪者,所收受之贿赂没收之,如全部或一部不能没收时,追缴其价额。"

此条系对付枉法者而定。例如从国外输入本国之违禁品,海关不得放行通过,如因收受贿赂,默许其进口,构成枉法的行为,但受贿者虽收受贿赂,而收受之后,未必实行枉法(未必准违禁品进口),其处分较轻,其因此而实行枉法者,其处分较重也。

(三) 大贪官尽漏法网

刑法规定虽如此严密,未必一定照此执行;即执行矣,而被捉住者,都是苍蝇,所有老虎,悉数漏网。胜利后,贪污事件更多,真多如牛毛,但三年之中,处死刑者,只有一人。这一人还轮得到权高位隆者的身上么?目前的法律,我不敢说保障不了人民,却确确实实地做了贪污大吏们的护身符。法律既失效用,贪官气焰,更一发不可收拾。清查"豪门资本"的呼声,于是应运而生,甚嚣尘上。"征收建国特捐,救济特捐"的口号,不算不响,但事实上呼者自呼,听者还不是当作耳边风。

严嵩家产可支全国军饷数年,王振家产有金银60余库,刘瑾则抄出黄金250万两,白银50万两。至于清代的和珅,据说其家产可供全国经费二十年,以其半数就能支付偌大的庚子赔款。上面这些数字,在我们老百姓看来,自然已够吓人;然而与今日贪污的老虎相比,仍有小巫之感。时代进步,现在的财产有国外银行可藏,现在的资金,有国外生产部门可投,大家便无法悉其底蕴了。

有钱必有钱所从来之源,贪污的老虎们的钱,是从哪儿来的,早就成为大家心照不宣的事实,不必多来絮聒。过去的贪污大吏们到后来免不了重者斩首,轻者查封。上述数人,便是几个明显的例子。可是现在呢?所以我绝对钦佩今人手腕的高明,大兴昔非今比之感。中国历代政府虽系专制,但逢到好的皇帝,也往往能够发奋图强,一鸣惊人,尤其对于贪污的毫不留情一点,颇有令人向往之概。明太祖得天下,规定官吏贪污,在一定限之上,处以剥皮之刑。这虽嫌残酷一点,但与现代大贪污无入瓮者的情形相比,还是认为"宁可失之严,不可失之宽"的,然而历史到底是历史,不可过于憧憬了。

第八篇 结 论

结　论

中国财政制度的历史背景与社会环境

一、治人而食于人的劳心者与食人而治于人的劳力者

抗战胜利了,就公式讲,中国进入了一个新时代。新时代!多么好的名词;真的做起新时代的事情来,又该多么好的事情。旧税逐渐改良,新税逐渐开辟,预算的编制,公库的创设,就地审计的推行,以及县市财政的成立,都依次照办了。然而旧瓶装新酒,不是酒变了质,便是破裂了瓶。我们从中国社会原质来分析,证以中山先生民生主义建国大纲的程序,知道工作之不够与施政方针之错误。

中国几千年一直到现在不脱原始封建社会性。中国的小农经济,中国的土地制度,决定了中国的社会型。"日出而作,日入而息,凿井而饮,耕田而食,帝力于我何有哉!"的小农自给经济,决定了中国"各扫自己门前雪,莫管他人瓦上霜"的社会意识形态,可以"老死不相往来"。所以最大的社会组织,只限于家族社会。这样的人民大众,便是中国圣贤者流心目中的"蚩蚩者氓",愚蠢得"民可使由之,不可使知之"的农奴与"编氓"。中国80%以上的人民确实如此,确实如中山先生所说:"四万万人民是四万万阿斗。"他方,中国的土地制,从卿士大夫,封建时代之"食邑",至秦废封建后

直接间接之"食地租",始终贯彻劳力者食人,劳心者食于人,也贯彻了"劳心者治人,劳力者治于人。"换句话说,人民大众养活这士大夫阶层,受治于这阶层,这阶层养于人民大众,又治理人民大众。所以在中国几千年历史上,地方官是"朝廷命官",派来管人民的,所谓"牧民",所谓"民之父母",便是拿人民当羔羊来牧,当儿子来管,人民见了官喊"大老爷"。所以在大一统政治下,地方政府与地方官,在精神上与人民是对立的。若告以地方政府不是中央的派出所,乃是人民的办事机关;地方官不是"管"人民的,乃是为人民服务的,自然没有官民对立的现象。但这种新思潮,虽涌入中国思想界,始终没有冲破官僚政治的阵营。

这阶层既是与人民对立的,其利益当然是与人民大众的利益不一致的,且必须控制人民大众而不失,才能食于人民大众而无缺。这阶层秦以前是卿、大夫、士,秦以后是官僚、绅士、豪强,所谓"士大夫阶级",所谓"知识阶级"。这阶层,也就是几千年包办中国混乱的"治人阶级";因其生存于对被治阶级的剥削,被治人民大众的利益,从不为其考虑过。被治人民大众是无告无望。小农经济"靠天吃饭"的生活体验,形成他们生存的人生观:"命运的奇迹而登天,命运的乖舛而沦渊,"因之,宁求神求鬼而不求人——无望于人。土地制度的饭碗(土地)赐于先生老爷们(地主、豪强、绅士、官僚)。赏饭吃的权威,造成了先生老爷们不可抗力之"不可触,不可犯。"人民大众最大的野心不过想做神,给下一代读书,爬上去做先生老爷,自己也来呼婢使奴,从不想推翻先生老爷下来和自己一样,只要先生老爷们不要逼得他们走投无路,逼得他们竖起了反叛的旗杆。这样的中国社会,至今原封未动,要实行民主式的财政政策,把负担移转于富商巨贾,官僚豪强,便会闹出现在的"四不相"。

人民大众要给下一代读书,因读书之目的在做官,做官之目的在发财。这一套升官发财的逻辑,已成为我国教育的垂训。富与贵仿佛是双雕,人民大众惟有读书的这一枝弓箭,方能射得这富与贵的双雕。人不读书,既不能富,又不能贵;人能读书,则可以富而且贵,更加上"学而优则仕"的奖励,更使读书必须做官。因为读书而不做官,必被认为庸劣之士;即读书而尚未做官,也要被家人骨肉所轻视。季子不礼于其嫂,买臣见弃于其妻,随处遭人白眼,随地受人揶揄,举子的穷相毕露,真是受尽世态炎凉。所以读书必须做官,大有逼上梁山之势。读书而做官,可以名利双收。父以此期望其子,妻以此期望其夫;一旦做官之后,不但可以荣宗耀祖,光辉门庭,而且可以"状元一生,吃著不尽",于无意中造成了官僚与官僚资本。官僚资本,大都是不劳而获之产物,凭借优越的声势,用不正当的榨取手段,获得巨额的利润。经商可以不纳营业税,输入可以免缴或少缴关税,或竟走私;有官做护身符,可以享受许多减免的利益。于是官僚资本与政治的贪污,已结下不解之缘。

二、粉饰的宪政解除不了人民大众的痛苦

现在施行宪政了,但粉饰的宪政,解除不了人民大众的痛苦。我们只要看今日的乡镇代表、县市参议会、省参议会、国大代表、立委监委,选来选去,选出的都不出这阶层的人物。所谓代表民意,不知所代表者,何种民意也。不要说行动,就说话罢,乡镇代表、县市参议、省参议,曾为最剥削劳苦人民的摊派,征兵,征工,征粮说过什么话否?为什么呢?征兵,征工,征不到他们头上,摊派不仅

摊派不到他们头上,而且还可在里面揩些摊派之油。他们小如乡镇代表,大如国大代表,一样做不出事,因他们根本不肯给人民做事;给人民做出任何的事,都损害他们的阶级利益,他们的阶级利益,是建筑于人民之被剥削上的。

从前的"大老爷"是由中央派来管人民的,是与人民对立的,所以剥削人民是在意料之中。现在的县市参议、省参议,与国大代表是人民选出的,其利害理应与人民一致,奈何也来剥削人民呢?这是因为选"大老爷"与选国大代表,提拔的办法,虽然不同,道理是一贯的。前清以科举取士,有些文笔不佳的读书人,要想求得功名,往往请人代笔,当时认为腐败。民国以来,政府里有许多要职,俱由党政要人委任;有些贪污之辈,暗中贿赂权贵,以求得到肥缺。这是有升官发财的思想者进入仕宦的捷径。目前正在初行宪政的时候,对于政治有野心者,要以选民的票数来进入仕宦之途。因为要达到这个目的,故有不正当的行为。所以在中国取才的制度因时代而异;舞弊的方法,亦随着变更;但其理则一,提拔人才,必须舞弊。所花的钱,连本加利,必须从人民身上收回;其下焉者,还抱一本万利的目的。所以我们对于今日的选举,和前清的科举,可以有同一的看法,认为是一样选拔人才的方法。不过方法是要改的,以求适合一时的风气。现在的选举,和已往的提拔人才来比,仿佛是拿旧瓶子来装新酒。往时人才出于剥削阶层,今日的人力亦出于剥削阶层。往日有舞弊者,今日亦有舞弊者。在这种情形之下,欲以财政负担从人民大众身上移置于富贵阶级身上,犹缘木而求鱼,真所谓与虎谋皮。因此所得税不能推行无阻,遗产税根本无从着手。既不能开辟新的直接税,在战时又不能推销公债,惟有无限制地发行纸币,把损害普遍地摊在人民大众身上。

三、确能为人民说话争利之第一届国民参政会

真能代表民意的,要算第一届国民参政会。首次大会是二十七年七月六日在汉口举行的。那时恰是抗战一周年的前夕。抗战中心在武汉,全国的人望也集中在武汉,大家精神焕发,情绪高涨,确有一番蓬勃气象。那时的参政会,共有参政员200人,虽非全由人民选举,大致多符人望,确能为人民说话,为人民争利,尤其由国防最高会议提出而由国民党中央执行委员会决定的"丁项"参政员,是曾在各重要文化团体,或经济团体服务三年以上,著有信望,或努力国事,资望久著之人员,其中包括各党各派各界的领袖,的确象征了全国的大团结。开会那天,全国哄动,而在武汉三镇的人民,尤其兴奋,像办喜事似的,多少人辗转找门路,想弄得一张旁听券,以冀一瞻几位共产党代表是否都长着红眉毛绿眼睛。一般人恭维参政会是民意机关的雏型。其实参政会更大的意义,在于它是团结抗战的征象,团结,给国家产生了极大力量,给国家增加了蓬勃气象。这力量,这气象,以后虽经多少折磨,多少顿挫,终于把国家支持到抗战胜利。抚今追昔,怎不令人感慨!但后来参政会逐渐增加了选举的参政员,逐渐减少了"丁项"参政员,生气反倒随着逐渐减退了。说来奇怪,其症结尽管增加了"民主"成分,而全国性减了,团结劲差了。参政会虽于三十七年三月二十九日始结束,气象早已无复当年。但第一届参政会,虽能发挥极大力量,这力量只足以领导人民来革新庶政,不足以领导人民来进行国民革命。

四、历代的开国帝王利用人民的力量为自己打天下为士大夫阶级维持权益

中国历史上有三种人,除掉以上所述的劳心者与劳力者二种人以外,尚有流氓式的帝王。我们已说过,劳心者食于人,劳力者食人;劳心者治人,劳力者治于人。但到劳力者连一条命都不能留下来,惟有留下来之必要时,往往需要行动。不过行动起来,却乏人领导,必找出一位草莽英雄来担任这种领导工作,于是流氓式的帝王出焉。这位草莽英雄所领导的行动,不是满足人民的要求,却利用人民的力量来革命,来打天下。那般卿、大夫、绅豪、官僚领导不起革命,只得依附流氓式的帝王来打下天下,以维持本身对人民大众传统的统治。汉至清,从刘邦起,历代开国帝王,几乎都起自草莽流氓。即外族侵入的元清太祖也同是草莽流氓。只魏之曹操起自士大夫阶级。但既兴兵之后,虽挟天子以令诸侯,作风也同于刘邦、朱元璋之流。士大夫阶级,如张良之附刘邦,诸葛亮之附刘备,赵普之附赵匡胤,刘基之附朱元璋,表面看来,依人成事。有人说中国知识阶级无胆量,不敢揭竿起事,不敢反抗帝王;事实上阶级的利益和人民对立,领导不起人民;帝王维护其阶级利益,与之同命。其放弃一个帝王,一定要拥戴另一个帝王,为的帝王能维护其本身对人民大众之统治。哪一个流氓帝王登了宝座之后,不去维护士大夫阶级对人民大众之阶级利益吗?

一般中国人心目中所看得起者,在士大夫阶级中,固然不少,而诸葛亮是他们所最崇拜的。这大都由于三国演义之过分渲染。在该书中,孔明先生竟形容得像神仙方士一般,借风缩地,八卦阴阳,无怪司马懿在空城计一剧中,要大骂其"妖道"了。其实孔明一生事

业,并无出色过人之处可言,充其量不过在刘备割据一方的局面下,充当一位参谋人员。等到他自掌军国大政,六出祁山,得不到中原寸土,只可算是一位失败的英雄,但不知牺牲了多少人民大众的生命与财产!他的流芳千古,久享盛名,大家公认是后出师表"鞠躬尽瘁死而后已"两句话。这两句话,诚然是人生做事的矩范,孔明精神的值得崇拜,也就在此。但处今日的我,对孔明的看法,却要着重他临终前的遗表:"臣随身衣食,取给于官,成都有桑500株,薄田15顷,子孙衣食,自有余裕;臣死之后,勿使内有余帛,外有余财。"照他在蜀汉以勋爵首相的地位,权贵高于今日的行政院长,而他毕竟为政府宣劳,不从商,不置产;孔明爵秩武侯,例有采邑,成都之桑园田亩,即是他的官俸。身后的遗产,如此戋戋,还要谆谆嘱咐,不许子孙再有羡余,这样廉洁忠贞的操守,才足垂法后世。无论如何,诸葛亮没有在人民大众身上来剥刮,来争夺其本身的阶级利益。

五、孙中山之领导国民革命并促士大夫自觉

中山先生很了解这一层。他领导国民革命的时候,当然要士大夫阶级来参加,但谆谆促其自觉,促其自身行动,不要为本身谋利益,要牺牲自己而救人民大众于水深火热之中。所以同盟会推翻满清,用的是士大夫阶级,好听的说,就是知识分子,自觉的知识分子。惠州、河口、镇南关、及黄花岗之役,都是自觉的知识分子自身行动。有人曾批评其为"人才的浪费"。其实,用意正以自觉的知识分子与人民大众阶层打成一片,领导人民大众行动。显然人民大众都是阿斗,自己不能行动,自身做不出自身的事,必须依靠知识分子来领导,才能做出自身的事。所以国民革命所向的目标,完全是人民大众的事。但武汉起义之人,为军阀及其指挥下的军人。各地响应起

义,是所有不自觉的士大夫之投机,放弃满清帝王,拥戴另一个帝王,打算是个总统,以维护其阶级利益。这样,国民革命完全变了质,造成民国以后同于历代的大混乱。这可与王莽时代的农民暴动作一比较。公元十五年,也就是天凤二年的时候,在西北边境五原代郡附近的农民,因为粮食的恐慌,数千人空前地团结了起来,对着王莽政体,开始了第一声的怒吼。接着在山东以及长江下游一带,也爆发了叛乱。同时鄂西的饥民七八千,在新市人王匡、王凤(士大夫阶级)的领导下,帮着其他的革命同志,为王莽政体敲丧钟。他们啸聚在绿林山中,势力一天天的扩大,甚至荆州郡守派了两万大兵去打他们,反而给他们全部歼灭了,叛军的军械和粮食反因此更充实了。除此之外,作为商人地主的刘縯,也在南阳组织起来,来和王莽争天下。平林军的刘玄,更在诸叛逆中起了领导作用,正式组织政府,做起皇帝来,用汉朝的年号。一时英雄豪杰,纷纷响应,放弃一个帝王,拥戴另一个帝王,以维护其阶级利益。

六、国民党领导国民革命所以失败的原因

中山先生也曾想"以毒攻毒",用过陈炯明及其部属的粤军,用过杨刘的滇桂军,最后证明顽固的阶级利益作梗之无望,断然弃绝不自觉而与人民对立的这阶层。其改组国民党为中华革命党,最后第三次改组为中国国民党,完全采取集合自觉的士大夫阶级与人民大众打成一片,领导人民大众,执行国民革命,实行农工政策,为人民大众做事,立刻化朽腐为神奇,北伐如汤沃雪。

然而北伐以后,以广东为单位,自广东出发的自觉的士大夫阶级,到"奄有天下"的全中国,如一粟之入海,渺乎其小,不足以应广大革命的要求。以后所采的尽是"以毒攻毒",尽弃其三民主义

——尤其民生主义的农工政策——之药方。结果,二十年毒害了中国,也毒害了国民党,一切只是中国历史上另一朝代的继续。现在的政府,现在的国民党,如一场春梦一般,依然故我;统治依然建筑于中国不自觉士大夫阶级利益之上;国民党所做的依然维护这阶级的利益。所以一切租税负担,多放在老百姓身上,一面又层层剥削以自肥。但仔细想想,促腐化的士大夫阶级去革士大夫阶级自己的命,天下宁有此理?现在的情形,又与王莽时代的情形相若。平林军的刘玄,正式组织政府,做起皇帝来的时候,王莽政权依然贪污剥削,民食恐慌。照史书的记载,那时候的黄金一斤。还换不到一升大米,整个的长安,变成了饥民收容所,而王莽依然不雇民怨,大用其兵,其乱如故。王莽为了戡乱,便准备大规模围剿,令郡国大捉壮丁,充实兵额,苛征暴敛,以给军食,百姓叫苦连天。他的部下田况,看看情形不对。曾经劝过王莽告诉他说:"盗贼始起,其原甚微,非部吏伍人所能擒也,咎在长吏不为意,县欺其郡,郡欺其朝廷……,朝廷忽略,不辄督责,遂致蔓延连州……饥馑易动,此盗贼所以多之故也。"但王莽并没有接受他的话,贸贸然将十万剿匪大军出动了,他信仰他的军力,以为在武力戡乱之下,这个乱是一定会平的。哪晓得他这些剿匪官兵,"所过放纵",所以一出师,便全军覆灭。王莽军在昆阳、定陵、及郾县一带,与刘玄的前锋相遭遇,节节败退,到后来,弄得到处都是叛军,刘玄的队伍,如入无人之境。王莽到这时候,哭也没有用了。

七、以上所述的结论用统计数字证明

在以上各节中,我们已经把中国财政紊乱的情形说明了。士大夫阶级是一个剥削阶级,不仅把赋税上的负担尽量推在老百姓

(被治者)的身上,而且还要从他们的身上搜刮,所以直接税行不通,间接税为租税制度之核心。兹先将二十五年至三十五年10年间之收支比较表列下,并加以解释。

中央政府收支比较表(二十五年至三十五年)

年份	租税收入 (实在)	支 出 (实在)	实在租税收入依二十五年币值折合	实在支出依二十五年币值折合	实在收入与实在支出相差之数	依二十五年度币值折合的收入与折合的支出相差之数
二十五		13亿元				
二十六	7亿多元	15亿元	7亿余元	13亿元	8亿元	6亿元弱
二十七	5亿元强	9亿元(半年)	3.4亿元	6亿元(半年)	4亿元(半年)	2.6亿元(半年)
二十八	5亿元强	19亿元	1.7亿元	6.3亿元	14亿元	4.6亿元
二十九	3亿元	26亿元	0.4亿元	3.5亿元	23亿元	3.1亿元
三十	8亿元	100亿元	0.4亿元	5亿元	92亿元	4.6亿元
三十一	38亿元	280亿元	0.6亿元	4.4亿元	242亿元	3.8亿元
三十二	100亿元	570亿元	0.4亿元	2.3亿元	470亿元	1.9亿元
三十三	330亿元	1,500亿元	0.4亿元	2亿元	1,170亿元	1.6亿元
三十四	760亿元	13,000亿元	0.4亿元	5亿元	12,240亿元	4.6亿元
三十五	11,000多亿元	56,000亿元	1.5亿元	7.7亿元	45,000亿元	6.2亿元
三十六		93,000亿元 (预算)①				

① 三十六年度之93,000亿是预算,照例于每年度未终了以前,终有若干次的追加预算。依过去之经验,实在的岁出常为预算的2倍乃至4倍,如果是2倍,实在岁出当在20万亿元左右。

当编制预算的时候,并不是没有顾到收支平衡,因为物价不能稳定不变,本月可以平衡的,下月即被打破,预计上半年可以相抵的,下半年即入不敷出;所以这几年来我们的预算与决算之间,终有一个很大的空隙,终是决算大于预算几倍。

上表中的数目字,虽不十分准确,但可作四个解释,列之于后:

(一)第一个解释

第一个解释是我国战时的预算为二元预算,除金钱预算外,另有物资预算,而物资预算的数字,没有包括在金钱预算之中。例如军火由租借法案供给,无须付款;军粮公粮,由征实征借得来,不用货币支出,但完全由老百姓负担。至一般的人物费均为固定支出,在通货膨胀的潮流中,减缩甚多,支出甚少。有了这几个原因,所以自二十九年以后,我国战时的支出数字,形式上虽膨胀,实质上反见缩小。此外债务费在平时占重要的地位,但在战时,因通货膨胀,其重要性反而相对的减少了。

(二) 第二个解释

依上表所示,二十六年(抗战第一年)的收入为 7 亿元,支出为 13 亿元,两数相差(即入不敷出)为 6 亿元。三十五年度收入为 1.5 亿元,支出为 7.7 亿元,入不敷出为 6.2 亿元。两个年度的不足之数同为 6 亿元,但收支两数大不相同,二十六年度的收入为 7 亿元,至三十五年度降至 1.5 亿;二十六年的支出为 13 亿,至三十五年度降至 7.7 亿元;故三十五年度的收支两数均比二十六年度为低。因此我们不能说三十五年度的收支太大(法币数字是 56,000 亿),只能说三十五年度的收入太少;因为收入少,所以不敷之数仍大。比较准确地来说,三十五年的收支水准,比较二十六年度的收支水准皆低,这是表示国家的经济实情正在走下坡的路,所谓国破家亡之日就要到来。这又是一个解释。

(三) 第三个解释

我们并不说上面财政上的账面数字,可以把中国的实际情形完全表现出来。中国预算外的收入,无人知其确数;即县地方的收入,可以说大部分是不归纳于预算之内的。本书中讨论甚详,兹不赘。这种收入,既无确定的数字,亦无一定的征收时间,所以无从

703

查考。这是额外收入,用摊派的方式,从老百姓的身上榨取来的。且我们亦以财政实际状况,非局外人所能探悉,并不承认上面的数字是十分准确。但虽不十分准确,无损于我们的结论,因为若干收入,不列预算,是一种公开的秘密,中饱侵吞,是意料中事,政府中人无不知之。所以中国的预算,原是一种欺骗老百姓的工具;若谓可用以表现积极的计划,或预定的政策,真是自欺欺人之谈。收入既不尽列预算,则支出当然亦不尽列预算,无所谓"统收统支",亦无所谓"满收满支"。这种预算如何能表现积极的计划呢?所以以上的收支比较表,在学术上,无大价值,以其不能将财政的实际情形表现出来。此又是一个解释。

(四)第四个解释

中国原是一个穷国。抗战的结果穷者更穷,因为政府将预算上的赤字用滥发纸币的办法来弥补;这些纸币遂散布于社会,摊在一般老百姓的身上,而富者并不对国家尽其负担赋税之义务。其不肖者,更变本加厉,大发其国难财、胜利财、"劫搜(接收)"财,于是社会财富,集中于少数人之手,大半是大官僚、大资本家,而大官僚、大资本家往往是团结一起,互相利用,以其利害相同故也。有钱者不出钱,无钱者无钱可出,不得不再发纸币以资弥补。以此之故,税收日短,支出亦随着缩小,因此三十五年度的收支两方,均比二十六年度为低。此又是一个解释。

倘第四个解释是准确的,则对症下药的方法,是对大官僚、大资本家、以及发国难财者抽一次资本捐,或财产税,将一切负担放在他们的身上,不再袭常蹈故,增发纸币,使老百姓稍得安息。三十六年国民党二中全会所通过之经济复员紧急措施方案中,原有征收一次财产税的决议,但会议闭了门,方案就归了档,此后便不听有人谈起了。在通货膨胀期中,获得不当利得最成功的人们,是官僚式的投机者,而不是生产者。中央政府愈来愈受他们的影响,所以对于资本捐,不敢轻于一试。

三十六年度的预算,是一个不平衡的预算,因为岁出是93,000亿,岁入可望达到70,000亿,其中税收只有30,000余亿,其余23,000亿还要靠发行来弥补。况照过去的先例,实在的岁出终比预算大2倍至4倍,可是到了三十六年底实际数字为450,000亿,相当于原编预算的5倍,而岁入之70,000亿,是否能如数收到,却成问题。因为70,000亿中,税收只占34,000余亿,其余有17,000余亿是变卖敌伪物资的收入,另有17,000余亿是债款收入。所谓债款,不知所指是何款。我们的主张,这个差额不要再用膨胀通货的方法来弥补,最合理的方法是抽富人的资本捐或财产税。但财政部长答复立法院的质问说,是富人不肯出钱,这简直不成话了。粮食部可以逼贫农缴实物(田赋征实),国防部可以逼人民充壮丁,何以财政部不能逼富人出钱?举国人民都在呼喊停抽壮丁,停征实物,而抽丁征实如故。举国人民都在要求有钱者出钱,而有钱者不出钱如故,难道这个政府完全是富人的奴役吗?赋税应依纳税人的担税能力而征课,富人的担税能力大,所以应多纳赋税,是财政学上千古不废的原则。惟有把岁出的负担加在富人身上,才可以使富人感觉到庞大的支出,于他们不利,必先使他们受了打击,方能逼他们与贫民打成一片,向政府要求平衡预算。各国议会往往为了少数不合理的支出,嚷嚷不休,就是这个缘故。

纳税负担之不平,可以激起强烈的革命运动。法兰西大革命的因素,固然很多,但是纳税负担之不平,亦是重要因素之一。法国大革命前夕，原有贵族、教士、平民三大阶级，贵族与教士是富裕阶级，持有世袭的特权，但不负担纳税的义务。这个负担完全落在平民身上，并随政府开支的增加而日益加重。苛捐杂税，相继而来，名目繁多，遂于1789年引起三级会议中平民与贵族教士的冲突，辗转而成为大革命的洪流。

美国的独立运动，亦是由纳税问题激起来的。英国因受七年战争的影响，决定在北美十三州的殖民地，征收新税，以资弥补，当地人民以英国国会之内，并无代表北美殖民地的议员，遂喊出"不经人民代表同意，不纳捐税"之口号，群起抗捐。所以1765年英政府颁布印花税时，北美殖民地人民发动罢市与抵货运动以示坚决。后来由茶党登高一呼，掀起群众运动的高潮，喊出北美合众国的先声。

* * *

为方便读者，我们对原书中个别的译名作了改动，特说明如下：

原"舍依"（Say），改为"萨伊"；原"马夏尔"（Marshall）改为"马歇尔"；原"披古"（Pigou）改为"庇古"；原凯恩斯：《就业、利息和货币一般理论》改为《就业、利息和货币通论》；原简称《一般理论》改为《通论》。——商务印书馆编辑部，1999年。

图书在版编目(CIP)数据

财政学与中国财政:理论与现实/马寅初著.－北京：商务印书馆,2001
(商务印书馆文库)
ISBN 7-100-02813-2

I. 财… II. 马… III. ①经济－研究－中国 ②经济理论 IV. F12

中国版本图书馆 CIP 数据核字(1999)第 03450 号

根据商务印书馆大学丛书 1948 年
8 月第一版重排

所有权利保留。
未经许可,不得以任何方式使用。

商务印书馆文库
财政学与中国财政
——**理论与现实**
(全 二 册)
马寅初 著

商 务 印 书 馆 出 版
(北京王府井大街36号 邮政编码100710)
商 务 印 书 馆 发 行
北 京 民 族 印 刷 厂 印 刷
ISBN 7－100－02813－2/F·357

2001 年 10 月第 1 版	开本 850×1168 1/32
2006 年 4 月北京第 2 次印刷	印张 23 1/4

定价:36.00 元